S0-AJD-380

YESHIVA UNIVERSITY
MUSEUM

WITHDRAWN

YESHIVA UNIVERSITY
MUSEUM

Classici dell'Arte

57.

L'opera pittorica completa di

Eugène Delacroix

Classici dell'Arte

Biblioteca Universale delle Arti Figurative
diretta da
PAOLO LECALDANO

Redattore capo
ETTORE CAMESASCA
Consulente critico centrale
GIAN ALBERTO DELL'ACQUA
Comitato di consulenza critica
BRUNO MOLAJOLI
CARLO L. RAGGHIANTI

ANDRÉ CHASTEL
JACQUES THUILLIER

DOUGLAS COOPER
DAVID TALBOT RICE

LORENZ EITNER
RUDOLF WITTKOWER

XAVIER DE SALAS
ENRIQUE LAFUENTE FERRARI
Redazione e Grafica
EDI BACCHESCHI
TIZIANA FRATI
PIERLUIGI DE VECCHI
SERGIO CORADESCHI
FIORELLA MINERVINO
SALVATORE SALMI
SERGIO TRAGNI
ANTONIO OGLIARI
MARCELLO ZOFFILI
Segreteria
FRANCA SIRONI
MARISA DE LUCIA
CARLA VIAZZOLI
Consulenza grafica e tecnica
PIERO RAGGI
Stampa e rilegatura a cura di
ALEX CAMBISSA
ROBERTO MOMBELLI
LUCIO FOSSATI
Colori a cura di
PIETRO VOLONTÈ

Comitato editoriale
ANDREA RIZZOLI

GIANNI FERRAUTO

HENRI FLAMMARION
FRANCIS BOUVET

HARRY N. ABRAMS
MILTON S. FOX

J. Y. A. NOGUER
JOSÉ PARDO

GEORGE WEIDENFELD

L'opera pittorica completa di

Delacroix

Introdotta da passi del " Journal " e coordinata da
LUIGINA ROSSI BORTOLATTO

Rizzoli Editore · Milano

Proprietà Letteraria Riservata
© Copyright by Rizzoli Editore. Milano 1972

Prima edizione: marzo 1972

Folio
ND
553
D33
R67
1972

Passi del "Journal" di Delacroix

Rivolgiamo un vivissimo grazie a Lamberto Vitali e a Giulio Einaudi, rispettivamente autore ed editore della versione italiana del Journal *di Delacroix, per averci gentilmente concesso di riprodurne i brani pubblicati qui di seguito.*

Il diario di Delacroix, il ben noto Journal, *ebbe inizio il 3 settembre 1822, venne interrotto nel 1824, proseguì nel 1847, fino alla morte (il quaderno del 1848 fu smarrito dall'autore): fra i vari scritti del maestro, a esso soltanto si è creduto di attingere, per introdurne l'opera pittorica, dipendentemente dall'interesse — nell'ambito del pensiero artistico — di gran lunga superiore rispetto a quello dell'epistolario e degli stessi saggi estetici che il pittore si trovò a pubblicare in vari periodi della vita.*

*"Non si conosce mai abbastanza un maestro per parlarne in modo assoluto e definitivo": la considerazione, di Delacroix [*Journal, *1° novembre 1852], tanto significativa, assume valore illuminante quando ci si accinga alla lettura del suo diario, che riveste un valore di rivelazione pari a quello degli studi e dei disegni usciti alla luce in occasione dell'asta allestita dopo la sua morte. Lamberto Vitali, che il* Journal *ha esemplarmente studiato e tradotto in italiano, scopre nell'intima confessione dell'artista il riallacciarsi a una "duplice tradizione letteraria francese: quella dei memorialisti e quella dei moralisti", ragion per cui essa non si pone al margine, ma integra e qualifica, anche per gli aspetti di valore letterario che assume, una straordinaria produzione pittorica.*

Se non appare da questa testimonianza, scritta velocemente e con lunghe interruzioni, l'assolutezza ed esclusività tipica dei personaggi romantici, estremamente moderno giunge a noi oggi il diario di Delacroix per certa inquietudine, che si serve, oltre che dell'imprevisto e dell'originalità, di ellissi di frasi ineguali, di periodi monchi. Nelle contraddizioni, anche a breve scadenza, nella mutevolezza dei sentimenti, del gusto, che non è incostanza o superficialità, nell'essere libero, schietto, multiforme, antiretorico, scopriamo un Delacroix sempre nuovo, tuttavia intento, alla luce di questa relatività, nella propria introspezione. "Ci vuole un grande coraggio a esser soli", scrive il maestro; la vita è un'aspirazione all'ardimento, tanto più intensa quanto più egli sa che le risoluzioni sfumano di fronte all'azione. Alla fine, una meditazione forse compiaciuta: "Essere audaci quando si ha un passato da compromettere è il segno della più grande forza".

Nella provvisorietà, così attuale, 'nostra', trova una sua collocazione un fattore oggi apparentemente remoto: l'idealismo soggettivo di Delacroix, la cui matrice consiste nel sostanziale scetticismo sul valore illusorio del reale per cui tra verità e artificio non esiste limite. Anche tra "necessità interiore" e "ispirazione" c'è una identità sostanziale. Tra arte e vita, nessuna separazione: se non può venire sottoposta a leggi oggettive, neppure la forma può essere chiusa, definitiva, assoluta. Per questo, soltanto se ha ubbidito alla propria "necessità interiore", ogni grande artista del passato o del presente è autentico al di fuori di norme o concetti da seguire.

Nel Journal *le considerazioni sull'arte si trovano costantemente intercalate da giudizi di acume estremo, formulati su artisti, letterati e musicisti antichi e coevi. Assistiamo a una creazione di 'tipi', costruiti dal di dentro, che dà luogo a un immediato penetrare in personaggi storici ben diversamente letti. Sono osservazioni illuminanti, a flash-back, che si susseguono velocemente su un ordito estremamente dinamico alla ricerca continua di essere 'altro': come avviene nella pittura, che si sposta costantemente, incandescente magma rutilante, per travolgere l'oggetto e significarlo in modo diverso. Mentre osserviamo con gli occhi e l'intelletto di Delacroix l'ambiente artistico e culturale al quale appartiene e dal quale nel tempo stesso egli si allontana, le osservazioni su fatti storici e sociali attraverso i quali transita avvengono con il distacco di una coscienza eccezionale. Così ci sentiamo calare nel suo "espace du dedans" scoprendone gli affetti: amici, parenti, donne; gli interessi: musica, letteratura, piante, animali; le predilezioni: il mare (Valmont, Dieppe, Champrosay), il Sud (il Marocco). Nasce un ritratto d'uomo vicino a noi per le confessate debolezze e contraddizioni, tuttavia consapevole: "sarò l'araldo di chi farà grandi cose"; animato da una grande, unica passione: "la pittura mi fa tribolare e mi tormenta in mille modi [...] all'alba mi affretto, corro a questo lavoro affascinante, come ai piedi dell'innamorata più cara".*

(Ulteriori citazioni dal Journal *si trovano incluse nella premessa al Catalogo, pag. 87-88).*

1822

Quando ho dipinto un bel quadro, non ho scritto un pensiero. Così dicono. Come sono sciocchi! essi tolgono alla pittura la sua superiorità. Per esser capito, lo scrittore dice quasi tutto.

In pittura, l'artista stabilisce come un ponte misterioso fra l'animo dei personaggi e quello dello spettatore. Egli vede delle figure, il vero esteriore; ma pensa intimamente, del vero pensiero che è comune a tutti gli uomini: pensiero al quale taluni,

scrivendo, dànno corpo: ma alterandone l'essenza sottile. Perciò gli spiriti rozzi sono più commossi dagli scrittori che dai musicisti o dai pittori. L'arte del pittore è tanto più intima al cuore dell'uomo quanto più sembra materiale: perché in essa, come nella natura esteriore, c'è divisione netta fra ciò che è finito e ciò che è infinito, vale a dire ciò che l'anima trova che la agita intimamente nelle cose che colpiscono soltanto i sensi.

(8 ottobre)

1824

— I contorni, in pittura, sono la prima cosa e la più importante. Quand'anche il resto fosse molto tirato via, se esistono quelli, la pittura è ferma e conclusa. [...]

A questo, Raffaello deve il suo finito, e spesso anche Géricault.

(7 aprile)

La novità è nello spirito che crea, non nella natura che è descritta.

(14 maggio)

1840 c.

Voi credete che la pittura sia un'arte materiale, perché vedete soltanto con gli occhi del corpo le linee, le figure, i colori. Guai a chi in un bel quadro vede soltanto un'idea precisa e guai al quadro che a un uomo dotato d'immaginazione non fa veder nulla al di là del finito. Il pregio del quadro sta nell'indefinibile: è proprio ciò che sfugge alla precisione: in una parola è ciò che l'anima ha aggiunto ai colori ed alle linee per andare all'anima. La linea, il colore, nel loro senso esatto, sono le rozze parole d'un canovaccio grossolano sul genere di quelli che scrivono gli italiani per ricamarci sopra la loro musica. La pittura è indiscutibilmente di tutte le arti quella la cui impressione è più materiale nelle mani d'un artista volgare e io sostengo essere quella che un grande artista conduce più lontano verso le fonti oscure delle nostre emozioni più sublimi, quella da cui riceviamo le misteriose emozioni che la nostra anima, libera in un certo senso dai legami terrestri e chiusa in ciò che ha di più immateriale, riceve quasi senza averne coscienza.

1847

— Gabinetto di storia naturale [di Parigi] aperto al pubblico il martedì e il venerdì. Elefanti, rinoceronti, ippopotami, strani animali! Rubens li ha resi ottimamente. Ho avuto, entrando in questo museo, un senso di felicità. Man mano che procedevo, questo senso s'accresceva; mi sembrava che il mio essere si elevasse al disopra delle volgarità o delle idee grette; o delle piccole inquietudini passeggere. Che prodigiosa varietà d'animali, e che varietà di specie, di forme, di destini! A ogni passo, quel che ci sembra esser la deformità accanto a quello che ci sembra esser la grazia. [...]

Tigri, pantere, giaguari, leoni, ecc.

Donde viene l'impressione che la vista di tutto ciò ha prodotto in me? Perché sono uscito dai pensieri quotidiani che sono tutto il mio mondo, dalla strada che è il mio universo. Com'è necessario scuotersi di quando in quando, metter fuori la testa, cercar di leggere nella creazione, che non ha nulla in comune con le nostre città e con le opere degli uomini! Certo, questo spettacolo rende migliori e più tranquilli. Nell'uscir

di là, gli alberi hanno avuto la loro parte d'ammirazione e sono entrati per qualcosa nel senso di piacere che m'ha dato questa giornata.

(19 gennaio)

In pittura l'esecuzione deve sembrar sempre improvvisata, e in ciò sta la differenza capitale da quella dell'attor comico. L'esecuzione del pittore sarà bella soltanto se egli si sarà lasciato andare un po', se ricercherà nel corso dell'elaborazione, ecc.

(27 gennaio)

È venuto a prendermi Gaspare Lacroix [paesista, allievo di Corot], e insieme siamo andati da Corot. Egli sostiene, come altri che forse non hanno torto, che, a onta del mio desiderio di metodo, in me prevarrà sempre l'istinto. Corot è un vero artista. Bisogna veder un pittore in casa sua per avere un'idea del suo valore. Da lui ho rivisto e giudicato in modo affatto diverso quadri che avevo veduto al Museo [cioè: al Salon] e che m'avevano colpito molto. Il grande *Battesimo di Cristo* [la pala di St-Nicolas-du-Chardonnet] è pieno di ingenue bellezze. I suoi *alberi* sono magnifici. Gli ho parlato di quello che devo dipingere per l'*Orfeo* [nella biblioteca di palazzo Borbone]. M'ha detto di lasciarmi andare e d'abbandonarmi a quel che mi verrà; egli fa quasi sempre così. Non ammette che si possano fare delle cose belle con stenti interminabili. Tiziano, Raffaello, Rubens, ecc. hanno dipinto con facilità. Veramente dipingevano soltanto ciò che conoscevano bene: ma il loro registro era più ampio di quello d'un altro che, per esempio, dipingesse soltanto paesaggi e fiori. Nonostante tale facilità, c'è sempre un lavoro indispensabile. Corot approfondisce molto il soggetto: gli vengono le idee e, lavorando, le arricchisce; è il metodo buono.

(14 marzo)

Il Veronese deve molto della sua semplicità anche alla mancanza di particolari, la quale fin da principio gli permette di stabilire il tono locale. La tempera l'ha quasi costretto a tale semplicità. La semplicità nei panneggi ne fa singolarmente partecipe tutto il resto. Il contorno vigoroso che egli traccia di proposito attorno alle figure, contribuisce a completare l'effetto della semplicità delle sue opposizioni di luce e ombra e completa tutto e dà risalto ad ogni parte.

(10 luglio)

Fra i pittori vedo prosatori e poeti. La rima, le pastoie, la costruzione obbligata del verso che gli dà tanta forza, sono analoghe alla celata simmetria, all'equilibrio sapiente e nel medesimo tempo ispirato che regolano l'incontrarsi e l'allontanarsi delle linee, le macchie, i riflessi colorati, ecc. Questo tema è di facile dimostrazione; soltanto, per distinguere gli errori, le discordanze, i rapporti sbagliati delle linee e dei colori, occorrono organi più attivi e sensibilità più acuta che per sentire se una rima non torna e se un emistichio resta goffamente o malamente in tronco. Ma la bellezza dei versi non consiste nell'obbedire in modo esatto a regole, l'inosservanza delle quali salta agli occhi dei più ignoranti. Essa sta in mille armonie e convenienze celate, che costituiscono la forza poetica ed eccitano l'immaginazione; come, nell'arte pittorica, la scelta felice delle forme e il loro beninteso rapporto agiscono sull'immaginazione.

(19 settembre)

Tutti i grandi problemi artistici sono stati risolti nel secolo XVI.

In Raffaello, perfezione del disegno, della grazia, della composizione.

In Correggio, in Tiziano, in Paolo Veronese, del colore, del chiaroscuro.

Giunge Rubens, che ha già dimenticato le tradizioni della grazie e della semplicità. A forza di genio, egli ricostruisce un ideale. Lo attinge nel suo temperamento. Forza, effetti sorprendenti, espressione spinta al massimo.

Rembrandt lo trova nell'indefinitezza della fantasticheria e della *resa*?
                                                                    (1847?)

1849

L'esperienza è indispensabile per imparare tutto ciò che si può fare con il proprio strumento, ma soprattutto per evitare ciò che non dev'essere tentato. [...] Soltanto l'esperienza può dare, anche all'ingegno più grande, la fiducia d'aver fatto tutto quello che poteva esser fatto. Solo i pazzi e gli impotenti si tormentano per l'impossibile.

Eppure bisogna esser molto audaci. Senz'audacia, e audacia estrema, non esistono bellezze.
                                                                    (21 luglio)

— Durante questa passeggiata [a Champrosay] abbiamo osservato degli effetti stupendi. Era il tramonto: i toni *cromo* e *lacca* più smaglianti dalla parte della luce e le ombre azzurre e oltremodo fredde. Così l'ombra portata degli alberi completamente gialli, *terra d'Italia*, *bruno rosso*, illuminati di fronte dal sole, che si stagliavano su una parte di nubi grige che andavano fino all'azzurro. Sembra che più i toni della luce sono caldi e più la natura esageri il contrasto grigio: vedi le mezzetinte negli arabi e nella gente dalla pelle abbronzata. E ora appunto questa legge dei contrasti faceva sì che nel paesaggio l'effetto sembrasse sempre tanto vivo.

Ieri, 13 novembre [*sic*], ho osservato lo stesso fenomeno al tramonto: il fenomeno è più vivo, colpisce di più a mezzogiorno, soltanto perché i contrasti sono più marcati. Di sera, il grigio delle nuvole va fino *all'azzurro*; la parte del cielo che è pura, è giallo vivace o arancione. Legge generale: *maggior contrasto, maggior splendore*.
                                                                    (3 novembre)

1850

Il *nuovo* è vecchissimo, si può perfino dire che è sempre quel che c'è di più vecchio.
                                                                    (9 giugno)

Mi son detto cento volte che la pittura, cioè la pittura materiale, non è che il pretesto, che il ponte fra lo spirito del pittore e quello dell'osservatore. La fredda esattezza non costituisce l'arte; l'artificio ingegnoso, quando *piace* o *esprime*, è tutta l'arte. La cosiddetta coscienziosità della maggior parte dei pittori non è che la perfezione messa a servizio dell'*arte d'annoiare*. Se potesse, quella gente lavorerebbe con lo stesso scrupolo il rovescio dei propri quadri. Sarebbe curioso fare un trattato di tutte le falsità di cui può essere composto il vero.
                                                                    (18 luglio)

1851

Forse si arriverà a scoprire che Rembrandt è un pittore molto più grande di Raffaello.

Scrivo questa bestemmia degna di far raddrizzare i capelli a tutti gli ortodossi, senza pronunciarmi in modo deciso; soltanto trovo in me, man mano che vado avanti nella vita, che non esiste nulla di più bello e di più raro della *verità*. Rembrandt, posso ammetterlo, non ha assolutamente il sublime di Raffaello.

Forse il sublime che Raffaello ha nelle linee, nella maestosità d'ognuna delle sue figure, Rembrandt lo possiede nella misteriosa concezione del soggetto, nella profonda schiettezza delle espressioni e dei gesti. Per quanto si possa preferire l'enfasi maestosa di Raffaello, che forse risponde alla nobiltà di certi soggetti, si potrebbe affermare, senza farsi lapidar dagli uomini di gusto, ma intendo d'un gusto vero e sincero, che il grande olandese era un pittore nato più di quello che fosse lo studioso discepolo del Perugino.
                                                                    (6 giugno)

1852

I pittori che non sono coloristi, miniano e non dipingono. La pittura propriamente detta, a meno che non la si faccia monocroma, implica l'idea del colore come una delle basi necessarie, al pari del chiaroscuro, della proporzione, della prospettiva. La proporzione s'applica alla scultura come alla pittura; la prospettiva determina il contorno; il chiaroscuro dà il rilievo con la disposizione delle ombre e delle luci messe in relazione con il fondo; il colore dà l'apparenza della vita, ecc.

Lo scultore non comincia l'opera con un profilo; con la sua materia costruisce un'apparenza dell'oggetto che, dapprima grossolano, presenta fin dall'inizio le condizioni principali: rilievo reale e solidità. I coloristi, la cui arte assomma tutti gli elementi della pittura, debbono stabilire nello stesso tempo e fino da principio ciò che è tipico ed essenziale della loro arte. Debbono disporre le masse con il colore come lo scultore con la creta, il marmo o la pietra; il loro abbozzo, come quello dello scultore, deve egualmente presentare proporzione, prospettiva, effetto e colore.
                                                                    (23 febbraio)

Perché ora, quando ho il pennello in mano, non m'annoio un solo istante e, se le forze mi bastassero, non cesserei di dipingere che per mangiare e per dormire? Mi ricordo che un tempo, nella cosiddetta età dell'estro e della potenza immaginativa, mancando l'esperienza a tutte queste belle qualità, ero fermo ad ogni passo e spesso scontento. È triste derisione della natura, questa condizione nella quale essa ci mette con l'età. La maturità è completa e l'immaginazione fresca e attiva come non mai, specie nel silenzio delle folli e imperiose passioni che l'età ha portato via con sé; ma le forze le mancano, i sensi sono logorati e chiedono riposo più che moto. E nondimeno, ad onta di tutti questi inconvenienti, che consolazione quella del lavoro! Come sono felice di non essere più costretto a esser felice come l'intendevo un tempo! A quale selvaggia tirannìa m'ha strappato quest'indebolimento del corpo?
                                                                    (12 ottobre)

1853

Per finir un quadro, bisogna sempre sciuparlo un po'. Gli ultimi tocchi destinati ad accordare le diverse parti tolgono sempre freschezza. Bisogna comparire dinanzi al pubblico sopprimendo le felici trascuraggini che sono la passione dell'artista. Paragono quei ritocchi assassini ai ritornelli banali che chiudo-

no tutte le arie e ai riempitivi inconcludenti che il musicista è costretto a porre fra le parti interessanti della sua opera per legare un motivo all'altro o per metterli più in evidenza. Però, quando il quadro è ben pensato ed è stato dipinto con un sentimento profondo, i ritocchi non gli nuocciono tanto come si potrebbe credere. Il tempo, facendo scomparire le pennellate, tanto le prime come le ultime, ridà all'opera il suo insieme definitivo.

(13 aprile)

Davanti a un quadro l'indipendenza dell'immaginazione dev'essere totale. Il modello vivente, in paragone a quello creato dal pittore e messo in armonia con il resto della sua composizione, svia la mente ed introduce nel complesso del quadro un elemento estraneo.

(26 aprile)

Vorrei – e credo di riuscire spesso – che l'artificio non si sentisse, e che nondimeno l'interesse risaltasse come si conviene; e ciò, ancora una volta, è possibile ottenerlo soltanto con dei sacrifici; ma per rispondere al mio desiderio, essi devono essere infinitamente più delicati che nella maniera di Rembrandt. [...]
Gli storici di Poussin – e son molti – non l'hanno considerato abbastanza come un novatore della specie più rara. La maniera, in mezzo alla quale s'è innalzato e contro di cui ha protestato con le sue opere, si estendeva all'intero regno delle arti [...]. Quando Poussin arriva in Italia, trova i Carracci e i loro successori portati alle stelle, e *dispensatori della gloria*. Non esisteva educazione completa per un artista senza il viaggio in Italia, ma ciò non voleva dire che lo mandassero a studiare i veri modelli, come gli antichi e i maestri del Cinquecento. I Carracci e i loro allievi avevano accaparrato tutta la fama possibile, ed essi erano i dispensatori della gloria, esaltavano cioè soltanto chi somigliava loro, e, con tutta l'autorità che veniva loro dal capriccio del momento, intrigavano contro tutto ciò che tendeva a uscire dal sentiero tracciato. Il Domenichino, uscito dalla medesima scuola, ma portato dalla sincerità del proprio genio alla ricerca delle espressioni e degli affetti non ammanierati, diventò oggetto dell'odio e della persecuzione universali. [...]

(28 aprile)

Per l'artista è [...] più importante avvicinarsi alla visione ideale che porta in sé e che gli è tipica, piuttosto che rendere, sia pure con forza, l'ideale passeggero che può presentar la natura, ed essa pur ne presenta; ma, ancora una volta, li vede l'artista, non l'uomo comune, e questo prova che soltanto la sua immaginazione crea la bellezza, appunto perché egli segue il suo genio.

(12 ottobre)

Gian Giacomo [Rousseau] dice con ragione che si descrivono meglio i beni della libertà quando si è in prigione, che si descrive meglio una bella campagna quando si abita in una città opprimente e si vede il cielo soltanto da un abbaino e fra i camini. Con il naso sul paesaggio, circondato da alberi e da luoghi incantevoli, il mio paesaggio è pesante, troppo fatto, forse più vero nei particolari, ma senza accordo con il soggetto principale. Quando Courbet ha dipinto il fondo della bagnante [*Le bagnanti*, Montpellier, Musée], l'ha copiato scrupolosamente da uno studio che ho visto accanto al suo cavalletto. Non esiste nulla di più freddo; è un lavoro d'intarsio. Nel

mio viaggio in Africa, ho cominciato a far qualcosa di passabile soltanto quando avevo un po' dimenticato i particolari minori per non ricordarmi nei miei quadri che del lato poetico e di quello che colpisce; fino a quel momento, ero perseguitato dall'amore per l'esattezza che la maggioranza confonde con il vero.

(17 ottobre)

Che adorazione ho io per la pittura! Il solo ricordo di certi quadri m'infonde un sentimento che mi commuove tutto, anche se non li vedo, come tutti quei ricordi rari e interessanti che si ritrovano di quando in quando nella propria vita, e specie nei primissimi anni.
[...] Tale genere d'emozione proprio della pittura è, in un certo senso, *tangibile*; la poesia e la musica non possono darlo. Si gode della rappresentazione reale degli oggetti, come se si vedessero davvero, e nel medesimo tempo il senso che, per lo spirito, le immagini racchiudono, ci riscalda e ci rapisce. Le figure, gli oggetti, che sembrano le cose medesime a una certa parte dell'intelligenza, sono come un ponte solido su cui s'appoggia la immaginazione per penetrare fino alla sensazione misteriosa e profonda, della quale le forme sono in un certo modo il geroglifico, ma un geroglifico ben altrimenti parlante d'una fredda rappresentazione che tien luogo soltanto d'un carattere tipografico: arte sublime in questo senso, se la si confronta con l'arte per la quale il pensiero giunge allo spirito soltanto grazie a delle lettere messe in un ordine convenuto; arte molto più complessa, se si vuole, poiché il carattere non è nulla e il pensiero sembra esser tutto, ma cento volte più espressiva, se si considera che, indipendentemente dall'idea, il segno visibile, il geroglifico parlante, segno senza valore per lo spirito nell'opera letteraria, in pittura diventa fonte del godimento più vivo, cioè della soddisfazione che nello spettacolo delle cose dànno la bellezza, la proporzione, il contrasto, l'armonia del colore, e tutto ciò che l'occhio considera con tanto piacere nel mondo esterno e che è un bisogno della nostra natura.
Molti troveranno che appunto in tale semplificazione del mezzo espressivo sta la superiorità della letteratura. Costoro non hanno mai osservato con piacere un braccio, una mano, un torso antico o del Puget; amano la scultura ancor meno della pittura e si sbagliano stranamente se pensano che quando hanno scritto: *un piede* o *una mano*, hanno dato al mio spirito la stessa emozione che provo quando vedo un bel piede o una bella mano. Le arti non sono affatto come l'algebra nella quale l'abbreviazione delle espressioni concorre alla risoluzione del problema; la riuscita, in arte, non consiste minimamente nell'abbreviare, ma nel magnificare, se è possibile, nel prolungare la sensazione, e con tutti i mezzi. Che cosa è il teatro? Una delle testimonianze più certe di questo bisogno umano di provare nel medesimo tempo quante più emozioni è possibile. Esso riunisce tutte le arti per far sentire maggiormente: la pantomima, il costume, la bellezza dell'attore, raddoppiano l'effetto dell'opera parlata o cantata. La rappresentazione del luogo nel quale avviene l'azione, accresce ancora tutti questi generi d'impressione.
Si capisce, dunque, tutto ciò che ho detto a proposito della *potenza della pittura*. Se non dispone che d'un momento, essa concentra l'*effetto* di quel momento; il pittore è molto più padrone di ciò che vuol esprimere, del poeta o del musicista in balìa degli interpreti; in una parola, se il suo ricordo non agisce su tante parti della mente, egli produce un effetto perfettamente

unitario, che può soddisfare in modo completo; inoltre l'opera pittorica non è sottoposta alle stesse alterazioni per quel che riguarda il modo con cui essa può essere capita in tempi diversi.

(20 ottobre)

1854

— Il bello implica la riunione di parecchie qualità: la forza sola, senza la grazia, non costituisce la bellezza, ecc.: in una parola, l'armonia dovrebb'essere la sua espressione più ampia.

(senza data)

Da quando son qui [a Champrosay], quantunque la vegetazione sia poco avanzata, capisco meglio il *principio* degli alberi. Bisogna modellarli in un riflesso colorato come la carne: il medesimo principio appare qui ancor più pratico. Non bisogna che questo riflesso sia del tutto un riflesso. Quando si finisce, si riflette maggiormente dove ciò è necessario e, quando si riprendono i chiari o i grigi, il passaggio è meno brusco. Noto che bisogna modellare sempre con masse che girano, come fossero cose non composte da un'infinità di piccole parti, quali sono le foglie: ma dato che qui la trasparenza è massima, il tono del riflesso ha nelle foglie un'importanza grandissima. Osservare dunque:

1) questo tono generale che non è affatto *né riflesso, né ombra, né luce*, ma è *trasparente quasi dappertutto*;

2) l'orlo più freddo e più cupo, che segnerà il passaggio da questo riflesso alla *luce*, che dev'essere indicato nell'abbozzo;

3) le foglie completamente nell'ombra portata di quelle che stanno sopra, che non hanno né *riflessi*, né *chiari*, e che è meglio indicare;

4) il *chiaro opaco* che dev'essere ripreso per ultimo.

Bisogna ragionare sempre così e soprattutto tener conto del lato da cui viene la luce. Se viene da dietro l'albero, questo sarà riflesso quasi completamente. Presenterà una massa riflessa nella quale si vedrà appena qualche tocco di *tono opaco*; se la luce, invece, viene da dietro lo spettatore, cioè di fronte all'albero, i rami che sono dall'altra parte del tronco, invece d'esser riflessi, costituiranno delle masse d'un tono d'*ombra unito* e *assolutamente piatto*. Insomma, più i toni differenti saranno messi per piatto e più l'albero avrà leggerezza.

Più io rifletto sul colore e più scopro come questa *mezzatinta riflessa* è il principio che deve dominare, perché è effettivamente ciò che dà il vero tono, il tono che costituisce il valore, che conta nell'oggetto e lo fa esistere. La luce, alla quale nelle scuole insegnano ad attribuire un'importanza uguale e che mettono sulla tela contemporaneamente alla mezzatinta e all'ombra, non è che un vero e proprio accidente: tutto il vero colore sta lì: intendo quello che dà il senso dello spessore e quello della differenza radicale che deve distinguere un oggetto dall'altro.

(20 aprile)

La prima idea, lo schizzo, che in un certo senso è l'uovo o l'embrione dell'idea, di solito non è affatto completo; contiene tutto, se si vuole, ma bisogna liberare questo tutto, che non è altro che la riunione d'ogni singola parte. Non la soppressione dei particolari, ma la loro totale subordinazione alle grandi linee che debbono colpire prima di tutto, fa dello schizzo proprio l'espressione dell'idea per eccellenza. La maggior difficoltà consiste dunque nel ritornare nel quadro a quella soppressione di particolari, che costituiscono tuttavia la composizione, la trama stessa del dipinto.

Non so se mi sbaglio, ma credo che i più grandi artisti abbiano dovuto lottar molto con tale difficoltà, la più seria di tutte. Qui appar più che mai l'inconveniente di dare ai particolari, con la grazia o la civetteria dell'esecuzione, un interesse tale che poi fa rimpiangere mortalmente di sacrificarli quando nuocciono all'assieme. Qui i pennelleggiatori dal tocco facile e spiritoso, i fabbricatori di torsi e di teste d'espressione, trovano nel loro trionfo la loro confusione. Il quadro, composto di *pezzi rapportati* finiti con cura e messi l'uno accanto all'altro successivamente, sembra un capolavoro e il sommo dell'abilità finché non è finito, vale a dire finché il campo non è coperto: perché finire, per i pittori che finiscono ogni particolare posandolo sulla tela, consiste nell'aver coperto tutta la tela. Davanti al lavoro che cammina senza ostacoli, davanti alle parti che sembrano maggiormente interessanti perché non ci sono che loro da ammirare, si è colti involontariamente da un incauto stupore; ma quando è dato l'ultimo tocco, quando l'architetto di tutto quell'accozzo di parti separate ha posato il coronamento del suo edificio e ha detto l'ultima parola, non si vedono che lacune o confusione, e nessun ordine. L'interesse prestato a ogni oggetto svanisce nella confusione; quella che sembrava un'esecuzione precisa e conveniente, diventa freddezza per mancanza assoluta di *sacrifici*. Chiedereste allora a tale riunione quasi fortuita di parti senza il necessario legame, l'impressione rapida e penetrante, lo schizzo primitivo di quell'impressione ideale che l'artista deve aver intravisto o fissato nel primo momento dell'ispirazione? Nei grandi artisti, questo schizzo non è un sogno, una nube confusa, è ben altro che un assieme di fattezze appena percettibili; soltanto i grandi artisti partono da un punto fisso e proprio a tale espressione pura, nell'esecuzione lunga o rapida dell'opera, è loro così difficile tornare. Vi riuscirà, con quel cumulo di particolari che fanno perder di vista l'idea, invece di farla risaltare, vi riuscirà forse l'artista mediocre, preoccupato soltanto del mestiere? È incredibile fino a qual punto, per la maggior parte degli artisti, siano incerti i primi elementi della composizione. Perché si dovrebbero tanto preoccupare di tornare con l'*esecuzione* all'idea che non hanno mai avuto?

(23 aprile)

Sul ritratto. — Sul paesaggio, come accompagnamento dei soggetti. — *Del disprezzo dei moderni* per quest'elemento d'interesse. — Dell'ignoranza di quasi tutti i grandi maestri degli effetti che potevano trarne: Rubens, per esempio, che dipingeva benissimo il paesaggio, non si dava cura di metterlo in relazione con le figure, in modo da renderle più sorprendenti, — dico sorprendenti per lo spirito, perché per l'occhio in generale i suoi fondi sono calcolati per esaltare specie con il contrasto il colore delle figure. I paesaggi di Tiziano, di Rembrandt, di Poussin sono, generalmente, in armonia con le loro figure. Anche in Rembrandt — e qui sta la perfezione — fondo e figure fanno tutt'uno. L'interesse è presente dovunque: non si può isolare nulla, come in una bella veduta della natura, nella quale tutto concorre ad affascinarci.

(29 luglio)

Tiziano, ecco un pittore che è fatto apposta per esser gustato da chi invecchia; confesso che quando ammiravo molto Michelangelo e lord Byron, non l'apprezzavo affatto. Egli commuove, credo, non per la profondità delle espressioni né per una grande comprensione del soggetto, ma per la semplicità e per la mancanza d'affettazione. In lui le qualità pittoriche sono portate al punto massimo: quel che dipinge, è dipinto; gli occhi guardano e sono animati dal fuoco della vita. Vita e ragione sono presenti dovunque. Rubens è tutt'altro con tutt'altra immaginazione, ma dipinge veramente degli uomini. Entrambi falliscono solo quando imitano Michelangelo e vogliono arrivare a una pseudo grandiosità, che non è altro che ampollosità e nella quale di solito le vere doti si sperdono.

(4 ottobre)

Soltanto la solitudine e la tranquillità nella solitudine permettono d'accingersi a un lavoro e di compierlo.

(4 novembre)

1855

[...] vado a visitare la mostra di Courbet [all'Exposition Universelle], che ha ridotto l'ingresso a dieci soldi. Ci resto solo quasi un'ora e scopro un capolavoro nel suo quadro scartato; non riuscivo a staccarmene. Noto dei progressi enormi che m'hanno fatto ammirare il suo *Funerale* [*a Ornans*, del Louvre]. Qui i personaggi sono accatastati, la composizione non è bene intesa. Ma ci sono particolari stupendi: i preti, i giovani cantori, il vaso dell'acqua benedetta, le donne piangenti, ecc. ecc. Nell'ultimo (lo *Studio* [*del pittore*, pure al Louvre]) i piani sono a posto, c'è aria e ci son parti di un'esecuzione pregevole: le anche, la coscia del modello nudo e il suo petto; la donna in primo piano con lo scialle. Il solo difetto è che il quadro che egli dipinge si presta all'equivoco: sembra un *vero cielo* in mezzo al quadro.

(3 agosto)

[...] Ne aveva [padronanza del mestiere] anche Bonington, ma specie nella mano: la sua mano era così abile che preveniva il pensiero: i suoi cambiamenti erano dovuti soltanto alla grande facilità, per la quale tutto ciò che posava sulla tela era incantevole: solamente, siccome i particolari non si coordinavano spesso fra loro, i tentativi per ritrovare l'assieme gli facevano talvolta abbandonare l'opera cominciata.

(31 dicembre)

1857

Tocco. Molti maestri hanno evitato di farlo sentire, pensando senza dubbio d'avvicinarsi al vero, che difatti non ne offre. Il tocco in pittura è un mezzo come un altro per contribuire a render il pensiero. Senza dubbio una pittura può esser bellissima senza lasciar scorgere il tocco, ma è puerile pensare che con ciò ci s'avvicini all'effetto del vero: sarebbe lo stesso che far in un quadro dei veri rilievi colorati, con la scusa che i corpi sono rilevati! In tutte le arti ci sono dei mezzi d'esecuzione adottati e convenuti e si è conoscitori imperfetti se non si sa leggere in queste indicazioni del pensiero; prova ne sia che l'uomo comune preferisce a tutti gli altri i quadri più lisci e con pennellate meno appariscenti, e li preferisce per questa ragione. Del resto, nell'opera d'un maestro, tutto dipende dalla distanza dalla quale si deve guardare il suo qua-

dro. A una certa distanza il tocco si fonde con l'assieme, ma dà alla pittura un effetto che la fusione delle tinte non può produrre. Invece, nel guardar molto da vicino l'opera più finita, si scopriranno ancora tracce di tocchi e d'accenti, ecc. [...] Ne risulterebbe quindi che un bozzetto con un bel tocco non può dar piacere come un quadro molto finito, dovrei dire senza pennellate visibili: perché vi sono molti quadri nei quali il tocco è completamente assente, ma che sono tutt'altro che finiti. [...]

Il *tocco*, adoperato come si deve, serve ad accentuare più convenientemente i differenti piani degli oggetti. Fortemente pronunciato, esso li fa venire in avanti: l'opposto li allontana.

Anche nei quadretti, il tocco non dispiace affatto. Si può preferire un Teniers a un Mieris o a un Van der Werff.

Che dire dei maestri che accentuano seccamente i contorni pur astenendosi dal tocco? Nel vero non esistono contorni come non esistono pennellate. In ogni arte bisogna tornar sempre a mezzi convenuti, che ne costituiscono il linguaggio. Un disegno a bianco e nero, che cos'è se non una convenzione cui l'osservatore è abituato, convenzione che non impedisce alla sua fantasia di veder in questa traduzione del vero un equivalente completo?

[...] Se si obietta l'assenza di tocco in certi quadri di grandi maestri, non bisogna dimenticare che il tempo attenua il tocco.

Molti di quei pittori che con la scusa che il tocco non esiste nel vero, lo evitano con la massima cura, esagerano il contorno che del pari non esiste in natura. Essi pensano così d'ottenere una precisione che è reale soltanto per i sensi poco esercitati dei semiconoscitori. Grazie a tal mezzo grossolano, nemico di qualsiasi illusione, essi si dispensano anche dall'esprimere convenientemente i rilievi, perché il contorno pronunciato in modo eguale e oltremisura annulla il rilievo facendo venir avanti le parti che in ogni oggetto sono sempre le più lontane dall'occhio, cioè i contorni. [...]

La smodata ammirazione per gli antichi affreschi ha contribuito ad alimentare in molti artisti tale tendenza a esagerare i contorni. In questo genere di pittura la necessità in cui il pittore si trova di tracciar con sicurezza i contorni [...], è richiesta dall'esecuzione materiale; d'altra parte, qui, come nella pittura su vetro i cui mezzi sono più convenzionali di quelli della pittura a olio, bisogna dipingere con una fattura larga; il pittore cerca di piacere più con la monumentale disposizione delle linee e il loro accordo con quelle architettoniche che con l'effetto coloristico. [...]

Classico. A quali opere è più naturale che sia dato tale nome? Evidentemente a quelle che sembrano destinate a servir di modello, di regola in tutte le loro parti. Chiamerei volentieri classiche tutte le opere regolari, quelle che soddisfano lo spirito non soltanto con una descrizione esatta o grandiosa o saporita dei sentimenti e delle cose, ma anche con l'unità, l'ordine logico, in una parola con tutte le qualità che accrescono l'impressione, facendo toccare la semplicità. [...]

Soggetto. [...] Non sempre la pittura ha bisogno d'un soggetto.

(13 gennaio)

Connessione. Quando gettiamo lo sguardo sulle cose che ci attorniano, paesaggi o interni, notiamo fra gli oggetti che si offrono alla nostra vista, una specie di legame prodotto dall'atmosfera che li avvolge e dai riflessi d'ogni sorta che in un certo

modo fanno partecipare ognuno di essi ad una armonia generale. È una specie di fascino di cui si direbbe che la pittura non possa far a meno; eppure la maggior parte dei pittori ed anche dei grandi pittori non se n'è preoccupata. La maggioranza di essi sembra perfino non aver osservato nel vero quell'armonia indispensabile che in un'opera pittorica assicura un'unità che le stesse linee, ad onta dello schema più ingegnoso, non bastano a creare. È quasi superfluo dire che i pittori poco portati all'effetto e al colore non ne hanno tenuto nessun conto; ma la cosa più sorprendente è che in molti dei grandi coloristi tale necessità è stata trascurata molto spesso, certo per mancanza di sensibilità a questo riguardo. [...]

Immaginazione. È la qualità prima dell'artista. Essa non è meno indispensabile all'amatore. *(25 gennaio)*

Il sublime è dovuto nella maggioranza dei casi ad un contrasto deciso o a una sproporzione. *(5 giugno)*

Una di queste mattine, mentre ero al sole nella mia loggia, ho notato l'effetto prismatico della quantità di piccoli peli della stoffa del mio vestito grigio. Tutti i colori dell'arcobaleno vi splendevano come in un cristallo o in un diamante. Ognuno di questi peli, essendo lucido, rifletteva i colori più vivaci, i quali mutavano ad ogni mio movimento; quando non c'è sole, non ci accorgiamo di questo effetto [...]. *(4 novembre)*

1860

Ardire. Occorre un grande ardire per osare d'esser se stessi: questa qualità è rara, specie nei nostri tempi di decadenza. I primitivi sono stati naturalmente arditi, starei per dire, senza saperlo; difatti, l'ardire maggiore sta nel liberarsi dalle convenzioni e dalle abitudini; ora, chi viene per primo, non ha precedenti da temere; dinanzi a lui il campo è libero: dietro di lui, nessun precedente per imprigionare la sua ispirazione. Ma nei moderni, in mezzo alle nostre scuole corrotte e intimidite da precedenti fatti per legare gli slanci presuntuosi, nulla di così raro come quella fiducia che sola fa creare i capolavori. *(15 gennaio)*

Per la prefazione del Dizionario [delle Arti Belle].

Un dizionario di questo genere sarà relativamente senza valore se opera d'un solo uomo d'ingegno; sarebbe meglio, o piuttosto sarebbe il migliore possibile, se fosse opera di parecchi uomini d'ingegno, ma a patto che ognuno di essi trattasse il proprio argomento senza la collaborazione dei colleghi. Scritto in comune, esso ricadrebbe nella banalità e non s'innalzerebbe molto al disopra d'un'opera composta assieme da artisti mediocri. Le voci corrette da ogni collaboratore perderebbero la loro originalità per assumere sotto il livellamento delle correzioni un'unità banale ed inutile ai fini dell'istruzione. [...] Lo scopo principale di un Dizionario delle Arti Belle non è di dilettare, ma d'istruire. Dare o chiarire certi principî essenziali, istruire gli inesperti con maggior o minor risultato, indicare la via da seguire e segnalare gli scogli sulle vie pericolose

o bandite dal gusto, tale è il cammino che è opportuno proporsi; ora, dove trovare miglior applicazione di principî se non nell'esempio dei grandi maestri che hanno portato alla perfezione i differenti rami dell'arte? Quale cosa più istruttiva dei loro stessi errori? L'ammirazione che ispirano questi uomini privilegiati e venuti per primi, non dev'essere un'ammirazione cieca; adorarli in tutte le loro parti, sarebbe, specie per dei giovani aspiranti, la cosa più pericolosa; la maggior parte degli artisti, anche fra coloro che sono suscettibili d'una certa perfezione, è incline ad appoggiarsi sulle debolezze dei grandi uomini e a valersene. Le parti che, negli uomini privilegiati, di solito sono esagerazioni della loro sensibilità personale, diventano facilmente, nei deboli imitatori, *errori* grossolani; intere scuole sono state fondate su aspetti mal interpretati dei maestri, deplorevoli errori sono stati la conseguenza di questo zelo sconsiderato nell'ispirarsi ai lati cattivi degli uomini insigni, o meglio, dell'impotenza di riprodurre alcunché delle loro parti sublimi. *(16 gennaio)*

Il realismo è la grande risorsa dei novatori in tempi nei quali le scuole illanguidite e volte alla maniera si riducono, per risvegliare i gusti viziati del pubblico, a girare nella cerchia delle medesime invenzioni. Una bella mattina il ritorno al vero viene proclamato da uno che si fa passar per ispirato ...

(22 febbraio)

Non bisogna esser troppo difficili. Un uomo d'ingegno che scrive, non deve trattarsi da nemico. Deve supporre che quel che gli ha dato la sua immaginazione, abbia valore. Chi rilegge e tiene la penna in mano per correggere i propri scritti, è più o meno un altro uomo da quello del primo getto.

(8 marzo)

Rubens è straordinario. Che affascinatore! Qualche volta gli tengo il broncio: gli rimprovero le sue forme grossolane, la sua mancanza di ricerca e di eleganza. Com'è superiore a tutte quelle piccole qualità che costituiscono l'intero bagaglio degli altri! Almeno, lui, ha il coraggio d'esser lui: impone quei cosiddetti difetti che dipendono dalla forza che lo trascina e che ci soggiogano nonostante le regole buone per tutti fuorché per lui. [...] Rubens non si corregge, e fa bene. Col permettersi tutto, egli ci porta oltre il limite raggiunto a stento dai più grandi pittori; ci domina, ci schiaccia sotto tanta libertà e audacia. *(21 ottobre)*

1863

Il primo pregio d'un quadro è d'essere una festa per gli occhi. Non è da dire che in esso non sia necessario l'intelletto: è lo stesso per dei bei versi, tutto l'intelletto del mondo non impedisce loro d'essere brutti, se urtano l'orecchio. Si dice: *aver orecchio*; non tutti gli occhi son fatti per gustare le delicatezze della pittura. Molti hanno un occhio che non giudica bene o che non reagisce; vogliono letteralmente gli oggetti, ma la squisitezza, no. *(22 giugno)*

Delacroix *Itinerario di un'avventura critica*

Vastissima la letteratura su Delacroix, a partire dal 1822, quando l'allora quasi sconosciuto A. Thiers gli dedica un articolo ["Le Constitutionnel"], a proposito della Barca di Dante esposta al Salon di quell'anno. La tappa successiva concerne Stendhal che, nel "Journal de Paris" del 9 ottobre 1824, pur non senza riserve sul Massacro di Scio, coglie la carica della cromia del giovane pittore (che Thoré-Bürger [1838] definirà "il solo colorista di tutta la scuola francese"). Sarà poi la volta di Gautier, Silvestre e altri, non meno comprensivi; mentre, sul fronte opposto, pregiudizi accademizzanti inducono Mérimée, Delécluze, Planche e tutta la schiera dei classicisti a scorgere nelle opere di Delacroix disegno "imperfetto", inadeguatezza di contenuti, ecc. Ovviamente, non mancano le sfumature: così, proprio Planche riconosce ["Revue des Deux-Mondes" 1834] nelle Donne di Algeri una pittura sincera, vigorosa, audace, malgrado le pecche di cui sopra. Naturale che, dai baluardi romantici, si rintuzzasse; ed ecco de Musset asserire [1836] che "non bisogna calcare con troppa severità sui difetti di Delacroix, e che si deve considerarlo nel suo complesso, con i pregi e gli elementi negativi connaturati al suo temperamento" (Gautier avrebbe insistito, più tardi [Les Beaux-Arts en Europe, 1857], sul fascino dell' "unità profonda" emanante dall'opera di Delacroix: "non soltanto un colorista", ma dotato del "dono, così raro in pittura, del movimento"). Ciò che troverà discorde Fromentin [1845]: "certuni sono disposti ad esaltarlo anche nei difetti: duplice esagerazione, che non può convenire a Delacroix per la giusta coscienza che egli ha del proprio genio" (la messa a punto va chiarita, anzi tarata, avvertendo come anche Fromentin fosse nel novero di coloro che rimproveravano gravi "scorrettezze" all'artista).

Il grande momento nei tempi di questa storiografia è siglato da Baudelaire. Più giovane d'un ventennio, conosce il pittore nel 1845 e gli si lega di profonda amicizia; scrive delle sue mostre ai Salon del '45 stesso, e delle successive fino al 1859, oltre che di quella all'Exposition Universelle del '55. Nel 1863, dopo la morte di Delacroix, invia una lettera aperta all' "Opinion nationale", che è forse il contributo suo più importante sull'amico e in cui, cogliendone la multiformità degli aspetti, lo identifica con l'ideale dell'artista romantico.

Altro fondamentale apporto alla conoscenza di Delacroix si trova in un trattatello di P. Signac ["Revue Blanche" 1899]; fondamentale per due motivi: anzitutto, quello intrinseco di chiarire il travaglio e la genialità delle ricerche e degli esiti attuati dal maestro nel campo del colore; poi, per il riconoscimento del valore avuto da tali risultati nel divenire della pittura, già implicito nel titolo del saggio: D'Eugène Delacroix au néo-impressionnisme.

Gli studiosi ulteriori sviluppano in vari modi, spesso al fine di contemperarli, i suggerimenti – talora opposti – della critica precedente, dischiudendo nuove e più estese possibilità di lettura e interpretazione. Meglio che gli approdi di L. Venturi – il quale, pur nell'intima comprensione di Delacroix, nega un contenuto lirico alle sue indagini sui colori –, rivestono peculiare interesse, fra i più recenti, quelli di L. Vitali – che coglie l'intimo rapporto tra fatto pittorico e 'motivo' letterario –, di M. Sérullaz – per l'acuta rivalutazione dei grandi cicli murali (in parte anticipata da A. M. Brizio [1962]) –, R. Huyghe [1963] – volto alla decifrazione dei simboli insiti nell'opera di Delacroix –, L. Johnson [1963] – che porta innanzi le investigazioni di Signac, sorprendendo ulteriori impulsi forniti dal maestro ai pittori successivi –, G. C. Argan [1964] – mirante a definire il fervido impegno dell'artista nell'ambito delle contraddizioni culturali dell'età romantica –, C. Maltese – che indica nella sua luce-colore un novello Parnaso dove etica ed estetica si identificano –.

Il romanticismo e il colore mi conducono difilato a Eugène Delacroix. [...]

Nella disgraziata epoca di rivoluzione, è stato spesso paragonato Eugène Delacroix a Victor Hugo. Si aveva un poeta romantico, occorreva il pittore [...]: se la mia definizione del romanticismo (intimità, spiritualità, ecc.) pone Delacroix alla testa del romanticismo, essa ne esclude spontaneamente Victor Hugo. [...]

Victor Hugo, di cui certo non voglio diminuire la nobiltà e la maestà, è un lavoratore assai più corretto che creatore. Delacroix è talvolta maldestro, ma essenzialmente creatore. [...]

Troppo materiale, troppo attento all'epidermide della natura, Victor Hugo è divenuto pittore di poesia; Delacroix, sempre rispettoso del proprio ideale, risulta spesso, senza saperlo, un poeta in pittura.

CH. BAUDELAIRE, *Salon de 1846*

[...] Bisogna anzitutto notare, ed è importantissimo, che, visto da un punto troppo distante, per poter analizzare o anche solo comprendere il soggetto, un quadro di Delacroix ha già prodotto sull'anima un'impressione ricca, felice e malinconica. [...] Sembra che il colore, mi si perdonino questi sotterfugi del linguaggio per esprimere delle idee delicatissime, pensi da sé, indipendentemente dagli oggetti che riveste. [...] Un poeta ha tentato di esprimere queste sensazioni sottili con versi[1] la cui sincerità può menar buona la bizzarria:

Delacroix, lac de sang, hanté des mauvais
                                        [anges,
Ombragé par un bois de sapins toujours
                                        [vert,
Où, sous un ciel chagrin, des fanfares
                                        [étranges
Passent comme un soupir étouffé de Weber.

Lago di sangue: il rosso; *frequentato dagli angeli cattivi*: soprannaturalismo; *un bosco sempre verde*: il verde, complementare del rosso; *un cielo mesto*: i fondi tumultuosi e tempestosi dei suoi quadri; *le fanfare* e *Weber*: idee di musica romantica cui svegliano le armonie del suo colore. [...]

Che sarà Delacroix per i posteri? [...] Diranno, come noi, che fu un accordo unico delle più stupefacenti qualità; che ebbe, come Rembrandt, il senso dell'intimità e la magia profonda, lo spirito di combinazione e di decorazione come Rubens e Lebrun, il colore feerico come Veronese, ecc.; ma che ebbe anche una qualità *sui generis*, indefinibile e definente la parte melanconica e ardente del secolo, qualcosa di interamente nuovo, che ha fatto di lui un artista unico, senza generatori, senza precedenti, probabilmente senza successori, un anello così prezioso che non ve n'è nessuno di ricambio e che, sopprimendolo, se una tal cosa fosse possibile, si sopprimerebbe un mondo d'idee e di sensazioni, si farebbe una lacuna troppo grande nella catena storica.

CH. BAUDELAIRE, in "Le Pays" 1855

Eugène Delacroix era, oltre che un pittore innamorato del proprio mestiere, persona di cultura generale [...]. Era la mente più aperta alle cognizioni e alle impressioni tutte, l'uomo dal gusto più eclettico e più imparziale, [...] freddamente deliberato a cercare i mezzi d'esprimere la passione nella maniera più visibile. In questi due caratteri troviamo, sia detto di volo, i due segni che distinguono i più solidi ingegni, ingegni estremi [...].

Una passione immensa, sostenuta da una volontà formidabile, ecco l'uomo.

Il quale diceva di continuo:

"Poiché considero l'impressione trasmessa dalla natura all'artista come la cosa più importante a tradursi, non è forse necessario che questi sia preventivamente armato di tutti i mezzi più rapidi d'espressione?".

È evidente che agli occhi suoi l'immaginazione era il più prezioso dono, la facoltà più importante, ma che questa facoltà restava impotente e sterile se non disponeva di un'abilità rapida, atta a seguire quella grande facoltà dispotica nei suoi capricci impazienti. [...]

A codesta sua preoccupazione incessante sono da attribuirsi le perpetue ricerche relative al colore, alla qualità dei colori, la curiosità delle cose della chimica, e le conversazioni coi fabbricanti di colori; per cui si accosta a Leonardo da Vinci che, lui pure, fu invaso da tali ossessioni. [...]

La natura esterna non porge all'artista che

---

[1] Appartengono allo stesso Baudelaire: fanno parte del poema *Les Phares*, tra le prime composizioni dei *Fleurs du mal*.

l'occasione sempre nuova di coltivare questo germe: essa stessa non è che un cumulo incoerente di materiali, che l'artista è chiamato ad associare e a mettere in ordine, un *incitamentum*, una sveglia per le facoltà sopite. In realtà, nella natura non c'è né linea né colore. L'uomo crea la linea e il colore. Sono due astrazioni, che derivano la loro nobiltà da una medesima origine. [...]

La linea e il colore fanno entrambi pensare e sognare; i piaceri che ne risultano sono di natura diversa, ma perfettamente uguali e indipendenti assolutamente dal tema del quadro. [...]

Vi ho detto che, nonostante il velo mortificante d'un raffinato incivilimento, era soprattutto la parte nativa dell'anima di Delacroix a colpire l'osservatore attento. In lui tutto era energia, ma energia venuta dai nervi e dalla volontà; ché fisicamente era sottile e delicato. La tigre, proiettata verso la preda, non ha altrettanto lampo negli occhi e, nei muscoli, fremiti così impazienti, come ne mostrava il nostro grande pittore, quando tutta l'anima gli vibrava verso un'idea o voleva impadronirsi di un sogno.

CH. BAUDELAIRE, in "L'Opinion nationale" 1863

Appena uscito dall'*atelier* di Guérin, nel 1818, Delacroix sente l'insufficienza della tavolozza troppo carica di colori cupi e terrosi che aveva usato fino allora. Per dipingere il *Massacro di Scio* (1824), ha la forza di escludere le ocre e le terre inutili e sostituirle con bei colori intensi e puri: azzurro cobalto, verde smeraldo, lacca di garanza. Nonostante tale audacia, presto avvertirà di non aver ancora raggiunto i suoi scopi. Invano disporrà sulla tavolozza una gran quantità di semitoni e mezzetinte preventivamente preparati con cura. Sente ancora il bisogno di nuove risorse e, per l'ornamentazione della Sala della Pace [al Lussemburgo, 1854], arricchisce la sua tavolozza (che Baudelaire rassomiglia a un "mazzo di fiori sapientemente assortiti") di un sonoro cadmio, un pungente giallo di zinco, un vigoroso vermiglio, cioè dei colori più intensi che un pittore abbia a disposizione.

Rialzando con questi potenti colori – giallo, arancione, rosso, porpora, azzurro, verde e giallo-verde – la monotonia dei molti, ma scuri, in uso prima di lui, egli crea la tavolozza romantica, in un tempo raccolta e tumultuosa.

Occorre notare che questi colori, puri e franchi, sono precisamente quelli che più tardi comporranno, a esclusione di ogni altro, la tavolozza semplificata degli impressionisti e dei neo-impressionisti. [...]

In lui il colore ha ogni volta un linguaggio estetico conforme al suo pensiero. Il dramma che ha concepito, il poema che intende cantare si esprimerà sempre attraverso un colore appropriato. Questa eloquenza del colore, questo lirismo dell'armonia, è la grande forza del genio di Delacroix. Grazie a tale comprensione del carattere estetico del colore egli potrà con estrema sicurezza e ampiezza esprimere il proprio sogno e dipingere di volta in volta i trionfi, i drammi, l'intimità e il dolore. [...]

Per mezzo secolo Delacroix si è dunque sforzato di ottenere più luce e più splendore mostrando così la via da seguire e lo scopo da raggiungere ai coloristi che gli dovevano succedere. [...]

A loro ha chiarito quali siano i vantaggi di una tecnica sapiente, logica e articolata, che non impaccia in nulla la passione del pittore, bensì la fortifica.

Ha rivelato il segreto delle leggi che reggono il colore: l'accordo dei similari, l'analogia dei contrari.

A loro ha mostrato che un colore unito e piatto è inferiore al colore prodotto dalla vibrazione di elementi diversi combinati fra loro.

Li garantisce sulle possibilità della funzione ottica che permette di creare nuove tonalità.

Li consiglia di bandire il più possibile i colori scuri, sporchi e opachi.

A loro insegna che si può modificare e abbassare un tono senza sporcarlo eseguendo l'impasto sulla tavolozza.

A loro indica la portata morale del colore che contribuisce all'effetto del quadro; li inizia al linguaggio estetico dei toni e dei valori.

Li esorta a tutto osare e a non temere mai di caricare di eccessivo colore le loro armonie.

Il grande creatore è anche un grande educatore: il suo insegnamento è prezioso quanto la sua opera.

P. SIGNAC, *D'Eugène Delacroix au néo-impressionnisme*, 1899

Egli disegnava d'istinto e di foga, e coloriva di scienza, perciò è stato considerato un cattivo disegnatore e un grande colorista. Oggi invece ci accorgiamo che quel colorire di scienza, importante come conquista del gusto, come impulso all'arte a venire, era un ostacolo alla libera espressione della personalità dell'artista e doveva essere distrutto nel semplice effetto di luce e di ombra. Così che proprio la forma di Delacroix, quella forma deformata, libera da ogni naturalismo e subordinante a sé stessa il colore, dava all'opera intera la sua unità, riassumeva in sé l'impeto creatore, era essa l'impronta della fantasia, l'espressione del genio. [...]

Chevaux arabes se battant dans une écurie, del Museo del Louvre, è opera anch'essa del 1860. Mancano i colori, ma la luce e l'ombra sono realizzati in un modo degno di Rembrandt. E la furia dei cavalli è espressa da linee luminose, indipendenti dalla naturalità dei cavalli, in un modo che sa di prodigio. Chi ricordi il cavallo impennato del *Massacro di Scio*, può intendere quanta rettorica torbida fosse nel Delacroix del 1824, e com'essa turbasse la natura senza saperla muovere. Nel 1860 il pennello di Delacroix scorre leggero, signore di sé, non insiste, non s'intorbida, ma rivela fuor della penombra di una scuderia, non due cavalli, ma veramente gli *éclairs* dei cavalli.

Perciò verso la fine della vita, attraverso una lotta tormentosa, sempre sorretto da un'alta nobiltà di sentire, Delacroix seppe le sue qualità di uomo e di pittore. Per affermare il suo gusto, per imporre la sua personalità prepotente, aveva riempito immense tele, aveva compiuto monumentali decorazioni. Ma tutto quello che di artificiale, di sforzato, di voluto era insito nel gusto del tempo, si era infiltrato nella sua produzione, proprio per la necessità della lotta. Quando invece egli si ritirò dalla lotta, e dipinse per la necessità di dipingere, e seppe fare tutte le rinunzie, dalla gioia della bellezza alla scienza del colore, allora in alcuni piccoli quadri, che furono colloqui con se stesso, la foga divenne visione, lo spasimo divenne malinconia, la passione divenne meditazione, e la sua forma fu così spirituale, come di rado la storia ricorda.

L. VENTURI, *Pittori moderni*, 1946

[...] Il *Diario* si apre, quasi, con una dichiarazione che assume il valore d'epigrafe: "Ciò che

esiste in me di più reale, sono le illusioni che creo con la pittura. Il resto sono sabbie mobili". E un'altra confessione lo chiude, con l'impeccabile rigore di una simmetria architettonica: "la pittura mi fa tribolare e mi tormenta in mille modi come un'esigentissima innamorata ... all'alba mi affretto e corro a questo lavoro affascinante, come ai piedi dell'innamorata più cara".

Così, dal tempo del *Massacro di Scio* a quello estremo del *Giacobbe e l'angelo*, una sola certezza, ma assoluta, senza la menoma incrinatura, sostiene Delacroix: quella della Pittura. [...]

Che cosa fu il romanticismo di Delacroix, e che cosa rappresentò nel movimento romantico? Nel '24 Delacroix annotava: "ciò che distingue gli uomini di genio o piuttosto le loro opere, non è affatto la novità delle idee: è l'idea da cui sono posseduti, che quel che è stato detto, non lo è stato ancor detto abbastanza". E subito dopo: "La novità è nello spirito che crea, non nella natura che è descritta". Concetto che Baudelaire farà suo ("il romanticismo non sta precisamente nella scelta dei soggetti né nella verità esatta, ma nella maniera di sentire; l'hanno cercato all'esterno, e soltanto all'interno era possibile trovarlo") e che ritorna, sia pure con altra veste, in una frase di Delacroix del '50: "il nuovo è vecchissimo, si può perfino dire che è sempre quel che c'è di più vecchio". Esso separa nettamente, fino dagli anni della formazione, Delacroix dal rumoroso battaglione d'artisti che del romanticismo avevano assunto soltanto certi caratteri secondari anche se più appariscenti, ma, dopo tutto, deteriori. [...]

L'arte di Delacroix è l'"espressione della malinconia", del "lato terribile e patetico delle cose umane", affidata agli "effetti misteriosi della linea e del colore": espressione nella quale concetto e forma sono tutt'uno. Lo stesso Delacroix ha chiarito benissimo la propria condizione romantica: "Se s'intende per mio romanticismo la libera manifestazione delle mie impressioni personali, il mio allontanarmi dai tipi invariabilmente ricalcati dalle scuole e la mia ripugnanza per le formule accademiche, debbo confessare d'esser romantico". Il valore dell'affermazione sta tutto nelle prime parole: "manifestazione delle mie impressioni personali", ritorno dell'io, che è una delle costanti dell'arte di Delacroix. Impero dell'immaginazione [...].

Ma l'immaginazione che s'associa sempre più a un'immaginazione pittorica, grazie alla quale anche "quel bisogno di soggetti interessanti di per sé stessi, quell'intrusione della letteratura nella pittura", che Lionello Venturi ha voluto riconoscere come lati negativi della sua arte, appaiono risolti e superati. Il soggetto letterario non è altro che un punto di partenza, non un punto d'arrivo. E anche questo spiega la singolare contraddizione fra i gusti dell'uomo e i gusti del pittore, per il quale Delacroix non ha mai attinto i suoi soggetti, per esempio, da Racine e da Molière, che tanto amava. Le sue fonti letterarie sono dichiaratamente romantiche, spesso romantiche nel peggior senso: dai romanzi neri inglesi, di cui fu lettore negli anni della giovinezza uniformandosi agli entusiasmi del tempo, a Walter Scott, da Shakespeare a Lord Byron ed a Goethe. *Melmoth* come *Amleto* ha il medesimo potere di evocargli le visioni, *Ivanhoe* come *Faust*, *I Natchez* come *Sardanapalo*. E appunto per questo in un solo senso è ammissibile e spiegabile la frase di Baudelaire: "un'altra qualità, grandissima, vastissima,

dell'ingegno di Delacroix è che esso è completamente letterario": letterario, cioè che sa tradurre pittoricamente un'emozione, la quale ha origini puramente letterarie. Basterebbe del resto una veloce annotazione del *Diario*: "Non sempre la pittura ha bisogno d'un soggetto" [...].

L. VITALI, in *Diario* di E. Delacroix, 1954

[...] le sue facoltà intellettuali hanno ritrovato le vere strade dell'arte, che devono essere sgombrate d'ogni pregiudizio e dove il modello del passato non deve servire che quale esempio di confronto.

U. APOLLONIO, *Delacroix*, 1956

Che Delacroix sia stato un grande colorista, contemporanei e posteri hanno unanimemente proclamato. Solo Lionello Venturi ha contraddetto tale interpretazione, sostenendo che la grandezza della pittura di Delacroix sta nel potere di deformazione di cui è dotato il suo segno, non già nel suo colore. E ciò è indubbiamente vero, se si pensa al colore come vivacità e armonia di colorazione policroma; i colori di Delacroix spesso stridono e sfociano in un effetto di pesantezza, nonostante la vivacità dei singoli toni; quelle tinte rimangono slegate nella loro intensità. [...].

Ma la deformazione di Delacroix è di origine pittorica, è grafia di pennellata, non è grafia di contorno, non è arabesco lineare; è tutta la massa nella sua densa consistenza pittorica che si muove e si forma sotto la pressione della fantasia appassionata del pittore. Per espandersi liberamente, questo movimento ha bisogno di imprimersi in una pasta di colore amalgamata, tendente, pur in ricchezza di variazioni, al monocromo, all'effetto di luce ed ombra, non alla policromia spiegata, alla varietà dei colori locali: "Le mouvement est l'arabesque de la passion". Questa frase felice è stata trovata dal Focillon proprio a proposito di Delacroix. Soltanto quando la sua forma si piega a tutti i movimenti della passione, Delacroix realizza compiutamente il suo fantasma. Purtroppo molte volte fra il suo impulso e la sua attuazione pittorica si frappongono ancora, resistenti, i pregiudizi della forma corretta, della esecuzione finita, della definizione obbiettiva.

[...] Il Delacroix più libero e più spontaneo, artista svincolato dai grandi progetti ambiziosi e identico al più profondo se stesso, bisogna cercarlo nei bozzetti e, più, in quelle composizioni a soggetto indefinito, per lo più ispirate ad un motivo mitologico od orientale, [...] ch'egli eseguì unicamente per la propria gioia, e soprattutto negli anni tardi, nel ritiro di Champrosay, scritte con un ritmo largo, indeterminato, a grandi pennellate agitate, entro una pasta di colore vibrante di variazioni, in una atmosfera fluida e nebulosa, fra mobili effetti di luce ed ombra.

A. M. BRIZIO, *Ottocento-Novecento*, 1962

Forse prima che Renoir dipingesse il suo *Ballo al Moulin de la Galette* [Louvre] intorno alla metà del 1870, mai artista riuscì a creare, in un vasto dipinto con figure, una impressione di nobile luce colorata così vera come Delacroix in alcune delle figure di St. Sulpice.

Si è detto recentemente che è stata sopravvalutata l'influenza delle pitture di St. Sulpice su Seurat, che le studiò. Eppure non vi erano altri cicli monumentali in cui fosse possibile trovare una scomposizione della forma nei componenti coloristici così logica, così basata sull'osservazione della natura, come in certi brani di quelle pitture. Seurat divise la forma nei seguenti elementi fondamentali: colore locale, riflessi da sole e cielo, riflessi dagli oggetti vicini, complementari indotti.

Sebbene il suo modo di dipingere sia diverso, Delacroix fa essenzialmente lo stesso, nel drappo bianco dell'*Eliodoro*. [...] Ciò è evidentemente dovuto all'influenza di Chevreul ed è una applicazione pratica dell'annotazione rinvenuta sul retro del quaderno di schizzi del Nord-Africa, e cioè che un colore alla luce causa il suo complementare nell'ombra. Condizionato come era dalla interpretazione che di Delacroix dà Charles Blanc, Seurat non poteva non comprendere il significato di questa affermazione. [...]

Nella sua affermazione finale sull'arte, Delacroix dice: "il titolo di pregio per un dipinto è di essere una festa per l'occhio"; ma, come gli è proprio, aggiunge: "ma ciò non significa che non vi debba essere posto per la ragione".

Seguendo lo sviluppo di Delacroix come colorista, vediamo che la festa dell'occhio e la ragione sono sempre in gara, ma che nessuna delle due è assolutamente indipendente dall'altra.

L. JOHNSON, *Delacroix*, 1963

[...] Delacroix è stato il Baudelaire piuttosto che il Victor Hugo della pittura francese. D'altra parte il carattere storico della sua pittura è proprio d'essere totalmente scritto nella poetica romantica e in un'ostinata volontà di fare, a tutti i costi, la pittura: per questo rimane il punto di partenza dell'arte moderna, l'apertura clamorosa di un ciclo che non abbiamo il diritto di dichiarare concluso. Segna la fine dell'arte classica o di rappresentazione, l'inizio dell'arte romantica o d'impegno; e non perché sia essa stessa ideologicamente impegnata, ma perché di proposito impegna, anzi aggredisce, il pubblico a cui si rivolge. [...]

[...] Insegnava a scorgere nella storia, non più un razionale concatenarsi di cause e di effetti, ma la dura necessità degli eventi, riservando all'arte il compito tutt'altro che consolatore di rivelare in essa una tragica bellezza che non poteva riscattarli ed assolverli, ma tuttavia dimostrava il persistere della vita là dove tutto è immagine di violenza e di morte. La vita dentro la storia, il perpetuarsi di una energia creativa attraverso eventi sempre cruenti e letali: questo è forse il motivo dominante dell'opera pittorica di Delacroix.

G. C. ARGAN, *Salvezza e caduta nell'arte moderna*, 1964

[...] tra il '38 e il '45 le opere più significative e felici di Delacroix esprimono insieme la ricerca del sublime esistenziale e di quello pittorico fondendo formalmente quiete e movimento. Quando nello stesso Salon del 1845 Delacroix espone insieme *Marc'Aurelio morente* e il *Sultano del Marocco*, non pone dunque al suo attivo una sintesi solo tematica tra moralismo classico ed esotismo romantico, ma ha creato uno stile che, esprimendo lo stesso nucleo di pensieri elegiaco-esistenziali, unisce ai contorni e ai volumi nettamente costruiti la vibrazione del colore; alla tranquillità classica il dinamismo barocco; all'ansia di vita il *cupio dissolvi*. Ciò è possibile non tanto perché Delacroix crede di avere scoperto in Africa forme e contenuti etico-sociali realmente 'classici', tramandatisi intatti dal tempo dell'antica Roma, [...] quanto perché egli ha scelto del mondo reale e storico solo ciò che rispecchia la sua esperienza appassionata e al tempo stesso sostanzialmente scettica della vita. In ogni caso, entro questi limiti, si può dire che, nel momento in cui Courbet si appresta a proclamare il suo realismo (1846), nel momento in cui una nuova ondata rivoluzionaria sta per rovesciare il regime di Luigi Filippo, Delacroix possiede uno stile flessibile e complesso, che può adoperare in mille forme e volgere in mille direzioni facendo di ogni tema, di ogni narrazione, di ogni spunto storico, il mito in generale dell'esistenza.

Da questo momento fino alla fine della sua vita, Delacroix si impegnerà ad arricchire e a far suonare tutte le corde di questo strumento complesso, desideroso solo di tranquillità e di raccoglimento, e perciò ostile a tutto ciò che possa turbarlo [...] Perciò da questo momento Delacroix potrà affrontare indifferentemente, mitizzandoli, tutti i temi: da quello della furia selvaggia a quello dell'idillio; dall'azione violenta all'inazione estatica; dal dramma del Cristo al dramma degli uomini. ... La tavolozza potrà assumere indifferentemente tonalità calde e brune (come nella *Cena in Emmaus*) oppure gamme chiare e squillanti (come nei *Cavalli che escono dal mare*).

[...] Nell'ambito dei grandi cicli murali solo nei dipinti di Saint-Sulpice Delacroix fonde finalmente su scala monumentale le più diverse esperienze e, – sostanzialmente, – le due essenziali di quest'ultima fase della sua opera, che si sintetizzano nei nomi di Rubens e di Poussin e costituiscono la reincarnazione pittorico-culturale dei due principî di quiete e movimento che Delacroix aveva in altro modo fuso tra il '38 e il '45. La 'quiete' si esprime infatti nel tocco, nella sensitiva indagine cromatico-luministica alla Poussin (specialmente il Poussin delle *Quattro stagioni*); il 'movimento' si esprime invece nel disegno e nella composizione alla Rubens, nella linea di contorno sapiente e decisa. Ma per avvicinare i due elementi e possibilmente per fonderli la 'linea' deve farsi leggera e sfrangiata per avvicinarsi ai valori di chiaroscuro e di colore e il 'tocco' deve farsi mosso e avvolgente, vermicolante o allungato, per avvicinarsi ai valori lineari. Tale è appunto lo stile di Delacroix nei suoi ultimi anni e si spiega così la sua singolare, inafferrabile agilità e mutevolezza e la sua complessa e colta natura.

Delacroix porta dunque in questo modo al punto più alto l'eclettismo tipicamente romantico tra linea e colore e tra linea e chiaroscuro, che costituisce il tratto linguistico più diffuso della pittura europea di questi anni. È evidente che proprio per questo, nella tecnica esecutiva di Delacroix, specialmente per quanto riguarda il colore, è anche una porta aperta verso la pittura successiva [...].

C. MALTESE, *Delacroix*, 1965

[...] aveva visto bene affermando che "la forma si confonde con l'idea" [...], perché l'arte di Delacroix ha questo significato profondo, nella infinita varietà dei suoi modi d'essere, dalle ispirazioni letterarie, dallo studio dei maestri prediletti, dalla reazione davanti agli eventi della storia, dall'amore per ogni aspetto della vita e per ogni forma della natura [...]. E ciò spiega la diversità dell'atmosfera colorata che definisce le opere più famose [...]. G. MARCHIORI, *Delacroix*, 1969

Il colore
nell'arte di
Delacroix

Elenco delle tavole

Nell'edizione normale
In copertina:
Part. della *Morte di Sardanapalo* [n. 158].

In sovraccoperta:
Part. delle *Donne di Algeri nelle loro stanze* [n. 257].

Il numero arabo posto qui fra parentesi quadre dopo il titolo di ciascuna opera si riferisce alla numerazione dei dipinti adottata nel Catalogo delle opere che inizia a p. 87.

TAV. I   NUDA SEDUTA Parigi, Louvre [n. 36]
Assieme (cm. 81×65).

TAV. II ORFANELLA IN UN CIMITERO Parigi, Louvre [n. 88]
Assieme (cm. 65,5×54,3).

TAV. III LA MORTE DI CATONE Montpellier, Musée Fabre [n. 105]
Assieme (cm. 60×44).

LA BARCA DI DANTE Parigi, Louvre [n. 38]
Assieme (cm. 189×246).

TAV. VI   LA BARCA DI DANTE   Parigi, Louvre   [n. 38]
Particolare (cm. 73×60).

TAV. VII   IL MASSACRO DI SCIO   Parigi, Louvre   [n. 92]
Assieme (cm. 417×354).

TAV. VIII   IL MASSACRO DI SCIO Parigi, Louvre [n. 92]
Particolare (cm. 60×49).

TAV. IX   IL MASSACRO DI SCIO   Parigi, Louvre   [n. 92]
Particolare (cm. 60×49).

TAV. X   TURCO CHE FUMA SU UN DIVANO Parigi, Louvre [n. 111]
Assieme (cm. 24,8×30).

TAV. XI   LA MULATTA ALINE   Montpellier, Musée Fabre   [n. 106]
Assieme (cm. 80×65).

TAV. XII   ANGOLO DI STUDIO: LA STUFA Parigi, Louvre [n. 110]
Assieme (cm. 51×44).

TAV. XIII   COMBATTIMENTO DI DUE CAVALIERI Parigi, Louvre [n. 123]
Assieme (cm. 81×105).

TAV. XIV COMBATTIMENTO DI DUE CAVALIERI Parigi, Louvre [n. 123]
Particolare (cm. 32×26).

TAV. XV   LA GRECIA SPIRANTE SULLE ROVINE DI MISSOLUNGI   Bordeaux, Musée des Beaux-Arts   [n. 131]
Assieme (cm. 209×147).

TAV. XVI TURCO SEDUTO Parigi, Louvre [n. 156]
Assieme (cm. 46,5×38).

TAV. XVII LA DONNA DAL PAPPAGALLO Lione, Musée des Beaux-Arts [n. 171]
Assieme (cm. 24×32).

TAV. XVIII   L'ASSASSINIO DEL VESCOVO DI LIEGI Parigi, Louvre [n. 185]
Assieme (cm. 90×118).

TAV. XIX   IL BARONE LOUIS-AUGUSTE DE SCHWITER Londra, National Gallery [n. 133]
Assieme (cm. 218×143,5).

NATURA MORTA CON CROSTACEI Parigi, Louvre [n. 157]
Assieme (cm. 80×106).

TAV. XXII   NATURA MORTA CON CROSTACEI Parigi, Louvre [n. 157]
Particolare (grandezza naturale).

TAV. XXIII   LA MORTE DI SARDANAPALO Parigi, Louvre [n. 158]
Assieme (cm. 395×495).

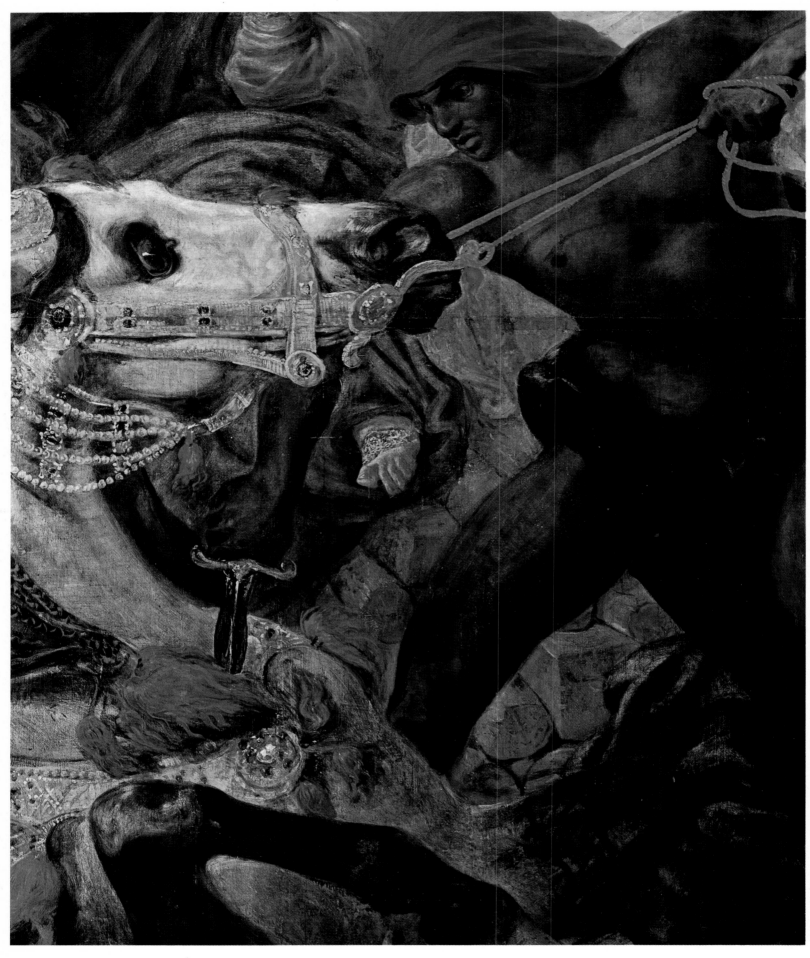

TAV. XXV   LA MORTE DI SARDANAPALO Parigi, Louvre [n. 158]
Particolare (cm. 159×130).

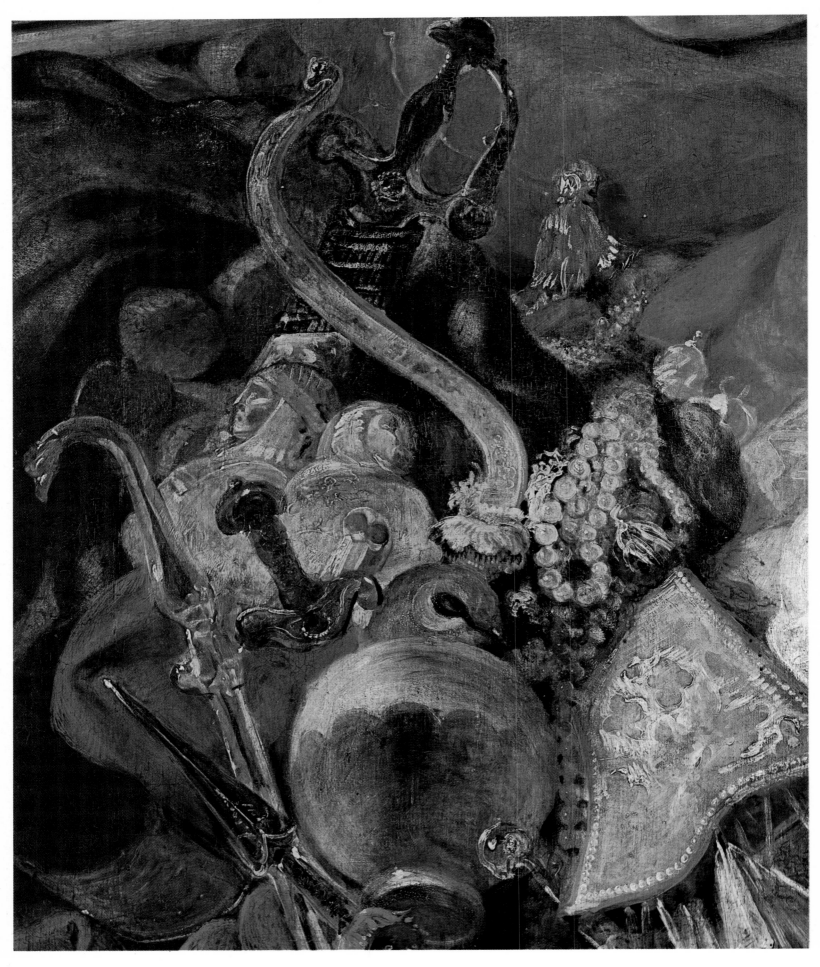

TAV. XXVI   LA MORTE DI SARDANAPALO   Parigi, Louvre   [n. 158]
Particolare (cm. 100×82).

TAV. XXVII LA LIBERTÀ CHE GUIDA IL POPOLO Parigi, Louvre [n. 195]
Assieme (cm. 260×325).

TAV. XXX LA LIBERTA CHE GUIDA IL POPOLO Parigi, Louvre [n. 195]
Particolare (cm. 79×65).

TAV. XXXI   NUDO DALLE CALZE BIANCHE Parigi, Louvre [n. 184]
Assieme (cm. 26×33).

TAV. XXXII   LA BATTAGLIA DI NANCY   Nancy, Musée des Beaux-Arts   [n. 207]
Assieme (cm. 239×359).

TAV. XXXIII   STANZA NELL'APPARTAMENTO DEL CONTE DE MORNAY   Parigi, Louvre   [n. 247]
Assieme (cm. 41×32,5).

TAV. XXXIV   FANTASIA ARABA   Montpellier, Musée Fabre   [n. 238]
Assieme (cm. 59×73).

TAV. XXXV   TURCO PRESSO UNA SELLA Parigi, Louvre [n. 326]
Assieme (cm. 41×33).

DONNE DI ALGERI NELLE LORO STANZE   Parigi, Louvre   [n. 257]
Assieme (cm. 180×229).

TAV. XXXVIII   DONNE DI ALGERI NELLE LORO STANZE Parigi, Louvre [n. 257]
Particolare (cm. 46×38).

TAV. XXXIX   AMLETO E ORAZIO AL CIMITERO   Parigi, Louvre   [n. 344]
Assieme (cm. 81×65).

TAV. XL   GEORGE SAND Copenaghen, Ordrupgaardsamlingen [n. 330]
Assieme (cm. 79×57).

TAV. XLI   CHOPIN Parigi, Louvre [n. 331]
Assieme (cm. 45×38).

TAV. XLII   IL NAUFRAGIO DI DON GIOVANNI Parigi, Louvre [n. 351]
Assieme (cm. 135×196).

TAV. XLIII   AUTORITRATTO A QUARANT'ANNI Parigi, Louvre [n. 342]
Assieme (cm. 65×54).

FESTA DI NOZZE EBRAICHE IN MAROCCO Parigi, Louvre [n. 295]
Assieme (cm. 105×140,5).

TAV. XLVI   LA FIDANZATA DI ABYDOS   Parigi, Louvre   [n. 371]
Assieme (cm. 35,5×27,5).

TAV. XLVII INGRESSO DEI CROCIATI A COSTANTINOPOLI Parigi, Louvre [n. 350]
Assieme (cm. 410×498).

TAV. XLVIII INGRESSO DEI CROCIATI A COSTANTINOPOLI Parigi, Louvre [n. 350]
Particolare (cm. 115×95).

TAV. IL   LA MORTE DI OFELIA Parigi, Louvre [n. 415]
Assieme (cm. 23×30,5).

TAV. L   CANOTTO DI NAUFRAGHI Mosca, Museo Pusc'kin [n. 460]
Assieme (cm. 36×57).

TAV. LI   SPIRITI MAGNI NEL LIMBO Parigi, palazzo del Lussemburgo [n. 438]
Particolare (cm. 300×250).

TAV. LII   ATTILA PERCORRE L'ITALIA IN ROVINA   Parigi, palazzo Borbone   [n. 482]
Zona centrale (cm. 300×400).

TAV. LIII   ATTORI COMICI ARABI Tours, Musée des Beaux-Arts [n. 512]
Assieme (cm. 96×130).

TAV. LIV   SUSANNA AL BAGNO   Parigi, propr. de la Haye Jousselin   [n. 550]
Assieme (cm. 29×31).

TAV. LV   APOLLO VINCITORE DI PITONE Parigi, palazzo del Louvre [n. 574]
Assieme (cm. 800×750).

TAV. LVI PUMA Parigi, Louvre [n. 594]
Assieme (cm. 41×30).

TAV. LVII   IL MARE DALLE ALTURE DI DIEPPE Parigi, propr. privata [n. 597]
Assieme (cm. 35×51).

TAV. LVIII   ALFRED BRUYAS Montpellier, Musée Fabre [n. 649]
Assieme (cm. 116×89).

TAV. LIX   LA PACE Parigi, Musée Carnavalet [n. 599]
Assieme (diam. cm. 78).

TAV. LX   IL RAPIMENTO DI REBECCA Parigi, Louvre [n. 748]
Assieme (cm. 105×81,5).

TAV. LXI   LOTTA DI GIACOBBE CON L'ANGELO Parigi, chiesa di Saint-Sulpice [n. 786]
Particolare (cm. 300×250).

TAV. LXII   ZUFFA DI CAVALLI IN UNA SCUDERIA Parigi, Louvre [n. 779]
Assieme (cm. 64×81).

TAV. LXIII   LA FURIA DI MEDEA Parigi, Louvre [n. 795]
Assieme (cm. 122,5×84,5).

TAV. LXIV   COMBATTIMENTO DI ARABI FRA LE MONTAGNE Washington, National Gallery [n. 805]
Assieme (cm. 92×74).

Analisi dell'opera pittorica di Delacroix

Allo scopo di rendere immediatamente palesi gli elementi essenziali di ciascuna opera, l'intestazione di ogni scheda del *Catalogo* (a partire da pag. 87) reca — dopo il numero del dipinto (che segue il più attendibile ordine cronologico, e a cui si fa riferimento ogni qualvolta l'opera venga citata nel corso del volume), dopo il titolo e dopo l'eventuale ubicazione — una serie di abbreviazioni riferite: alla tecnica; al supporto; alle dimensioni (fornite in centimetri: prima l'altezza, poi la base); alla eventuale presenza di firma e/o data; alla cronologia (a rilevare la cui approssimazione, per difetto o per eccesso, l'anno viene fatto precedere o seguire da un asterisco, mentre due asterischi — uno per lato — indicano approssimazioni non precisabili): abbreviazioni che vengono chiarite qui sotto. (Si veda inoltre a pag. 88).

Tecnica

ol: pittura a olio

Supporto

tl: tela
tv: tavola

Dati accessori

d: opera datata
f: opera firmata

Bibliografia essenziale

Della vastissima — ma in larga parte superata — letteratura su Delacroix è reperibile un ragguaglio, assai esteso — quantunque incompleto —, fino al 1963, nel fondamentale *Mémorial* di Sérullaz (si veda qui sotto).

SCRITTI DI DELACROIX. Journal, a cura di J.-L. Vaudoyer e A. Joubin, Paris 1960[2]; *Diario*, ed. ital. a cura di L. Vitali, Torino 1954. *Correspondance générale*, a cura di A. Joubin, Paris 1936; *Lettres intimes*, a cura di A. Dupont, Paris 1954. *Oeuvres littéraires* (gli articoli pubblicati dal maestro), a cura di A. Piron, Paris 1923[2].

TESTIMONIANZE. TH. SILVESTRE, *Histoire des artistes vivants*, Paris 1855, e 1926[2]; E. DE MIRECOURT, *E. Delacroix*, Paris 1856; CH. COLIGNY, *E. Delacroix*, Paris 1861; E. CHESNEAU, *La Peinture française au XIXᵉ siècle*, Paris 1862, e 1864[2];

A. CANTALOUBE, *E. Delacroix*, Paris 1864; TH. GAUTIER - A. HOUSSAYE - P. DE SAINT-VICTOR, *Dieux et demi-dieux de la peinture*, Paris 1864; TH. SILVESTRE, *E. Delacroix*, Paris 1864, e 1926[2]; A. PIRON, *E. Delacroix*, Paris 1865; CH. BAUDELAIRE, *Curiosités esthétiques*, Paris 1868; M. DU CAMP, *Souvenirs littéraires*, Paris 1882-83; G. DARGENTY, *E. Delacroix*, Paris 1885; E. VERON, *E. Delacroix*, Paris-London 1887; P. SIGNAC, *D'Eugène Delacroix au néoimpressionnisme*, Paris 1899; M. TOURNEUX, *E. Delacroix*, Paris 1902; J. MEIER-GRAEFE, *E. Delacroix*, München 1913, e 1922[2]; L. DE PLANET, *Souvenirs des travaux de peinture avec M. E. Delacroix*, Paris 1929.

STUDI FONDAMENTALI. A. MOREAU, *E. Delacroix et son œuvre*, Paris 1873; A. ROBAUT - E. CHESNEAU, *L'œuvre complet de E. Delacroix, peintures, dessins, gravures, lithographies ...*, Paris 1885 (nelle nostre citazioni, abbreviato con "R."); E. MOREAU-NÉLATON, *Delacroix raconté par lui-même*, Paris 1916; R. ESCHOLIER, *Delacroix peintre, graveur, écrivain*, Paris 1926-29, e *E. Delacroix*, Paris 1963; H. FOCILLON, *Delacroix et l'art moderne*, "Revue de l'Art ancien et moderne" 1930; L. RUDRAUF, *E. Delacroix et le problème du romantisme artistique*, Paris 1942; CL. ROGER-MARX, *La leçon de Delacroix*, "Arts de France" 1949; U. APOLLONIO, *Delacroix*, Milano 1956; M. SÉRULLAZ, *Les peintures murales de Delacroix*, Paris 1963, e *Mémorial de l'Exposition E. Delacroix ... du centenaire*, Paris 1963 (ed. ital., Milano 1963); L. JOHNSON, *Delacroix*, London 1963 (ed. ital., Bergamo 1963); C. MALTESE, *Delacroix*, Milano 1965; G. MARCHIORI, *Delacroix*, Firenze 1969.

Documentazione sull'uomo e l'artista

1798. 26 APRILE. Ferdinand-Victor-Eugène Delacroix nasce a Charenton-Saint-Maurice (Seine) da Charles — già ministro degli Esteri sotto il Direttorio, e futuro prefetto dell'Impero a Marsiglia e a Bordeaux — e da Victoire Oeben, figlia del noto ebanista di Luigi XVI. Ha tre fratelli: Charles-Henri (1779-1845), che diverrà aiutante di campo del principe Eugenio, per poi — col grado di generale — ritirarsi a vita privata dopo la caduta di Napoleone I; Henriette (1780-1818), che sposerà l'ambasciatore Raymond de Verninac; Henri (1784-1807), che cadrà alla battaglia di Friedland.
La paternità ufficiale viene contestata (per l'impossibilità di procreare, da parte di Charles Delacroix, al tempo del concepimento di Eugène) in favore del principe di Talleyrand, che proteggerà il pittore nei primi anni della carriera. Peraltro Eugène ricorderà sempre con affetto Charles Delacroix, come provano vari passi del *Journal*, così da lasciar supporre che fosse ignaro della vicenda. Se tuttavia gli spetta realmente una incisione a colori, *L'homme aux six têtes*, siglata "E" e pubblicata il 15 aprile 1815, essendo l'uomo a sei teste il famigerato voltagabbana Talleyrand, "si avrebbe un nuovo episodio sconcertante di una storia già abbastanza romanzesca" [Marchiori].

1800-03. Riferendosi a tale periodo, trascorso a Marsiglia, Delacroix scrive di aver "avuto molto tempo da dedicare a una grandissima passione per il disegno e la musica".

1806. Charles Delacroix muore a Bordeaux (26 agosto); e la

Effigi di Delacroix. Autoritratti: (1) in un'incisione del 1819 (eseguita da Fr. Villot); (2) in un disegno dello stesso periodo (Parigi, Louvre); (3) in altro, posteriore (1830 c.); e (4) in uno schizzo compiuto durante il viaggio in Marocco (1832). Ritratto (5) a dagherrotipo (1842) e (6) copia (part.) del medesimo disegnata dallo stesso Delacroix. Altro dagherrotipo (7) del 1842. Ritratti fotografici: (8) del 1854, di Laisné; (9) 1857 c., di Petit; (10) 1858 c., di Durieu; (11) 1860 c., di P. Petit; (12) 1861, di Nadar; (13) 1862, dello stesso Petit; e (14) pure del '62, di Legé e Bergeron.

Due pagine acquerellate (15 e 16) dagli albi di Delacroix durante il viaggio in Marocco (1832; Parigi, Louvre).

17

18

19

20

21

22

madre si trasferisce a Parigi con la famiglia, in casa della figlia Henriette de Verninac (50, rue de Grenelle). Il 6 ottobre Eugène entra al liceo imperiale "Louis le Grand", dove si lega di duratura amicizia con Félix Guillemardet, Jean-Baptiste Pierret e Achille Piron.

1813. A Valmont (Fécamp) è ospite per la prima volta del cugino Nicolas-Auguste Bataille, in una abbazia che gli sarà molto cara per il fascino misterioso e un po' sinistro.

1814. Da Valmont visita Rouen, rimanendo colpito dall'architettura gotica. Il 3 settembre gli muore la madre, lasciando una situazione finanziaria assai compromessa, che Henriette e il marito, cercando di sanarla, finiranno di guastare. I Verninac, presso i quali Eugène continua a stare, abitano ora al 114 di rue de l'Université.

1815. Il pittore (già allievo di David) Henri-François Riesener (1767-1828), figlio del noto ebanista, patrigno della madre di Delacroix, riesce a farlo accogliere (1° ottobre) nello studio del pittore Pierre-Narcisse Guérin (1774-1833), seguace di David, dove compie la consueta trafila accademica, copiando soprattutto i Raffaello e i Rubens del Louvre.

1816. Presso Guérin conosce Richard Parkes Bonington (1801-1828), di cui — in una lettera (1861) a Thoré-Bürger — Delacroix scriverà: "Vedevo un grande adolescente in giacca corta che faceva anche lui e in silenzio studi all'acquerello, di solito da paesaggi fiamminghi ... L'ho conosciuto molto bene e gli ho voluto molto bene ... nella scuola moderna, e fors'anche prima di lui, nessuno ha dimostrato quella leggerezza di mano che, specie nell'acquerello, rende le sue opere come diamanti, opere che, indipendentemente dal tema e dalla resa del vero, piacciono all'occhio, lo rapiscono". Lo

(A sinistra) Firme di Delacroix nei dipinti rispettivamente contrassegnati, nel nostro Catalogo, dai numeri: (17) 111, (18) 171, (19) 195, (20) 257 e (21) 594; e (22) riproduzione grafica del cachet apposto sulle opere del maestro immesse nella vendita postuma (1864). - (A destra) Incisione (23) riproducente lo studio di Delacroix al 54 di rue Notre-Dame-de-Lorette (dall'"Illustration", 1852).

stesso anno incontra Raymond Soulier, dal quale apprende la tecnica dell'acquerello (a Soulier l'aveva insegnata Copley Fielding) e la lingua inglese.

1817. Pure nell'atelier di Guérin (che Delacroix continua a frequentare pur seguendo i corsi dell'École des Beaux-Arts) conosce Théodore Géricault (1791-1824) e posa per uno dei naufraghi nella Zattera della "Medusa". Il giovane ammira in Géricault l'uomo e l'artista; nel Journal (1857) annoterà della sua pittura: "In essa rivedo tutto quanto è sempre mancato a

David, la potenza del fare, la gagliardia, l'audacia ...".

1818. Inizia l'attività autonoma. Da agosto a dicembre soggiorna nella tenuta di famiglia a La Boixe (Mansle, Charente).

1819. Trascorre la tarda estate a La Boixe, leggendo Dante, Petrarca e Tasso. Dipinge la Vergine delle messi (Catalogo, n. 17) su commissione — la prima di carattere pubblico — per la chiesa di Orcemont (Seine-et-Oise).

1820. Géricault gli trasmette la commissione per la Vergine del

sacro Cuore (n. 22). Dissapori con la sorella lo inducono a vivere da solo, e (aprile) prende alloggio a Parigi al 22 di rue de la Planche (ora rue de Varenne). Da agosto a settembre soggiorna al Louroux (Indre-et-Loire), in casa del fratello Charles-Henri. In settembre gli si manifesta una febbre misteriosa, preannunzio della laringite tubercolare di cui morirà. Nell'ottobre e novembre risiede a Souillac. Difficoltà economiche lo costringono, fra l'altro, a disegnare macchine per l'amico Soulier.

1822. Esordisce al Salon con la Barca di Dante (n. 38), che suscita scalpore; la elogia, in particolare, Jean Antoine Gros (1771-1835), per il cui ingegno Delacroix comincia a nutrire una intramontabile ammirazione (vari anni dopo ne scriverà: "per me è ancora, pur dopo tutto quello che ho visto, uno dei più considerevoli nella storia della pittura"). La partecipazione di Delacroix al Salon proseguirà, con poche eccezioni, fino al 1859. Il 3 settembre, mentre è ospite del fratello al Louroux, inizia la stesura del Journal (si veda a pag. 5).

1823. In ottobre si trasferisce al 20 di rue Jacob, nello studio di un amico acquerellista, l'inglese Thales Fielding (fratello di Copley).

1824. La morte di Géricault (27 gennaio) lo colpisce profondamente. Partecipa al Salon, fra l'altro, col Massacro di Scio (n. 92), vera e propria dichiarazione di guerra ai classicisti della cerchia di David e di Ingres. Comincia a frequentare il salotto del pittore François Gérard, dove conosce Stendhal, che ammira per l'originalità e le doti di narratore. È pure assiduo in altri salotti — di Nodier, di M.me Ancelot, del naturalista Cuvier, di Devéria e Victor Hugo — e via via vi incontra Mérimée, Dumas padre,

23

Sainte-Beuve, de Musset, Gautier.

1825. Apre un nuovo studio, al 14 di rue d'Arras. Da maggio ad agosto soggiorna in Inghilterra con Fielding e Bonington: visita i musei, conosce Thomas Lawrence e ammira la pittura di John Constable; resta colpito dal teatro di Shakespeare. Inizia una relazione con Miss Dalton, che si protrae fino al 1830. Di ritorno a Parigi accoglie nello studio Bonington per qualche mese.

1826. Stringe i rapporti con i romantici, in particolare con Hugo. Il Consiglio di Stato gli commissiona l'*Imperatore Giustiniano* (n. 140). In maggio presenta alla galleria Lebrun la *Grecia sulle rovine di Missolungi* (n. 131), a beneficio degli indipendentisti ellenici. In giugno soggiorna a La Charité-sur-Loire, ospite del generale de Coetlosquet.

1827. Muore sua sorella Henriette de Verninac. Al Salon partecipa con ben undici opere, fra cui la *Morte di Sardanapalo* (n. 158). Entro l'anno espone anche a Londra. In settembre assiste ad alcune rappresentazioni di Shakespeare allestite nella capitale francese. In ottobre, dopo essersi trasferito al 15 di rue de Choiseul, compie un soggiorno a Mantes, in casa dei Rivet. Pubblica diciannove litografie per illustrare la traduzione del *Faust* goethiano eseguita da Stapler (Goethe le apprezza molto). Lo scandalo del *Sardanapalo* lo lascia privo di commissioni ufficiali.

1828. Appresta i costumi per *Amy Robsart* di Hugo, rappresentato con cattivo esito (ottobre) all'"Odéon". In settembre soggiorna dai Rivet a Mantes, e in novembre dal fratello Charles-Henri a Tours. Termina la *Messa di Richelieu* (n. 174) per il duca d'Orléans, e riceve la commissione della *Battaglia di Nancy* (n. 207).

1829. A gennaio si trasferisce al 15 del quai Voltaire. Inizia l'attività di saggista con un articolo (*La critica d'arte*) per la "Revue de Paris"; entro l'anno pubblica nella stessa rivista uno studio su Thomas Lawrence. In novembre soggiorna a Valmont, attratto dal mare. Durante l'anno esplica un'intensa attività nel campo della litografia.

1830. Termina la *Libertà che guida il popolo* (n. 195). Prosegue la collaborazione alla "Revue de Paris" con articoli su Raffaello e Michelangelo, esaltanti il valore della creatività solitaria del genio.

1831. Al Salon invia, fra l'altro, la *Libertà che guida il popolo* (n. 195). Viene insignito (settembre) della Legion d'Onore. Soggiorna (id.) a Valmont. In dicembre, raccomandato dall'attrice Mars al conte de Mornay, ottiene di far parte della delegazione destinata dal governo francese al sultano del Marocco.

1832. L'11 gennaio si imbarca a Tolone; arriva a Tangeri il 24, e da qui parte (5 marzo) per Meknez, dove giunge il 15 marzo; riprende (5 aprile) la via di Tangeri, passando per la Spagna (16 maggio - 1° giugno); da

(Sopra) Delacroix 'salottiero' in (24) un acquerello caricaturale di E. Giraud (Parigi, Bibliothèque Nationale), e in uno (25) di E. Lami, dove oltre al maestro si scorgono de Musset, Berryer, ecc. (propr. priv.). - (Qui sotto) Ritratti di Delacroix: (26) in una tela di T. Géricault (1818), (27) in un disegno di A. Colin (1824), e in dipinti di (28) L. Schwiter (1831), (29) Ch. Champmartin (1840; Parigi, Musée Carnavalet) e (30) nell'Omaggio di H. Fantin-Latour (1864; Parigi, Jeu-de-Paume), dove, assieme al maestro e all'autore dell'opera, si scorgono anche Whistler, Manet e Baudelaire. - (A destra) Altre caricature: (31) di Bertall, illustrante il Duello all'ultimo sangue fra Delacroix e Ingres, cioè fra romantici e classici, o — meglio — fra la concezione pittoricistica del primo e quella disegnativa del secondo: l'uno combatte col pennello, l'altro impugna il lapis (dal "Journal pour rire"); (32) di Grandville, relativa a un salotto romantico, con Delacroix, Dumas padre, Hugo, Liszt, la Sand e M.me de Girardin (Parigi, Bibliothèque Nationale); e (33) in un ventaglio (part.) di Charpentier, raffigurante il pittore fra Liszt e la Sand.

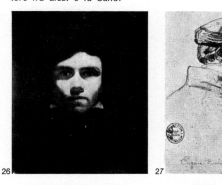

Tangeri riparte (10 giugno) per Algeri (25-28 giugno); il 7 luglio è di nuovo a Parigi, dopo una quarantena a Tolone. Gautier dirà che "dal breve viaggio in Marocco Delacroix ha riportato con sé tutto un mondo".

Un brano dello stesso Gautier contiene forse il ritratto più vivace del pittore in quel tempo: "Delacroix, che incontrammo la prima volta poco dopo il 1830, era allora un giovane elegante e delicato; una volta veduto, non se ne poteva scordare il pallore del colorito olivastro; gli abbondanti capelli neri, gli occhi fieri dall'espressione felina sotto le sopracciglia folte e rialzate all'estremità inferiore, le labbra fini e sottili un po' schiuse sui denti magnifici e ombreggiate da esili baffetti, il mento volitivo e possente rilevato da piani robusti, gli componevano una fisionomia di bellezza altera, strana, esotica, quasi inquietante: lo si sarebbe detto un maragià indiano che a Calcutta avesse ricevuto una perfetta educazione da *gentleman* e fosse venuto a passeggiare con abiti europei in mezzo alla civiltà parigina. Quella testa nervosa, intensa, mobile brillava di spirito, di genio e passione. Nessuno riusciva più seducente che lui quando si dava la pena di esserlo. Sapeva raddolcire il timbro fiero e scontroso della sua maschera con un sorriso pieno di urbanità; era morbido, vellutato, carezzevole, come una di quelle tigri di cui eccelleva nel rendere la grazia agile e tremenda ...".

A quell'anno risale l'unica lettera nota di Delacroix a Balzac, che gli dedicherà (1843) il romanzo *La fille aux yeux d'or*. Peraltro i due non divennero amici, e nel *Journal* i giudizi sullo scrittore appaiono negativi, forse perché il balzacchiano *Un ménage de garçon* può adombrare vicende del generale Charles-Henri Delacroix e dello stesso Eugène.

1833. La protezione di Adolphe Thiers, il giornalista divenuto ministro degli Interni di re Luigi Filippo, gli vale la prima delle grandi commissioni statali: il ciclo nella sala del Re a palazzo Borbone. Conosce Chopin e George Sand, ai quali si lega di profonda amicizia; per essere vicino al musicista trascorre frequenti periodi al castello di Nohant, residenza estiva della Sand. Del resto, tende ormai ad allontanarsi dai cena-

coli dei romantici, dando la preferenza ai concerti e ai salotti dove si fa musica (in particolare quello di Boissard de Boisdenier): predilige Mozart, Cimarosa, Rossini. In casa dei Pierret conosce Jenny Le Guillon, che nel 1834 assume come governante e per ventinove anni gli starà accanto, saggia e affezionata confidente. Del novembre è la sua prima lettera alla cugina baronessa Joséphine de Forget, che per vari anni sarà la sua amante, consolatrice e introduttrice nei salotti del secondo Impero, per poi dive-

nire un'affettuosa amica. Si fa dare lezioni di acquaforte da Frédéric Villot (1809-1875), che conosce dal 1827; i rapporti fra i due si stringono ulteriormente, e al pittore diverranno cari i soggiorni a Champrosay, dove i Villot possiedono una casa di campagna.

1834. La morte del nipote Charles de Verninac, a New York, lo rattrista molto. In settembre (dopo essere stato in aprile dai Rivet a Mantes, e d'agosto in Bretagna), nella casa dei cugini Bornot a Valmont (Normandia), esegue saggi di pittura murale (n. 265-267).

1835. A febbraio soggiorna presso i cugini Riesener a Frépillon. In ottobre si trasferisce al 17 di rue des Marais-Saint-Germain (attuale rue Visconti).

1837. Compie un primo, infelice tentativo di candidatura per occupare, all'Institut, il posto già appartenuto al pittore Gérard. Luigi Filippo gli commissiona la *Battaglia di Taillebourg* (n. 287) per Versailles.

1838. Un nuovo scacco all'Institut non gli impedisce di ricevere da Luigi Filippo l'incarico di decorare la biblioteca di palazzo Borbone (n. 461-482) e quello, per Versailles, dell'*Entrata dei crociati a Costantinopoli* (n. 350). In agosto villeggia con la de Forget a Tréport; in settembre si reca a Valmont. Quindi (novembre), a Parigi, apre un *atelier* in rue Neuve-Guillemin per iniziare i dipinti destinati a palazzo Borbone.

1839. A settembre si reca in Olanda con Elizabeth Boulanger (conosciuta in casa di Dumas padre nel 1833), che poi, nel Belgio — dove si è recato per vedere Rubens —, lo abbandona improvvisamente.

1840. Gli viene affidata l'ornamentazione della biblioteca del Lussemburgo a Parigi (n. 436-451); riceve inoltre l'incarico della *Pietà* (n. 378) per la chiesa di Saint-Denis-du-Sacrement, pure nella capitale.

1841. Lungo e interessante colloquio sul colore fra la Sand, Delacroix e Chopin, riferito dalla scrittrice stessa [*Impressions et souvenirs*, 1873].

1842. Per rimettersi da un grave attacco di laringite, in marzo soggiorna presso i Riesener a Frépillon, e in giugno dalla Sand a Nohant.

1843. In giugno è a Vichy; in luglio, a Nohant.

1844. Entra nel suo studio Pierre Andrieu, il più fedele dei suoi discepoli. In giugno è a Champrosay. A ottobre affitta un nuovo appartamento, al 54 (oggi 58) di rue Notre-Dame-de-Lorette, che occuperà soltanto nel '45, dopo avere risieduto qualche tempo al 29 di rue di La Rochefoucauld.

1845. In luglio e agosto soggiorna per cura nei Pirenei, a Eaux-Bonnes, rimanendo colpito dalla maestosità del paesaggio montano. Si accende di nuovo l'interesse per la saggistica e collabora al "Plutarque français". Il 30 dicembre gli muore il fratello Charles-Henri.

1846. Ottiene la nomina a uf-

ficiale della Legion d'Onore. Trascorre parte dell'estate a Nohant, presso la Sand. In novembre pubblica un articolo su Prud'hon ["Revue des Deux-Mondes"].

1847. In gennaio riprende la stesura del *Journal*, rimasta interrotta dal tempo del viaggio in Marocco. A marzo visita Corot (del quale in precedenza non aveva osservato con attenzione le opere esposte al Salon), restandone molto colpito. Il 1° settembre la "Revue des Deux-Mondes" appare con un suo articolo su Gros.

1848. La rivoluzione di febbraio non lo entusiasma; fra l'altro, nell'incendio del Palazzo Reale va distrutta la sua *Messa di Richelieu* (n. 174). In giugno e luglio è a Champrosay; in agosto, ospite del conte de Mornay; in settembre, di nuovo a Champrosay. L'elezione del futuro Napoleone III a presidente della repubblica (dicembre) gli lascia sperare possibilità di carriera ufficiale grazie alle amicizie della cugina de Forget.

1849. In data 5 febbraio, nel *Journal* registra l'unico accenno — peraltro insignificante — a Daumier. In maggio riceve la commissione per decorare una cappella in Saint-Sulpice di Parigi (n. 567-572). Si pone di nuovo candidato all'Institut, ma invano. In maggio e settembre è a Champrosay; in ottobre, a Valmont; di ritorno a Parigi, apprende la morte di Chopin, che gli lascerà un rimpianto imperituro.

1850. A marzo gli viene commissionato il soffitto di *Apollo* per il Louvre (n. 574). Trascorre tutto maggio a Champrosay. In luglio parte alla volta di Ems per curarsi; all'andata e al ritorno passa da Anversa per rivedere Rubens. Il 15 settembre la "Revue des Deux-Mondes" gli pubblica un articolo sull'insegnamento del disegno.

1851. Nuovo scacco per un seggio all'Institut. Riceve l'incarico di decorare il salone della Pace all'Hôtel de la Ville

di Parigi (n. 598-642). Viene nominato consigliere municipale, carica che coprirà scrupolosamente per dieci anni. In estate soggiorna a Champrosay e poi a Dieppe. Il ristabilimento dell'Impero (2 dicembre) sembra trovarlo concorde.

1852. Pubblica ["Moniteur universel" 26, 29 e 30 giugno] un saggio su Poussin. Negli intervalli di lavoro per l'Hôtel de la Ville soggiorna a Champrosay e a Dieppe.

1853. Pone di nuovo, e inutilmente, la candidatura all'Institut. In maggio è a Champrosay.

1854. In marzo, ancora a Champrosay. La "Revue des Deux-Mondes" [15 luglio] gli pubblica le *Questioni sul bello*. In agosto è a Dieppe; in ottobre e novembre, a Augerville.

34

Un aspetto della rassegna postuma di Delacroix, allestita nel 1885 all'École des Beaux-Arts di Parigi, in un dipinto dell'epoca (Parigi, Musée Carnavalet).

1855. All'Exposition Universelle partecipa con una 'antologica' di quaranta dipinti, oltre alla *Caccia ai leoni* commissionata dal governo francese (n. 703). Per lui, come per Ingres, la rassegna costituisce una vera consacrazione ufficiale. In particolare, Delacroix vi si rivela come ormai al di sopra della diatriba Romanticismo-Classicismo. Baudelaire esalta la sua "grandezza".
In giugno si reca a Champrosay; in luglio, a Augerville; in settembre, a Croze (Lot), presso il Verninac; dopo una breve sosta a Strasburgo, dove rimane affascinato dal gotico, in ottobre è a Dieppe; il mese dopo, ancora a Augerville. Nello stesso novembre riceve la commenda della Legion d'Onore.

1856. A causa della malattia, interrompe i lavori per Saint-Sulpice, e in settembre si reca nelle Argonne, regione d'origine dei Delacroix. A novembre pone per l'ottava volta la candidatura all'Institut, e viene accolto (10 febbraio 1857).

1857. La laringite lo costringe a nuove interruzioni del ciclo per Saint-Sulpice. A Champrosay, dove si reca, elabora il progetto d'un *Dictionnaire des*

Beaux-Arts. In ottobre va a curarsi a Plombières, passando da Strasburgo; poi, a Augerville. Il 28 dicembre trasloca al 6 di place de Fürstenberg.

1858. La malattia gli impone altri soggiorni a Champrosay e a Plombières.

1859. Partecipa per l'ultima volta al Salon, con ben trentaquattro opere. Di fronte all'affermarsi dei realisti guidati da Courbet, Baudelaire [*Salon de 1859*] precisa i motivi della propria interpretazione di Delacroix: "È l'infinito nel finito. È il sogno ... il pittore dell'anima nelle sue ore più belle". Odilon Redon, che lo incontra a un ricevimento in prefettura, traccia un indimenticabile ritratto del maestro: "... di statura media, magro, nervoso. Lo seguimmo attraverso Parigi notturna, solo, il capo chino, mentre cammi-

nava come un gatto sui marciapiedi più lisci. Un manifesto dove stava scritta la parola 'quadri' attrasse la sua attenzione; si avvicinò, lo lesse e riprese il cammino, coi propri sogni, cioè con la sua idea fissa. Attraversò la città fino alla porta di una casa in rue Rochefoucauld, dove non abitava più: quanta distrazione in quell'abitudine. Tornò, tranquillamente assorto nei suoi pensieri, verso rue de Fürstenberg dove alloggiava". In agosto compie un viaggio a Strasburgo e Ante; in ottobre riposa a Champrosay e Augerville.

1860. La malattia lo costringe a nuove interruzioni nell'impresa di Saint-Sulpice, e a nuovi periodi di riposo a Champrosay e Dieppe. Espone sedici dipinti alla galleria Martinet di Parigi.

1861. Compiuto il ciclo di Saint-Sulpice, da agosto soggiorna a Champrosay.

1862. Durante l'inverno, tormentato dalla laringite, scrive un saggio su Charlet, che viene pubblicato dalla "Revue des Deux-Mondes" [15 luglio]. In settembre è ad Ante; poi, a Champrosay; e in ottobre, a Augerville. Nutrito dalle letture di Montaigne e degli enciclopedisti, si va preparando con saldezza alla morte.

1863. In gennaio la malattia si acuisce. Il 13 agosto alle sette antimeridiane, stringendo la mano della fedele governante Jenny, muore "come i gatti o gli animali selvatici che cercano una tana segreta per celare le ultime convulsioni della vita" [Baudelaire]. Al funerale, la contessa Castiglione gli depone sulla bara una corona d'oro.

1864. Agli inizi dell'anno ha luogo l'asta delle opere rimaste nello studio di Delacroix; il catalogo della vendita — nonostante le frequenti carenze di precisazioni — costituisce uno strumento fondamentale per ricostruire l'*iter* pittorico del maestro (nella nostra catalogazione vi si fa riferimento — come "vendita postuma" — ogni volta che sia stato possibile). Segue di poco, pure a Parigi, una rassegna di trecento suoi dipinti alla Société Nationale des Beaux-Arts sul boulevard des Italiens.

1885. Importante 'retrospettiva' con trecento opere di Delacroix all'École des Beaux-Arts di Parigi: il ricavato viene devoluto per il monumento al maestro eretto nei giardini del Lussemburgo.

1927. M. Denis fonda la Société des Amis de Delacroix, che riesce ad avere l'ultima abitazione del maestro, in rue de Fürstenberg, per allestire un museo a lui dedicato.

1930. Grande 'retrospettiva' (342 opere) di Delacroix al Louvre.

1933. Il Musée de l'Orangerie di Parigi presenta la rassegna "Le voyage de Delacroix au Maroc".

1939. Esposizioni al Kunsthaus di Zurigo e alla Kunsthalle di Basilea.

1952. Per intervento di M. Sérullaz, viene finalmente aperto al pubblico il museo in rue de Fürstenberg, l'Atelier Delacroix, dedicato a "Delacroix e l'impressionnisme". La galleria Wildenstein allestisce a Londra un'importante rassegna di opere del maestro.

1956. Rassegna d'opere di Delacroix alla XXVIII Biennale di Venezia.

1962. Nutrita mostra d'opere di Delacroix in collezioni americane, aperta all'Art Gallery di Toronto (dicembre) e conclusa (gennaio-febbraio 1963) alla National Gallery di Ottawa.

1963. Al Louvre, la maggiore 'retrospettiva' del maestro (529 'numeri'): l'"Exposition du Centenaire". Contemporaneamente, pure a Parigi, la Bibliothèque Nationale allestisce la mostra di "Delacroix et la gravure romantique"; il Cabinet des Dessins del Louvre presenta disegni suoi, e una esposizione mobile documenta "Le rôle du dessin dans l'œuvre de Delacroix"; inoltre, a Bordeaux, ulteriori opere sue compaiono alla mostra "Delacroix, ses maîtres, ses amis, ses élèves".

1969. Rassegna d'opere di Delacroix a Kyoto (maggio-giugno) e Tokyo (giugno-agosto).

Catalogo delle opere

Elenco cronologico e iconografico di tutti i dipinti di Delacroix o a lui attribuiti

Il ventennio che ha inizio con i moti parigini del 1830, e la conseguente rottura del fronte conservatore delle grandi potenze europee, si chiude nel rinnovato slancio rivoluzionario del 1848, che peraltro esaurisce il periodo del sopravvento popolare. È senz'altro il ventennio più vivo, impetuoso, audace di tutto l'Ottocento; la società che si sta formando è aperta a una storia nuova. La partecipazione di Delacroix a quegli avvenimenti echeggia in un gruppo di opere a partire dal 1824. Attraverso il *Massacro di Scio*, la *Grecia sulle rovine di Missolungi* (n. 92 e 131), il primo pensiero del *Botzaris* (n. 791), l'artista, colpito dagli episodi della guerra per l'indipendenza greca, ne esalta gli eroismi accanto a Byron, che combatte per la causa, mentre Hugo e Delavigne la rendono popolare con i loro versi. Nei dipinti di Delacroix si individua l'adesione agli ideali del liberalismo europeo per il carattere patriottico, e insieme esotista e romantico, che li contraddistingue. La *Libertà che guida il popolo* (n. 195) si prospetta come una interpretazione dei fatti del luglio 1830 che sembra affermare la fede e il valore della società in luogo dei drammi interiori del singolo. Ma quando la Francia, sotto il controllo della borghesia in lotta con le forze della destra capitalistica e della sinistra popolare, nel 1848 si dà un regime repubblicano, così la pensa il pittore: "Ho sepolto l'uomo di un tempo, con le sue speranze e i suoi sogni del futuro; e ora, con una certa calma apparente, come se si trattasse di un altro, passo e ripasso sulla tomba dove ho seppellito tutto questo ... chiudiamoci nel nostro mantello, se ne abbiamo uno" [lettera a Soulier, 8 maggio 1848]. Talune riposte indicazioni avvertibili nelle opere suddette persuadono sulla verità dell'affermazione, che non è ambigua o contraddittoria. La figura della fanciulla che personifica la Grecia, più che un gesto eroico, ha l'atteggiamento d'offerta di certe immagini del Quattrocento; e la Libertà, figura femminile seminuda, è più un'allegoria che un motivo realistico: cosicché la storia, nel momento di farsi mito, appare interpretata come reale e irreale, per cui verità e finzione, oggetto e soggetto si identificano. La scelta di Delacroix si rivela quale scelta del singolo che, dopo aver usato dell'insurrezione come mito, non come realtà, tenta di attenuare il dramma interiore con un impegno a livello personale: "Il mondo nuovo, buono o cattivo, che cerca di farsi luce fra le nostre rovine, è come un vulcano sotto i nostri piedi: permette di riprendere fiato soltanto a chi come me comincia a considerarsi un estraneo a quello che succede e limita le proprie speranze a un buon impiego della giornata" [*Journal*, 3 settembre 1857]. In tal modo la pittura diviene un' "esigentissima innamorata", capace di vincere la solitudine e la vecchiaia, "i dolori del corpo e le pene dell'anima".

Al bibliotecario della Camera dei deputati, che in un discorso lo definisce "il Victor Hugo della pittura", Delacroix risponde: "Signore, io sono un puro classico". Più tardi nel *Journal* scriverà: "se si intende per romanticismo la libera espressione delle proprie impressioni individuali, non soltanto io sono un romantico oggi, ma lo ero già a quindici anni". Classico, Delacroix è per educazione; però quando conferma a Villot che l'antichità classica è origine di tutto, la intende come esempio di civiltà, in quanto rapportata al tempo presente. Dal Marocco scrive ad Augusto Jal: "... i romani e i greci stanno alla porta di casa mia ... ora li conosco; i marmi sono la verità stessa, ma bisogna sapervi leggere" [4 giugno 1832]. Una classicità, quindi, che è sentimento da ricercarsi in un rigore quale si attua volta per volta nella realtà circostante, non un rigido schema da copiare.

Giovanissimo, Delacroix scrive a Soulier: "la pittura è vita, è la natura trasmessa all'anima senza intermediari, senza veli, senza regole convenzionali". Il romanticismo di Delacroix si identifica con la rivolta alle convenzioni; perciò egli potrà dire: "non sarà mai ripetuto abbastanza che le regole del bello sono eterne, immutabili; e le sue forme, invariabili. Chi decide di queste regole e di queste forme diverse che debbono piegarsi alle regole, tuttavia con una fisionomia differente? Soltanto il gusto, raro forse come il bello ...": atteggiamento dovuto al pensiero di Kant, probabilmente conosciuto attraverso le lezioni di Cousin (1819) e direttamente letto dopo il 1843. La concezione del fare artistico come sintesi di genio e gusto, di immaginazione e intelletto affascina l'artista. Con codeste premesse necessarie per superare la frattura in cui è venuta a trovarsi l'arte, si prepara la nuova rotta che sarà seguita dalla pittura, e di cui Delacroix è l'iniziatore in Francia.

Si insiste molto sugli spunti letterari nelle opere di Delacroix: accanto alle letture di Burns, Byron, Chateaubriand, Goethe, Hugo, Maturin, Sand, ci sono Euripide, Dante, Ariosto, Tasso, Shakespeare, e temi allegorici e mitologici, quelli storici, antichi e moderni, quelli religiosi ed esotici, i ritratti, i paesaggi, le nature morte. Quale, per Delacroix, l'importanza del soggetto? "Credo che sarebbe meglio, se si cerca un argomento, di non ricorrere a quelli vecchi ... Non esiste nulla di più idiota! Fra gli argomenti messi da parte, perché un giorno mi sono sembrati belli, chi determina la mia scelta per l'uno o per l'altro, ora che io sono in una predisposizione identica per tutti? ... Tutti gli argomenti diventano buoni per un autore. Giovane artista, aspetti un argomento? Tutto è argomento: l'argomento sei tu stesso: sono le tue impressioni, le tue emozioni dinanzi alla natura. È in te che devi guardare, e non attorno a te"; sono testimonianza di straordinaria modernità. Sottilmente Baudelaire potrà scrivere dopo la morte dell'artista: "era nel tempo stesso, oltre che un pittore innamorato del mestiere, un uomo di vasta cultura, amava tutto, sapeva dipingere tutto. Era la mente più aperta a tutte le nozioni e impressioni, l'uomo dal gusto più eclettico e più spregiudicato".

Dopo le imprese romantiche della giovinezza e della prima maturità, si verifica un risorgente illuminismo attraverso cui sembra riaffermarsi la componente classica della sua formazione. Passati gli amori per Dante, Lamartine, Byron, Michelangelo, scriverà: "gli uomini alla Racine, alla Voltaire, sono ammirati sempre di più dagli spiriti maturi" [*Journal*, 4 ottobre 1854]. D'altra parte, in musica, a Chopin, Bellini, Rossini, Cimarosa, Beethoven, per i quali sente un enorme trasporto, preferisce Mozart.

* * *

Dopo aver ricevuto un'educazione classica al Lycée Impérial di Parigi, seguita da un periodo di addestramento neoclassico nello studio di Guérin, Delacroix inizia la carriera autonoma a ventiquattro anni con *La barca di Dante* (n. 38), che espone al Salon del 1822. Il tema romantico, compositivamente si pone nella scia dell'accademia neoclassica di David. A Géricault e Gros, che contano maggiormente sugli inizi di Delacroix, il dipinto si avvicina per il colore e la resa delle carni; nella potenza del disegno e nella forza plastica delle figure si avverte il superamento dell'accademismo. La novità vera consiste però nell'uso del colore, specie delle gocce di acqua su alcune figure in primo piano. Il principio analitico di dividere nelle tinte pure un oggetto che all'occhio appare monocromo o privo di colore sarà di enorme importanza per gli sviluppi successivi. Delacroix racconta all'allievo Andrieu, dopo il 1850, che queste gocce d'acqua sono state il suo avvio come colorista e che erano originate dall'osservazione attenta di un fenomeno naturale, l'arcobaleno, e dallo studio d'una Nereide nello *Sbarco di Maria de' Medici* dipinto da Rubens, ch'egli aveva copiato intorno al 1822 (n. 873). L'attenzione per i fenomeni naturali sarà costante nell'artista: "... Ho osservato lo stesso fenomeno al tramonto; colpisce di più a mezzogiorno soltanto perché i fenomeni sono più marcati. Legge generale: maggior contrasto, maggior splendore"; e ancora: "Una di queste mattine, mentre stavo al sole nella mia loggia, ho notato l'effetto prismatico dei peluzzi della stoffa nel mio vestito grigio. Tutti i colori dell'arcobaleno vi splendevano come in un cristallo o in un diamante". Nel 1824 Delacroix espone al Salon il *Massacro di Scio* (n. 92), una breccia tra l'insegnamento ufficiale di David e i pittori rivoluzionari. L'intento di Delacroix è di conciliare un contorno netto con un modellato 'interno' costituito da un "impasto solido eppur misto", qualità che si ritrova in Raffaello e in Ingres. Il 19 giugno dello stesso anno Delacroix, dopo aver visto le opere di Constable, annota che "gli sono molto utili"; non parla però di ritocchi sul proprio dipinto prima dell'esposizione al Salon: le fonti [Silvestre, Andrieu, Villot], alludendo a tali ritocchi, rilevano che sono stati usati i colori più brillanti della tavolozza. Se l'armonia che si basa sull'azzurro e sul giallo arancio è già stabilita nel cielo del *Massacro di Scio*, l'incontro con le opere di Constable, che aveva reso partecipe della luce del cielo ogni parte del paesaggio, punteggiandolo di sottili, vibranti particelle di tinte, aggiungerà al dipinto di Delacroix una più delicata unità atmosferica.

Nel 1825 il viaggio in Inghilterra gli consente di conoscere la tradizione inglese, soprattutto attraverso Reynolds, Turner, Lawrence, e gli suggerisce l'uso di vernici ricche che ottengono sonori effetti di colore. Tuttavia, è il viaggio in Africa (1832) che, se dal lato iconografico gli offre materia per tutto il testo della vita, acuisce in lui l'interesse per la soluzione degli effetti naturali della luce e del colore. Al Salon del 1834 appare la prima opera importante ispirata al viaggio, *Le donne di Algeri* (n. 257). Nei dipinti precedenti era prevalsa una magnifica esuberanza; ora si tratta d'una sorta di realismo, accertato dal riferimento a schizzi eseguiti in Africa e accompagnato da un nuovo interesse per le variazioni del colore locale sotto la luce solare. Risultato: un'armonica fusione fra motivi squisitamente pittorici (l'azzurro locale della figura femminile al centro si muta in verde chiaro là dove riceve frontalmente il sole) e osservazione realistica. L'opera, che documenta dunque l'interesse di Delacroix per l'impiego razionale e analitico del colore, verrà assunta da Blanc e Signac come esempio del metodo scientifico attuato dall'artista sotto l'impulso delle teorie di Chevreul. Il chimico francese, dopo una serie di osservazioni sperimentali, nel 1839 enunciava la legge del contrasto simultaneo dei colori: "quando l'occhio vede due colori contigui insieme, questi appaiono i più diversi possibile ...". Delacroix conosceva già dal 1834 queste idee? Certo, dopo il 1839 usa il sistema di Chevreul, che offre un supporto scientifico molto semplice: uno spettro di tinte atto a stabilire i contrasti più intensi. Tuttavia, non se ne serve costantemente, perché la teoria non si fonda su metodi oggettivi: Chevreul aveva considerato due sole dimensioni, trascurando l'atmosfera e i riflessi.

La *Presa di Costantinopoli* (n. 350) appare al Salon del 1841. Il naturalismo del dipinto, temperato da concetti eminentemente estetici, si rivela più accentuato che nelle opere precedenti per l'effetto di luce e di atmosfera reale. Forse Delacroix ha letto la traduzione francese del trattato di John Burnet, *Cenni pratici sull'uso del colore in pittura*, dove si apprende che quanto più un dipinto risulta costruito per mezzo del colore, tanto più leggero si dimostra l'effetto e più vicino all'aspetto della natura in piena luce; nondimeno, soprattutto ai veneti, in particolare al Veronese, il pittore deve tale approdo. Di fatto, nel 1859 scrive nel *Journal* la seguente considerazione: "... c'è un uomo che dipinge la luce all'aria aperta, l'unico che ha colto il segreto della natura, quest'uomo è Paolo Veronese".

Col 1846 nella pittura di Delacroix, al dinamismo rubensiano, accolto perché in bilico continuo fra verità e illusione, si affianca un pittoricismo statico e contemplativo, originato anche da una attenta osservazione di Poussin. E gli interessi per il colore permangono nei grandi cicli decorativi; il pittore li registra in un gruppo di annotazioni per il *Dictionnaire des Beaux Arts* (1854). Si concludono nell'ultima straordinaria esperienza di Saint-Sulpice, dove quiete e movimento si identificano con modi che, liberatisi della dipendenza dal tema, si concretano in una resa aerea, pittoricista, sfrangiata, di tocco allungato e avvolgente. Al naturalismo si associa un estro poetico straordinario, e ne deriva un senso formale che pertiene allo spirito, non alla materia: nella natura morta di *Giacobbe e l'angelo*, i tratti delle ombreggiature sono 'reali' come l'atmosfericità delle cinghie, non sottoposte a leggi di gravità. Il 22 giugno 1863, poco prima della morte, Delacroix chiarisce il proprio apporto alla formazione di una nuova coscienza estetica: "il primo pregio d'un quadro è di apparire una festa per gli occhi"; ma aggiunge subito: "ciò non significa che non vi debba essere posto per la ragione". Proprio la cappella dei Santi Angeli a Saint-Sulpice costituirà per Seurat motivo di studio della scomposizione logica della forma nei fattori coloristici, basata sull'osservazione della natura.

Le ricerche di Delacroix ri-

vestono importanza decisiva anche per molti approdi dell'impressionismo; relativamente agli aspetti cromatici, concernono l'osservazione dei colori primari in natura, l'analisi delle sfumature della luce e delle tinte locali, la resa delle ombre violette, il trattamento dei colori terrosi, lo studio della figura all'aria aperta. Nei confronti del realismo, le stesse ricerche rivalutano un più intenso soggettivismo.

* * *

Con il romanticismo di Delacroix, l'arte cessa di rivolgersi all'antico e si propone di essere del proprio tempo. Il maestro, quando fa riferimento alla storia, guarda a Michelangelo, l'artista che ha espresso tragicamente il sentimento della morte, e a Rubens, colui che ha manifestato nel modo più intenso il sentimento della vita: cosicché ne risulta che la storia non è esempio, ma un dramma che va rivissuto. Tale concezione dell'arte, subordinando ogni conoscenza, anche quella della realtà e della natura, all'imperativo morale dell'uomo, precede i termini della problematica esistenziale. Tuttavia il rapporto fra l'essere e il nulla non viene sempre espresso con una valutazione negativa intorno all'esistenza umana e alle sue possibilità: i personaggi di Delacroix, anche se tragici per l'impossibilità di comunicare, non costituiscono soltanto forme di autocoscienza negativa, dove il dramma consiste proprio nel "non essere quello che è, e nell'essere quello che non è". Appaiono, così, particolarmente chiarificatori il tema barbaramente tragico della fine di Sardanapalo (n. 158), il quale ordina di distruggere quanto lo circonda, la decapitazione di Marin Faliero (n. 144), cospiratore contro la Repubblica, il vescovo di Liegi (n. 185), assassinato, o ancora Carlo il Temerario (n. 207), che cerca la morte nella battaglia di Nancy. Esistono inoltre forme di autocoscienza positiva: per esempio, la rassegnazione da parte di Cristo nell'orto degli ulivi (n. 136). Se diversa è la solitudine di Sardanapalo da quella di Cristo (al volto apollineo splendidamente perfetto del secondo si contrappone quello faunesco del primo; smisuratamente luminoso e promettente il Cristo; distruggitore e negatore Sardanapalo), deriva dal fatto che Delacroix ha fede. Non crede nell'aldilà, ma crede nell'arte, perché soltanto attraverso l'arte la coscienza individuale, interrompendo la propria solitudine, riesce a comunicare. La coscienza di sé, che è spirito del mondo morale e naturale, consiste anche nel trapasso da un misticismo romantico a un panteistico idealismo quando si identifica con il simbolo mitico del divenire di tutte le cose. Perciò Delacroix, alla stasi neoclassica, contrappone il movimento. Nell'incessante riproporsi del dinamismo — *Barca di Dante, Battaglia di Poitiers* (n. 192), *Combattimento fra il giaurro e il pascià* (n. 130, ecc.), *Convulsionari di Tangeri* (n. 293), *Cacce* (n. 703, ecc.), *Giacobbe e l'angelo* (n. 786) fino al *Combattimento di arabi fra i monti* (n. 805) — si individua lo spirito universale al quale tende la coscienza individuale.

Se Thoré scrive (1837): "Delacroix è un poeta perché sa legare la propria anima alla vita universale, e l'anima gli svela i segreti e le armonie del mondo", possiamo constatare oggi come, per Delacroix, vita e armonia siano malinconia e lotta. Sui volti delle sue figure compare sempre la malinconica consapevolezza della necessità d'una vita interiore, che però è ineluttabilmente destinata a estinguersi. La spiritualità che traspare nei ritratti si identifica con questa vita interiore: Ingres la costruisce con assoluta purezza di linea e di forma; Delacroix la suggerisce accennandola attraverso vibrazioni coloristiche, nell'*Autoritratto* del 1821 (n. 35), nel *Barone Schwiter* (n. 133), in *M.me Riesener* (n. 275), *Frédéric Villot* (n. 231), nell'*Autoritratto* del Louvre (n. 342); o con 'deformazioni' espressive, nell'*Autoritratto* degli Uffizi (n. 364), nel *Paganini* (n. 209), in *Chopin* (n. 331), nella *Sand* (n. 330). L'uomo lotta costantemente, appassionatamente, e quando si misura con la belva è per dimostrare la forza della coscienza sull'istinto; perciò alcuni temi acquistano un preciso significato, dal *San Giorgio e il drago* (n. 487) al *Combattimento fra il giaurro e il pascià*, dalla *Caccia al leone* all'*Apollo e Pitone* (n. 574).

Attraverso la valutazione della forza delle necessità interiori che spingono a osare si definisce la poetica di Delacroix: un impegno autentico, costituente l' 'attualità' dell'artista.

* * *

Pur occupato nei grandi cicli di palazzo Borbone e del Lussemburgo, dell'Hôtel de la Ville, della galleria di Apollo al Louvre, di Saint-Sulpice, Delacroix lascia alla morte circa 853 dipinti a olio, 1525 fra pastelli, acquerelli e inchiostri, 6629 disegni, 24 incisioni, 109 litografie, 60 albi di schizzi. Un lavoro immenso, che ovviamente va osservato nella totalità; e per tale motivo, benché programmaticamente impegnati all'esame della sola pittura a olio, si è almeno cercato di conferire peso particolare ai cicli murali, che talora a olio non sono, limitando rari accenni ad acquerelli, disegni e stampe in mera funzione complementare del *corpus* oleare. È stato tuttavia possibile un ragguaglio assai esteso (completo — si osa presumere —, tenuto conto delle nozioni odierne, così come per i dipinti 'definitivi') sugli abbozzi eseguiti a olio (inutile ricordare che, nel corredo preparatorio, specie delle opere maggiori, sovente costituiscono una parte minima); che, nel presente *Catalogo* (a partire da pag. 87), vengono elencati di seguiti al dipinto 'principale' quando siano in pratica coevi, mentre si trovano nel luogo fissato dalla cronologia allorché risultino anteriori di qualche anno (opportuni rinvii consentono al lettore di cogliere i legami d'interdipendenza). Del resto, Delacroix asseriva: "i quadri dovrebbero essere abbozzi che conservassero la libertà e la scioltezza degli schizzi", aggiungendo: "in arte, il segreto non consiste affatto nell'abbreviare, sì nell'ampliare, se possibile, prolungando la sensazione con ogni mezzo"

Nella nostra ricostruzione dell'opera di Delacroix ha avuto peso determinante, come ovvio, il catalogo steso da Robaut (si veda *Bibliografia*, pag. 82), tuttora insostituibile anche per quanto concerne ambiti pittorici (acquerello, ecc.) e la grafica del maestro da noi presi in considerazione soltanto marginalmente, come avvertito più sopra; e il numero catalogico di Robaut conclude, in ogni nostra 'scheda', il complesso delle indicazioni d'ordine tecnico (per le quali si veda la tabella delle abbreviazioni a pag. 82), quando — come ovvio — esso esista, sotto forma di una 'R.' seguita appunto da tale numero; allorché si abbia 'R.*', il riferimento concerne le note manoscritte incluse da Robaut stesso in una copia della propria monografia, ora nella Bibliothèque Nationale di Parigi. È il caso di avvertire che, attingendo in Robaut, non si sono trascurati i supplementi e l'*errata corrige* pubblicati nell'edizione a stampa. Inoltre, ci si è valsi largamente dei cataloghi delle maggiori esposizioni dell'opera di Delacroix, fino a quella recente di Osaka-Tokyo (1969); a tale proposito, occorre segnalare lo speciale ricorso al *Mémorial* di Sérullaz, commentante l'esposizione parigina del centenario di Delacroix (1963). Sempre per quanto riguarda l'intestazione delle schede catalogiche, l'abbreviazione 'c.s.' (come sopra) indica il ripetersi del titolo dalla scheda precedente. A proposito dei titoli è pure da segnalare che il primo adottato in testa alle singole schede è quello attualmente più diffuso (cioè, la sua traduzione italiana dell'originale francese), talora con lievi ritocchi — rispetto alla versione italiana generalizzata — intesi a correggere errori abbastanza ricorrenti. A tale primo titolo ne seguono altri reperibili nella letteratura più qualificata. Circa l'ubicazione delle opere, si è ovviamente mirato all'aggiornamento; ove non risulti il proprietario attuale, ha trovato posto — preceduto da 'già' — il nome di quello risultante nei repertori 'classici', quale orientamento anche in vista di eventuali reperimenti. Ancora, di ogni opera si è segnalata la eventuale partecipazione a rassegne del Salon; e, in calce alla 'scheda', quella alle mostre del Louvre — 1930 e 1963 — e alla Biennale veneziana del 1956. Inoltre abbiamo tenuto nel maggior conto possibile l'eventuale passaggio attraverso l'asta postuma (1864) delle opere del maestro: specie quando si tratti di dipinti dispersi, cosicché il prezzo 'fatto' in tale occasione possa orientare il lettore sull'importanza dell'opera stessa (per le varie esposizioni e la vendita postuma, si veda nell'*Itinerario*). Quanto alle illustrazioni in nero dei dipinti dispersi, nel maggior numero dei casi si riproducono le piccole copie pubblicate da Robaut; se però esista un tema identico o affine inciso da Delacroix, o ulteriori copie a stampa — dello stesso Robaut o altri — di formato maggiore rispetto a quelle testé accennate, si è data la preferenza a esse, attingendo in riviste, cataloghi di vendite, ecc.

1. LA NEMESI

ol/tl 33×25 (?) 1817 R. 12

Robaut fornisce, per le dimensioni, l'altezza di cm 25 e la base di 33; ma l'incisione pubblicata dallo studioso stesso quale copia del dipinto presenta un formato verticale. Alla vendita postuma di Delacroix (n. 143), acquistato (200 fr.) dal conte Grzymala.

2. ÉLISABETH. Già Parigi, Leblond

ol/tl 50×40 1817 R. 13

Mezzo busto in fronte, a grandezza naturale; gli indumenti, accennati sommariamente. Potrebbe trattarsi della Salter, una giovane inglese al servizio della sorella del pittore M.me Henriette de Verninac, di cui Delacroix descrive con entusiasmo la bellezza degli occhi, del naso e della bocca, soprattutto il contorno del viso, in una lettera all'amico Pierret (1817).

3. ÉLISABETH SALTER (?)

ol 24×19 *1817* (?)

Attribuzione sostenuta da Escholier con riferimento al 1819 circa. Per la possibile identità dell'effigiata si veda n. 2.

4. M.LLE ROSE (?)

ol/tl 58×43 1817 R. 14

Busto in grandezza naturale di giovane col capo appoggiato a un guanciale, forse assopita. Robaut si domanda se in realtà non sia Élisabeth Salter (si veda n. 2); comunque, una modella di nome Rose posò sicuramente per Delacroix agli esordi della carriera (si veda n. 36).

5. STUDIO DI NUDO

ol/tl 43×32 1817 R. in 15

Descritto da Robaut come 'accademia' maschile, col modello eretto, di schiena, il braccio destro appoggiato a una forca. Passò per la vendita postuma di Delacroix (n. 200), ove fu acquistato per 235 franchi da Belly, alla vendita del cui patrimonio artistico venne comperato per 200 franchi da Brame: così secondo Robaut, e parrebbe la versione più attendibile (ma si veda n. 21; cfr. inoltre n. 49).

6. SAMUELE APPARE A SAUL

ol 32×39,5 *1817-18*(?)

Immesso nella vendita Sotheby (Londra) del 25 novembre 1964. Dalla riproduzione, l'autografia risulta con incertezze; si dà tuttavia conto del dipinto a causa della sua partecipazione a varie rassegne.

Esp. L 1930, n. 200.

7. CRISTO DINANZI A CAIFA

ol/tl 29×34 1818 R. 16

Composizione con una quindicina di figure, eseguita per un concorso di bozzetto all'École des Beaux-Arts.

8. NUDO DI GIOVANE SDRAIATA

ol/tl 64×80 1818 R. 18

9. PATRIZIE ROMANE DONANO I GIOIELLI ALLA PATRIA. Già Parigi, Chenavard

ol/tl 32×40 1818 R. 19

Altra composizione d'una quindicina di figure, pure eseguita per un concorso di bozzetto all'École des Beaux-Arts.

10. M.ME ANNE-FRANÇOISE DELACROIX BORNOT. Già Parigi, Bornot

ol/tl 65×54 f 1818 R. 1460

Si tratta d'una prozia del pittore.

11. MORTE DI UN GENERALE ROMANO

ol/tl 32,5×40,5 1818 R. 1464

Eseguita per un concorso di bozzetto all'École des Beaux-Arts.

12. Composizione di tema ignoto

1818-19 R. 1461

Passata per la vendita postuma dell'artista (n. 150), dove venne acquistata da Haro per 130 franchi. Nulla esclude che in realtà sia da assimilare ad altra opera comunque nota.

13. c.s.

1818-19 R. 1462

Come la precedente (n. 12), passata per la vendita postuma di Delacroix (n. 150 bis) e acquisita da Carvelino per 80 franchi.

14. c.s.

1818-19 R. 1463

Come le due precedenti (n. 12 e 13), passata per la vendita postuma del maestro (n. 150 ter), dove venne pure acquisita da Haro, a 54 franchi.

15. CRISTO DINANZI A PILATO. Già Parigi, Robaut

ol/tl 24×35 f 1819 R. 22

16. CAVALLO AL PASCOLO

ol/tl 15×21 1819 R. 30

Secondo Robaut si tratta del primo studio di cavallo eseguito dal vero da Delacroix, sotto l'ascendente di Géricault. Acquistato (250 fr.) da Haro alla vendita postuma del pittore (n. 83).

17. LA VERGINE DELLE MESSI. Orcemont (Seine et Oise), Chiesa parrocchiale

ol/tl 125×74 f d 1819 R. 25

Curiosa la stesura della firma: "EUG. - DE LA CROIX / ANN. - 1819 / ÆT. - 21 -", in basso a destra. È la prima opera commissionata al pittore. Quantunque si ispiri alla *Bella giardiniera* di Raffaello al Louvre, risente anche di Michelangelo [Maltese]; d'altronde i due maestri erano in quel momento fra i principali poli d'attrazione di Delacroix, come risulta anche da note del *Journal*, che l'artista comincerà a stendere entro tre anni.

Esp. L 1930, n. 3. C 1963, n. 3.

18. c.s.

ol/tl 41×37 *1819 R. 26

Abbozzo per l'opera precedente.

19. c.s. Già Parigi, Choquet

ol(?)/cr 32×22 *1819 R. 27

Abbozzo per il n. 17, con leggere varianti. Passato per la vendita postuma di Delacroix (n. 302).

20. c.s. Già Parigi, Robaut

ol(?)/cr 8,6×5,8 *1819* R. 28

Copia del n. 17. Passata per la vendita postuma (n. 302).

1 [R]

3

7 [R]

8 [R]

10

9 [R]

15 [R]

6

11 [R]

21. STUDIO DI NUDO. Parigi, Louvre

ol/tl 81×54 *1820* R. 15 bis

Sulla cornice, la scritta: "Eug. Delacroix le Polonais"; quest'ultimo è a evidenza il soprannome del modello. Il catalogo del Museo [1959], segnalando che il dipinto reca sul retro il cartellino della vendita postuma del maestro, lo riferisce al n. 200 di tale asta (si veda il nostro n. 49), così come lo assimila all'opera menzionata da Robaut in calce alla 'scheda' del suo n. 15 (nostro n. 5): ciò che non sembra giusto.

Un'opera analoga (81×65; Parigi, Dubaut), già Rouart, è stata esposta alla rassegna di Delacroix allestita a Bordeaux nel 1963.

22. LA VERGINE DEL SACRO CUORE (TRIONFO DELLA RELIGIONE). Ajaccio, Cattedrale

ol/tl 258×152 1820* R. 35

Commissionata (1819) dal conte de Forbin, direttore dei Musei francesi, a Géricault, che, trovandosi malato, affidò l'incarico a Delacroix, il quale vi accenna in una lettera (28 luglio 1820) alla sorella. Era destinata al convento delle dame del Sacro Cuore di Nantes, dove peraltro Robaut, non riuscendo a reperirla, la segnala con dubbio, limitandosi a riferire le erronee dimensioni (170×130) date da Moreau, che intitola il dipinto *Madonna dei sette dolori*. In effetti, sino dal 1827 si trovava nella città corsa, variamente indicata da cronisti locali come originale di Géricault o come copia d'un dipinto di Delacroix a Vannes. Il riferimento a Michelangelo appare evidente, con ogni verosimiglianza per la mediazione di Géricault.

Esp. L 1930, n. 6. C 1963, n. 6.

23. c.s. Già Parigi, Haro

ol/tl 41×27 *1820* R. 36

Abbozzo per l'opera precedente. Passato per la vendita postuma di Delacroix (n. 133), dove venne acquisto da Isambert a 420 franchi.

24. DUE ANGELI. Già Parigi, Verdier

ol/tl 20×24 *1820* R. 37

Studio parziale per il n. 22.

25. BUSTO DI DONNA. Parigi, Benatov

ol/tl 43×31 *1820*

Sérullaz [1963] lo considera abbozzo parziale per il n. 22, piuttosto che per la *Vergine delle messi* (n. 17), come sostiene Florisoone; l'opinione sembra attendibile, specie per le affinità con il vigore stilistico dell'opera di Ajaccio. Passato per la vendita postuma di Delacroix (forse parte del lotto n. 201 [si veda il nostro n. 814-823]).

Esp. C 1963, n. 7.

26. PAESAGGIO DI FANTASIA. Già Parigi, Doria

ol/tl 25×33 1821 R. 1472

In precedenza appartenuto a P. de Laage e ad A. Robaut [R.].

27. EPISODIO STORICO (?)

ol/tl 1821 R. 1471

Desunto forse da un romanzo di W. Scott. Fece parte della vendita postuma di Delacroix (n. 147), dove venne acquistato da Isambert per 350 franchi. Allo stato di abbozzo.

28. CANOTTO DI NAUFRAGHI

ol/tv 24×35 1821 R. 1473

Passato per una vendita parigina all'Hôtel Drouot (1884). Il tema sarà ripreso dal pittore verso il 1846 (n. 460).

Le "Stagioni" Talma

La confusione rilevabile nel Robaut (n. 1451-1454) fra le opere eseguite da Delacroix nel 1821 per l'attore tragico Talma e quelle iniziate nel 1856 per Hartmann (si vedano n. 725-728), è stata chiarita da Johnson [1957] nonostante le scarse notizie superstiti. Nell'estate del 1821 l'artista scriveva (29 giugno) alla sorella Henriette, declinando l'invito di recarsi a La Forêt perché deve eseguire alcuni dipinti per la sala da pranzo d'una casa in corso di costruzione. Forse non era stato Talma a interpellare direttamente Delacroix, ma funsero da intermediari Géricault o Vernet, oppure l'architetto Lelong. Attraverso disegni conservati al Louvre e altrove è possibile seguire la genesi del complesso. In un primo tempo doveva trattarsi di nove pannelli semicircolari da distribuirsi simmetricamente su tre pareti. Successivamente i dipinti furono ridotti a cinque: le *Stagioni* e *Saturno*; nel programma definitivo, quest'ultimo venne soppresso. In seguito le quattro tele, di forma semicircolare, furono applicate su supporti di legno rettangolari. Le caratteristiche fornite per la prima composizione (n. 29) valgono anche per le tre successive.

29. LA PRIMAVERA. Parigi, propr. priv.

ol 44×84 1821

Johnson rileva che la composizione si ispira alla pittura romano-alessandrina di Stabia,

17

22

20 [R]

23

24 [R]

25

29

30

31

32

37. TESTA DI VECCHIA

ol *1822(?)

L'opera non risulta nel catalogo [1965] del Museum of Art di Filadelfia (e la direzione dell'istituto nega d'averla mai posseduta), quantunque Johnson ve la segnali fin dal 1963. Già pubblicata da Escholier [1927] come autografo; dello stesso parere Johnson [1963], con riferimento al 1820-22 circa. La qualità del dipinto — a giudicare dalle riproduzioni — non è però del tutto persuasiva.

38. DANTE E VIRGILIO ALL'INFERNO (LA BARCA DI DANTE). Parigi, Louvre

ol/tl 189×246 f d 1822 R. 49

Tema, la traversata dei due poeti, sulla barca di Flegias, lungo il lago infernale per giungere alla città di Dite (Dante, *Inferno*, VIII). Il 30 giugno 1821 Delacroix scriveva all'amico Soulier esprimendo il desiderio di preparare un lavoro per il prossimo Salon, allo scopo di mettersi in luce. L'anno dopo (15 aprile 1822) comunicava allo stesso: "In questo tempo ho fatto un quadro piuttosto importante, che apparirà al Salon. Sto tentando un colpo di fortuna". Alla rassegna venne infatti acquistato da Luigi XVIII per il Musée Royal del Luxembourg; e le polemiche di cui divenne oggetto segnarono realmente l'inizio della fama di Delacroix. Lo accolsero favorevolmente Gérard, Géricault e Gros, quest'ultimo dichiarando che gli pareva un "Rubens castigato", giudizio che procurò al pittore un piacere immenso. L'interna, vitalissima dinamicità dell'impianto e la compattezza del modellato furono gli elementi su cui puntò la critica favorevole. Se da un lato richiama la *Zattera della "Medusa"* di Géricault, dall'altro testimonia l'interesse per Michelangelo (la figura dal gomito levato, a destra, echeggia un *Prigione* del Louvre) e, nel tempo stesso, per Rubens. L'autore chiese e ottenne di restaurare il dipinto fra il 1859 e il 1861.

Fra i numerosi che lo copiarono è almeno da ricordare Manet, nella teletta del 1853 (New York, Metropolitan Museum; foto 38[1]).

Esp. L 1930, n. 8. C 1963, n. 26.

39. c.s. Parigi, David-Weill

ol/tl 25×31 1822 R. 50

È l'unico abbozzo totale per l'opera precedente registrato da Robaut e accolto da Sérullaz.

Altri — sui quali la critica recente esprime riserve — vengono segnalati nell'Art Institute di Chicago, nell'Art Museum di Saint Louis, nella coll. Dubaut di Parigi e in proprietà privata di quest'ultima città.

Esp. C 1963, n. 27.

40. DANNATO

ol/tl 24×32 1822(?) R. 1475

Particolare del *Dante e Virgilio* (n. 38); possibile studio parziale. Passato per la vendita postuma di Delacroix (n. 197) e acquistato da Aubry a 280 franchi.

41. IL GENERALE CHARLES-HENRI DELACROIX. Parigi, propr. priv.

ol/tl 39×29 1822 R. 51

Il fratello del pittore appare disteso su un prato nella sua

---

studiata da Delacroix, e in effetti richiamata dal delicato atteggiamento della figura oltre che dalla presenza di precisi caratteri naturalistici.

Esp. C 1963, n. 14.

30. L'ESTATE. Parigi, propr. priv.

Secondo Johnson, è ispirata alla pittura decorativa francese del sec. XVII.

Esp. C 1963, n. 15.

31. L'AUTUNNO. Parigi, propr. priv.

Johnson rileva caratteri analoghi a quelli del n. 30.

Esp. C 1963, n. 16.

32. L'INVERNO. Parigi, propr. priv.

Maltese scorge un rapporto con la figura ammantata di donna che stringe al seno un bambino nel *Diluvio* di Michelangelo nella volta della Cappella Sistina. Da rilevare il blu-verde freddo con cui è veementemente espressa l'allegoria, tonalità che ricompare nella *Barca di Dante* del 1822 (n. 38).

Esp. C 1963, n. 17.

33. IL CIECO DI GERICO. Parigi, de Noailles

ol/tl 87×56 *1821* R. 171(?)

L'identificazione col n. 171 di Robaut non è certa, poiché secondo il catalogatore l'opera è da identificarsi col n. 111 della vendita postuma del maestro, acquistato da Dauzats per 1.400 franchi; opera che il catalogo della vendita stessa indica in cm 45×38. Potrebbe più attendibilmente trattarsi dell'"*Aveugle*" comparso alla mostra del 1864 (cm 81×56), ma come in proprietà di Luquet; questo passaggio non viene però registrato da Robaut, che invece segnala quello a F. Bischoffsheim (franchi 2.085) con la vendita du Lau (1869). Sérullaz scorge nell'opera lo spirito del *Belisario* di David, ma in verità vi appaiono modi assai più liberi e impasti ben più densi.

Esp. C 1963, n. 41.

34. CAVALIERE TURCO CHE SPARA. Già Parigi, Horteloup

ol/tl 28×21 1821 R. 46

35. AUTORITRATTO COME RA-

VENSWOOD (o COME AMLETO). Parigi, Atelier Delacroix

ol/tl 41×32 1821 R. 40

Sul telaio, la scritta autografa: "Raveswood [*sic*]", cioè l'amante di Lucia di Lammermoor. Robaut scorge riferimenti stilistici a Velázquez, e Huyghe lo mette in rapporto con una copia eseguita da Delacroix d'un ritratto di Carlo II di Spagna, allora creduto appunto di Velázquez e ora ascritto a Carreño de Miranda (n. 861). Indubbie le analogie compositive, ma esiste un distacco profondo tra la modesta copia e il vigore dell'opera in esame, nella quale Maltese scorge, per l'audacia cromatica, un diretto precedente di Manet.

36. NUDA SEDUTA (M.LLE ROSE). Parigi, Louvre

ol/tl 81×65 1817-24 R. 1470(?)

Forse la più vitale d'un gruppo di 'accademie' femminili dipinte da Delacroix nel periodo suddetto (si veda n. 49). È noto che una M.lle Rose, modella di Guérin, posò più volte per il giovane artista in quegli anni (si veda n. 4). Escholier assegna il dipinto al 1822; così Sérullaz, collegandolo a un nudo in positura analoga, ma di schiena, eseguito da Bonington (propr. Lajudie). Per Maltese, palesa modi tipici della scuola di David, ricordando in particolare Guérin e Gérard. Marchiori non scorge nulla di scolastico, "perché il colore sensuale, il gusto della morbida carnalità che rivela lo studio di Rubens, l'attenta ricerca della verità formale fanno del dipinto un curioso documento artistico e psicologico della giovinezza di Delacroix appassionata".

Esp. L 1930, n. 4. V 1956, n. 1. C 1963, n. 25.

33

34 [R]

35

36 [Tav. I]

38 [Tav. IV-VI]

38[1]

39

37

41

42 [R]

tenuta del Louroux. Eseguito dopo il successo del *Dante e Virgilio* al Salon, fra il 3 e il 22 settembre.

42. LISETTE. Già Parigi, Charly
ol/tl 25×33 1822 R. 55

Si tratta verosimilmente d'una domestica del fratello generale, al Louroux (si veda n. 41), da dove Delacroix ne scrive (18 agosto 1822) all'amico Pierret. Passata per una vendita all'Hôtel Drouot di Parigi nel 1879.

43. COSTUME SULIOTA
ol/tl 1822 R. 1479

Verosimilmente si tratta d'una figura nel costume della regione greca di Suli. Passato per la vendita postuma di Delacroix (n. 182), dove lo acquistò P. Huet a 300 franchi.

44. c.s.
ol/tl 1822 R. 1480

Opera analoga alla precedente, acquistata per 205 franchi da Dauzats alla vendita postuma di Delacroix (n. 182 bis).

45. c.s. Parigi, Louvre
ol/tl 43×45,5 1822 R. 1481

Opera analoga alle due precedenti, ma con due figure. Acquistata da Ph. Rousseau per 250 franchi alla vendita postuma del maestro (n. 181).

46. COSTUMI GRECI. Algeri, Musée National des Beaux-Arts
ol/tl 1822 R. 1482

Opera analoga alle tre precedenti. Acquistata da Dauzats per 100 franchi alla vendita postuma di Delacroix (n. 187).

Esp. V 1956, n. 2.

47. c.s.
ol/tl 1822 R. 1482

Opera affine al n. 43. Alla vendita postuma del maestro (n. 187) fu acquistata per 75 franchi da Ph. Rousseau.

48. c.s.
ol/tl 1822 R. 1482

Affine ai n. 43 e 44. Acquistata da sconosciuto, per 180 franchi, alla vendita postuma di Delacroix (n. 187).

49. NUDA SEDUTA, CON BRACCIO LEVATO. Già Parigi, Viau
ol/tl 81×65 1823(?) R. 83

Affine al n. 36. Robaut precisa [pag. 480] che fu eseguito da Delacroix "in compagnia" di Auguste, ma lo studioso non sembra alludere a un'opera di collaborazione. Passò per la vendita postuma di Delacroix, col n. 200, che comprendeva — oltre ai nostri n. 5 e, presumibilmente, 21 e 36 — anche altri tredici studi analoghi, verosimilmente coevi, tutti indicati su tela e venduti a somme varianti fra i 200 e 3.096 franchi. Queste altre opere vengono catalogate qui di seguito ai n. 50-62. Robaut le assegna al 1820.

50-62. STUDIO DI NUDO
ol/tl *1823*(?) R. 1470

Si veda al n. 49.

63. DUE STUDI DI INDIANO. Upperville (Virginia), Mellon
ol/tl 37×45 1823 R. 1483

Si tratta della stessa figura, in piedi e seduta. Acceso di colore e sciolto d'impasti, testimonia l'interesse di Delacroix per l'Oriente e, in genere, per i temi esotici.

Esp. L 1930, n. 12. V 1956, n. 3. C 1963, n. 42.

64. COSTUME DI CALCUTTA
ol/tl 40×33 1823 R. 1488

Figura seduta, a gambe incrociate, con indumenti bruni; di tre quarti. Acquistata da de Laage per 630 franchi alla vendita postuma di Delacroix (n. 183).

65. c.s. Otterlo, Rijksmuseum Kröller-Müller
ol/tl 45×37 1823 R. 82

Il personaggio indossa abiti azzurro cupo con passamanerie gialle. Apparso alla vendita postuma di Delacroix (n. 184) e venduto per 650 franchi.

66. c.s.
ol/tl 37×45 1823 R. 1489

Due figure: una eretta, di fronte; l'altra seduta, di schiena. Acquistata da E. Frère per 410 franchi alla vendita postuma di Delacroix (n. 185).

67-68. FIGURA DI ORIENTALE. Già Parigi, Mercier
ol/tl 33×24 1823 R. 77 e 78

Assieme al nostro n. 69 costituirono un unico lotto alla vendita postuma di Delacroix (n. 188) ed è noto che due di esse le acquistò Prevost (255 e 155 fr.) e una Muret (215 fr.), ma attualmente è impossibile distinguere di quale si tratti.

69. c.s.
ol/tl 1823 R. 1485

Si veda n. 67-68.

70. COSTUME SULIOTA
ol/tl 40×33 1823 R. 1486

Si tratta d'una figura a braccia tese, vista di schiena. Evidentemente affine al n. 43 e seguenti, si ignora perché Robaut lo assegni a un anno dopo di questi. Passato per la vendita postuma di Delacroix (n. 179) e acquisito da Isambert a 300 franchi.

71. c.s.
ol/tl 40×26 1823 R. 84

Figura analoga a quella del n. 70, ma col piede avanzato che poggia su una pietra. Acquistato da Petit per 580 franchi alla vendita postuma di Delacroix (n. 177). Secondo Robaut, eseguito come documentazione preliminare per il *Massacro di Scio* (n. 92).

72. c.s.
ol/tl 40×31 1823 R. 85

Eseguito allo stesso fine del precedente [R.]. Passato per la vendita postuma di Delacroix (n. 178).

73. COSTUMI SULIOTI
ol/tl 34×60 1823 R. 1487

Passato per la vendita postuma di Delacroix (n. 180).

74. THALES FIELDING
ol/tl 32×24 1823 R. 60

L'effigiato, un acquerellista inglese, fu amico di Delacroix. L'opera passò per la vendita postuma dello stesso Delacroix (n. 75), dove per 390 franchi l'acquisì Piron; alla vendita postuma di questo (1865) venne comperata per 105 dal barone Rivet.

75. BUSTO DI RAGAZZO. Già Parigi, Soulier
ol/tl 20×16 1823 R. 61

Fu erroneamente supposto che l'effigiato fosse figlio di Thales Fielding [R.].

76. JULIETTE PIERRET BAMBINA. Già Parigi, Pierret
ol/tl 22×20 1823 R. 70

Si tratta della figlia dell'amico di Delacroix (si veda n. 77).

77. JEAN-BAPTISTE PIERRET. Già Parigi, Carlier
ol/tl 26×20 1823 R. 64

L'effigiato era amico di Delacroix sino dall'infanzia.

91

45

46

49

63

65

67 [R]

68 [R]

72 [R]

74 [R]

75 [R]

76 [R]

77

78

79 [R]

80 [R]

81

82 [R]

83

84 [R]

85 [R]

87 **88** [Tav. II] **89** **91**

92

93 **94**

92 [Tav. VII-IX] **95** **96**

97 **98** **99** **101** [R]

quali si registrano ai n. 89-91 quelli su cui la critica appare più concorde. Ne sono noti alcuni ad acquerello, che esulano dalla presente catalogazione.

Per motivi stilistici viene invece escluso — anche secondo l'opinione di Sérullaz e altri — il preteso abbozzo completo (ol/tl, 46×38) nel Musée d'Art et d'Histoire di Ginevra, pur esposto come autografo alla mostra Delacroix di Bordeaux (1963).

Esp. L 1930, n. 18. C 1963, n. 46.

93. NUDA SDRAIATA (LA MODELLA ROSE)

ol/tl 32×48 1823-24 R. 106

Il secondo dei titoli suddetti si reperisce in Robaut (per l'identificazione della modella, si veda n. 4 e 36).

Escholier [1926] pubblica un'opera analoga, indicandola nella collezione Aubry di Parigi; tuttavia la pur buona riproduzione lascia perplessi circa l'autografia del dipinto, e la sua attuale irreperibilità non consente di risolvere il dubbio.

94. IL GIAURRO E IL CADAVERE DEL PASCIÀ (UFFICIALE TURCO UCCISO). Già Parigi, Tabourier

ol/tl 21×27 1824(?) R. pag. 538

Visto da Robaut soltanto alla rassegna del 1885 e accolto come autografo, da accostarsi al n. 95. Il tema deriva dal *Giaurro* di Byron, però Escholier [1926] adotta il secondo dei titoli suddetti.

95. LA MORTE DI HASSAN. Zurigo, Bührle

ol/tl 33×41 f 1824 R. 201

Noto anche come *Greco morto* ed *Episodio della guerra d'indipendenza greca;* ispirato dal *Giaurro* di Byron. La cronologia suddetta viene suggerita dalle affinità stilistiche col n. 92.

Esp. V 1956, n. 5. C 1963, n. 60.

96. PASTORE ROMANO CHE SI DISSETA. Basilea, Kunstmuseum

ol/tl 32×40 f 1824 R. 126

Una copia a litografia di A. Mouilleron reca il titolo: 'La Mort du brigand'. Esposto al Salon del 1827.

Un probabile abbozzo (ol/tl su ct, 16,5×21,5) si trova a Winterthur (Sammlung Oskar Reinhart).

Esp. L 1930, n. 25. C 1963, n. 94.

97. TORQUATO TASSO IN MANICOMIO. Zurigo, Bührle

ol/tl 49×60 f 1824(?) R. 88

98. I NATCHEZ. Cambridge, Walston

ol/tl 90×116 f 1824 R. 108

Il tema, dall'*Atala* di Chateaubriand, concerne la vicenda di due indiani natchez per sfuggire al massacro della loro tribù; la donna, presa dalle doglie del parto, viene assistita dal suo uomo, dopo essere sbarcati dalla piroga in cui avevano cercato scampo sul fiume. Esposto al Salon del 1835.

Esp. V 1956, n. 4. C 1963, n. 220.

99. BALLO IN CASA DEI CAPULETI. Parigi, Roger-Marx

ol/tl 47×37 1824 R. 1492

---

78. AUTORITRATTO A VENTICINQUE ANNI. Zurigo, Bührle

ol/tl 35×27 1823 R. 69

Esp. V 1956, n. 12.

79. QUATTRO CAVALLI

ol/tl 24×31 1823 R. 73

Alla vendita postuma di Delacroix (n. 205) fu acquistato da Delille per 435 franchi.

80. CAVALLO ROANO, DI FIANCO

ol/tl 30×40 1823 R. 71

Passato per la vendita postuma di Delacroix (n. 209) e venduto a 620 franchi.

81. CAVALLO BAIO, DI FIANCO

ol/tl 31×40 1823 R. 72

Passato per la vendita postuma di Delacroix (n. 207), dove lo comperò Bornot a 400 franchi. Impossibile accertare se l'illustrazione fornita da Escholier (e che si dà qui) concerne l'originale; in ogni caso, lo riproduce fedelmente (a giudicare dalla copia incisa di Robaut).

82. TRE STUDI DI CAVALLO DA TIRO. Già Parigi, Rivet

ol/tl 44×36 1823 R. 74

Passato per la vendita postuma del maestro (n. 205), dove 'fece' 450 franchi.

83. CAVALLO BIANCO IN SCUDERIA. Glasgow, Art Gallery and Museum (Burrel)

ol/tl 45×54 1823 R. 75

Passato (1.080 fr.) per la vendita postuma di Delacroix (n. 202).

84. DUE CAVALLI IN SCUDERIA

ol/tl 31×40 1823 R. 76

Acquistato (430 fr.) da Bornot alla vendita postuma di Delacroix (n. 210).

85. UFFICIALE GRECO. Già Parigi, de Schwiter

ol/tl 25×18 1823 R. 79

86. c.s.

ol/tl 40×30 1823 R. 80

Passato a 280 franchi per la vendita R. Wallace (1877).

87. RAGAZZA IN UN CIMITERO (ORFANELLA PIANGENTE IN UN CIMITERO)

ol/tl 41×37 1823 R. 67

Passata per una vendita anonima allestita a Parigi il 1° maggio 1874, e aggiudicata a 1.100 franchi.

88. ORFANELLA IN UN CIMITERO. Parigi, Louvre

ol/tl 65,5×54,3 1823 R. 66

Fece parte degli studi per il *Massacro di Scio* (n. 92), dove venne utilizzata per la figura di ragazzo in alto a sinistra. Il cimitero, aggiunto nel fondo, la collega all'opera precedente. Fu esposta al Salon del 1824 come 'Étude'.

Esp. C 1963, n. 55.

89. DONNA E BAMBINO. Praga, Národní Galerie

ol/tl 94×134 f 1823* R. 92

Studio — della madre morta e del figlioletto, a destra — per il *Massacro di Scio* (n. 92). Acquistato per 3.650 franchi da A. Vacquerie a una vendita dell'Hôtel Drouot (11 maggio 1876).

90. c.s.

ol/tl 40×50 1823* R. 93

Studio analogo al precedente. Robaut ne registra vari passaggi di proprietà fino alla collezione Charly (Parigi [?]).

91. TESTA DI DONNA ANZIANA. Parigi, propr. priv.

ol/tl 42×34 1823* R. 95

Studio per la figura seduta in primo piano, a sinistra della donna morta, nel n. 92. Esposta al Salon del 1824.

Esp. L 1930, n. 16. C 1963, n. 54.

92. IL MASSACRO DI SCIO (EPISODI DEI MASSACRI DI SCIO). Parigi, Louvre

ol/tl 417×354 f 1823-24 R. 91

La guerra d'indipendenza iniziata dai greci contro i turchi nel 1820 accendeva l'entusiasmo degli europei progressisti, così come il tragico evento qui raffigurato suscitò l'orrore di tutto l'Occidente. Delacroix attinse, con ogni verosimiglianza, ai resoconti del colonnello Voutier. Dal lato stilistico, si notano riferimenti ai paesaggi di Constable visti prima che venissero esposti al Salon del 1824, dove apparve anche l'opera in esame, sollevando elogi — in particolare di Th. Gautier — ma anche riserve (Gros, che pure ammirava Delacroix, definì la tela: "il massacro della pittura"). In ogni caso essa segna una 'svolta' nell'arte del sec. XIX per il modo nuovo e spregiudicatamente intenso di esprimere il colore nella luce e nell'atmosfera. Al risultato sembrano concorrere anche taluni spunti dal Tiepolo, specie della pala nel Duomo di Este [Rizzi, *Catalogo ... del Tiepolo,* 1971]. Lassalle-Bordes, allievo di Delacroix, sostiene che questi apportò ritocchi al dipinto nel 1847; ma in genere la notizia non viene accolta dagli studiosi moderni.

Oltre che da talune ricerche di carattere documentario (n. 85 e 86), e forse da altre coeve da noi pubblicate ma non sicuramente identificabili, e dal n. 88, divenuto opera 'autonoma', la grande composizione venne preparata da vari studi, dei quali si registrano ai n. 89-91

Ispirato dal *Romeo e Giulietta* di Shakespeare (atto 1°, scena 5ª). Il tema verrà ripreso da Delacroix alla fine della carriera (n. 579). Alla vendita postuma del pittore (n. 146) fu acquistato da Ph. Burty per 80 franchi.

Esp. L 1930, n. 21. C 1963, n. 63.

100. M.LLE LA...

ol/tl 60×40 1824 R. 97

L'effigiata, a mezzo busto, era forse una modella di nome Laure (si vedano i n. 131 e 171).

101. EPISODIO DAL "DON GIO-VANNI". Già Parigi, Marmontel

ol/tl 54×44 f 1824 R. 100

Mentre sembra da escludere il riferimento tematico — solitamente asserito — con il *Don Giovanni* di Byron, si rivela assai più attendibile quello con l'opera omonima di Molière. Esposto al Salon del 1838.

102. SABBA

ol/tl 31×39 1824 R. 103

Composizione ricca di elementi figurali: oltre agli stregoni e streghe, spiriti diabolici, animali, ecc. Alla vendita postuma di Delacroix (n. 142) fu acquistato da Haro per 410 franchi. (Si veda anche n. 180, col quale non è sicuramente da identificare).

103. ABEL WIDMER. Londra, National Gallery

ol/tl 59,5×48,5 1824 R. 115

Si tratta d'un laureato (1824) del convitto parigino "Saint-Victor" fondato da P.-P. Goubaux (o Goubau), compagno di scuola del pittore, convitto che poi divenne il collegio "Chaptal". Il compenso fu di soli 100 franchi, che venne mantenuto anche per gli altri nove ritratti analoghi eseguiti entro il 1834 (n. 114, 181, 182, 188, 197, 226, 227, 251, 262).

104. RAYMOND SOULIER SEDUTO. Già Parigi, Soulier

ol/tl 142×110 1824 R. 105

L'effigiato era amico di Delacroix, il quale grazie a lui conobbe Thales Fielding.

105. LA MORTE DI CATONE. Montpellier, Musée Fabre

ol/tl 60×44 1824 R. 113

Ripresa del tema e dell'impianto in diagonale della *Morte di Ettore* dipinta da David nel 1778 ma presentata al Salon soltanto nel 1824.

106. LA MULATTA ALINE (LA MORA ASPASIE [?]). Montpellier, Musée Fabre

ol/tl 80×65 1824-26 R. 47

Quasi certamente si tratta della ragazza moresca che Delacroix cita nel *Journal* come Aline [Maltese], e che posò anche per la *Morte di Sardanapalo* (n. 158); l'equivoco ingenerato fra le due differenti designazioni si è ripercosso sulla distinzione fra l'opera in esame (intitolata anche *La mulatta* e, appunto, *Aspasie*) e il n. 108. Alla vendita postuma (n. 192), acquista da Andrieu per 550 franchi.

Esp. L 1930, n. 7. C 1963, n. 43.

107. c.s.

ol/tl 60×48 f 1824-26 R. 98

Per la modella si veda al n.

102 [R]

103

104 [R]

105 [Tav. III]

110 [Tav. XII]

106 [Tav. XI]

107

108

109 [R]

111 [Tav. X]

112 [R]

113¹

114 [R]

115

116

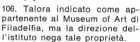
119 [R]

120 [R]

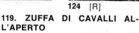
123 [Tav. XIII-XIV]

124 [R]

106. Talora indicato come appartenente al Museum of Art di Filadelfia, ma la direzione dell'istituto nega tale proprietà.

108. LA MORA ASPASIE (?). Zurigo, Feilchenfeldt

ol/tl 27×21 1824-26 R. 162

Quasi di sicuro è la stessa modella dell'opera precedente (si veda n. 106); e fra i due dipinti si notano intime affinità di stile.

Esp. V 1956, n. 8. C 1963, n. 45.

109. c.s.

ol/tl 32×23,5 1824-26 R. 99

Variante dell'opera precedente. Acquistata (380 fr.) da Rivet alla vendita postuma di Delacroix (n. 193).

110. ANGOLO DI STUDIO: LA STUFA. Parigi, Louvre

ol/tl 51×44 f(?) 1825(?)

Verosimilmente ambientato nell'*atelier* che Delacroix condivideva con Th. Fielding (si veda n. 74). La firma è dubbia; quanto alla cronologia, alcuni studiosi pensano al 1830. Secondo Maltese, il vivo naturalismo del dipinto richiama Géricault; per Marchiori, la finezza cromatica fa pensare all'intimismo di Chardin. Senza dubbio, opera esemplare per molti pittori successivi, da Monet a Manet, da Cézanne a Van Gogh.

111. TURCO CHE FUMA SU UN DIVANO. Parigi, Louvre

ol/tl 24,8×30 1825 R. 977

Probabilmente da identificarsi con lo stesso tema esposto alla Société des Amis des Arts nel 1825 [Johnson, 1964]; per tale motivo viene respinta la cronologia 1830 proposta da alcuni studiosi (tanto più quella del 1846, asserita da Robaut) e che, del resto, non conviene con la serratezza linguistica che caratterizza Delacroix appunto verso la metà del terzo decennio. Acquistato alla vendita de Mainemare (Parigi, 1843) da A. Moreau per 201 franchi.

112. DESDEMONA ED EMILIA. Già Parigi, Soulier

ol/tl 24×17 1825 R. 116

Il tema è desunto dal 4° atto dell'*Otello* di Shakespeare. Secondo Robaut, già nel 1876 era in pessimo stato di conservazione.

113. MACBETH CONSULTA LE STREGHE. Già Parigi, Hecht

ol/tl 32×25 1825 R. 118

Il tema è desunto dal *Macbeth* di Shakespeare. Ne esiste una copia a litografia, coeva, eseguita da E. Engelmann e nota in cinque stati (foto 113¹).

114. DÉSIRÉ PELLERIN

ol/tl 60×50 f 1825 R. 120

Laureato (1825) del convitto di Goubaux, dipinto analogamente al n. 103 (si veda). Alla vendita Beurnonville (1883) 'fece' 510 franchi.

115. CLAIRE PIERRET BAMBI-NA. Londra, Wildenstein

ol/tl 39×31 1825(?) R. 121

Altra figlia di Pierret (si vedano n. 76, 77 e 116). Huyghe postula una cronologia al 1824.

116. JEAN-BAPTISTE PIERRET IN COSTUME TURCO

ol/tl 32×24 1825 R. 123

Per l'effigiato si veda al n. 77.

117. IL SIGNOR WASHINGTON IN COSTUME GRECO (GRECO CON FUCILE). Parigi, propr. priv.

ol/tl 46×35 1825 R. 124

Si tratta d'un altro amico del pittore, raffigurato in fronte, con un fucile in mano. Passato per la vendita postuma di Delacroix (n. 76).

118. RAYMOND SOULIER

ol/tl 45×38 1825 R. 125

Stesso modello del n. 104, qui presentato con una mano nel panciotto, l'altra dietro la schiena.

119. ZUFFA DI CAVALLI ALL'APERTO

ol/tl 27×32 f d 1825 R. 130

Studio tenuto presente nella *Battaglia di Taillebourg* (n. 287) e in altre opere della maturità. Alla vendita postuma di Delacroix (n. 82 a) fu acquistato da Van Cuyck per 1.605 franchi.

120. c.s.

ol/tl 35×45 f d 1825 R. 131

Analogo al precedente (si veda n. 119), anche per l'impiego successivo. Comperato per 2.400 franchi da Delille alla vendita postuma di Delacroix (n. 82 b).

121. DUE CAVALLI DA FATICA INGLESI

1825 R. 128

Robaut lo definisce "panneau", ciò che non necessariamente equivale né a tela né a tavola. Esposto al Salon del 1827. (Si veda n. 486).

122. CAVALLO E TRE UOMINI ARMATI

ol/tl 1825 R. 1508

Abbozzo, aggiudicato per 150 franchi alla vendita postuma di Delacroix (n. 145).

123. COMBATTIMENTO DI DUE CAVALIERI. Parigi, Louvre

ol/tl 81×105 f(?) 1825(?) R. 1512

Secondo Robaut — che pro-

125 [R] 126 127 131 [Tav. XV] 132 133 [Tav. XIX] 134

128 129 130 135 [R]

136 137 138 [R] 139

pone la cronologia suddetta (forse più attendibile che quella fissata, da altri, verso il 1830) — la firma è spuria. Alla vendita postuma di Delacroix (n. 144) fu acquistato per 820 franchi da Haro, che lo cedette a Isambert; poi 'fece' 2.020 franchi alla vendita de Lamberye (Parigi, 1868); quindi venne acquisto da Diot per 1.500 franchi a un'altra asta parigina (1884).

124. ATTEONE. Melun, Musée de la Ville

ol/tl 25×20 1825 R. 1509

Quantunque Delacroix abbia trattato un paio di volte il tema di *Diana e Atteone*, l'abbozzo in esame non si riferisce ad alcuna delle due opere (n. 726 e 773). Alla vendita postuma del maestro (n. 196) fu acquistato da Detrimont per 550 franchi.

125. CARLO VI DI FRANCIA E LA SUA FAVORITA ODETTE. Già Parigi, Duchâtel

ol/tl 30×20 f 1825 R. 137

Riprodotto in una litografia di Maurin, pure del 1825, ma con una variante nella testa dello scudiero che prende la spada dal sovrano, per cui si può pensare a un 'pentimento' del pittore dopo la pubblicazione della stampa suddetta. La copia di Robaut, qui pubblicata, concerne soltanto la parte inferiore dell'opera [R].

126. DON CHISCIOTTE SORPRESO IN LETTURA

ol/tl 40×31 f 1825 R.138

È il noto episodio del romanzo di Cervantes. Robaut ricorda che venne iniziato il 6 aprile 1824, e compiuto l'anno successivo dopo una lunga pausa. Fra il 1843 e il 1875 passò per alcune vendite parigine, licitato per somme dai 100 ai 6.850 franchi.

127. IL DUCA DI BORGOGNA MOSTRA LA PROPRIA AMANTE

AL DUCA D'ORLÉANS (GIOVANE GENTILUOMO CHE MOSTRA A UN CORTIGIANO IL CORPO DELLA PROPRIA AMANTE). Già Parigi (?), Beurdeley

ol/tl 40×32 1825(?) R. 139

Robaut lo riproduce solo in parte, da un'acquaforte di Fr. Villot, il quale nel 1829 trasse una copia completa del dipinto, già creduta di Decamps ed esposta accanto all'originale quando questa apparteneva al principe Napoleone. Passato per due vendite parigine (1843 e 1864) a 300 e 1.200 franchi.

128. ODALISCA SDRAIATA. Cambridge, Fitzwilliam Museum

ol/tl 37,8×46,4 1825(?) R. 140

Opera di grande raffinatezza cromatica, del momento in cui, fra il 1825 e il '32, Delacroix eseguì vari nudi sensuali e luminosissimi. Dopo essere stata acquistata da Baroilhet per 705 franchi alla vendita postuma del maestro (n. 69), passò per altre aste parigine (1872 e 1879) a 1.050 e 500 franchi.

129. TAM O'SHANTER (LA CORSA SFRENATA. LA BALLATA SCOZZESE). Già Parigi, Vitta

ol/tl 26×30 f 1825 R. 136 e 197(?)

Il tema deriva da una ballata scozzese di Burns (donde il terzo dei titoli suddetti), che Delacroix riprese nel 1849 (n. 542). Il secondo titolo compare in una copia a litografia di Mouilleron con la composizione invertita. Eseguito l'anno suddetto per M.me Dalton [Moreau]. Esposto al Salon del 1831. Fra il 1855 e il 1868 passò per varie aste parigine, aggiudicato a somme dagli 805 ai 3.750 franchi. La duplice catalogazione da parte di Robaut parrebbe derivare da una svista, tuttavia lo studioso sembra sicuro che Delacroix

abbia eseguito una copia dell'opera in esame (si veda n. 167).

Esp. L 1930, n. 38.

130. EPISODIO DELLA GUERRA D'INDIPENDENZA GRECA (COMBATTIMENTO FRA IL GIAURRO E IL PASCIÀ). Chicago, Potter-Palmer

ol/tl 58×72 f 1826 R. 202

Col primo titolo, di 'attualità', apparve al Salon del 1827; il secondo, più coerente, venne inventato da Th. Gautier in omaggio a Byron e al romanticismo imperante. La cronologia suddetta, contrariamente al parere degli studiosi che la ritardano di qualche anno, è accertata dalla presenza del dipinto in una mostra parigina, allestita appunto nel 1826 da Lebrun in favore degli insorti greci. Si tratta della prima versione di un tema ripreso in altri olî, talora con profonde varianti (tanto che i titoli — uguali a quelli per l'opera in esame — con cui essi sono noti potrebbero anche non essere giustificati), nel 1827 (n. 168), 1835 (n. 270) e 1856 (n. 733 e 734).

131. LA GRECIA SPIRANTE SULLE ROVINE DI MISSOLUNGI. Bordeaux, Musée des Beaux-Arts

ol/tl 213×142 f 1826(?) R. 205

La Grecia è raffigurata da una giovane in costume, su un masso da cui spunta la mano d'un caduto; in fondo a destra, un soldato turco. L'allegoria concerne i difensori di Missolungi, che il 22 aprile 1825 preferirono saltare in aria con le donne e i bambini piuttosto che arrendersi ai turchi. Per la figura femminile posò probabilmente M.lle Laure, modella della *Donna con pappagallo* (n. 171); il Maltese ne mette in rapporto la posa con quella di offerenti in opere

religiose del sec. XV. In una lettera del 1836 a Thoré, Delacroix ricorda il dipinto riferendolo al 1827, ma la cronologia suddetta sembra più attendibile (si veda *Documentazione*). Nel 1870 fu copiato da Odilon Redon.

Esp. L 1930, n. 38. C 1963, n. 108.

132. c.s. Winterthur, Reinhart

ol/tl 42×27,5 1826(?) R. 206

Abbozzo dell'opera precedente.

133. IL BARONE LOUIS-AUGUSTE DE SCHWITER. Londra, National Gallery

ol/tl 218×143,5 f 1826 R. 190

L'effigiato, pure pittore, era amico di Delacroix. L'opera venne respinta dalla giuria del Salon del 1827; il maestro la riprese entro il 1830, forse modificando, in particolare, il fondo (di sicuro, la prospettiva della balaustrata rivela una precedente impostazione), che peraltro Moreau assegna a P. Huet, condiscepolo di Delacroix presso Guérin. Lievi discrepanze di stile sono rilevabili in tal senso [Maltese], ma non sembrano tali da legittimare l'ipotesi d'una duplicità di mano. Il serpentino allungamento della figura attesta l'ammirazione di Delacroix per i ritrattisti inglesi, specie Reynolds e Lawrence, preludendo in qualche modo alla vibrante tensione del *Paganini* (n. 209).

Esp. C 1963, n. 72.

134. IL CONTE PALATIANO. Parigi, David-Weill (?)

ol/tl 41×33 1826 R. 170

Il giovane aristocratico indossa un costume greco; nel fondo, due figure appena indicate. Esposto al Salon del 1827.

Un'opera analoga (ol/tl, 40× 32, firmata [?], 1832 [?]; Parigi, propr. priv.) è apparsa alla mo-

stra Delacroix (n. 12) allestita a Bordeaux (1963).

Esp. C 1963, n. 77.

135. ENRICO IV DI FRANCIA E LA 'BELLE GABRIELLE'. Già Parigi, Claye

ol/tl 1826 R. 1515

Robaut ne presenta un'incisione eseguita sulle indicazioni di Bracquemond, che ricordava il dipinto come caldo e dorato, a paste dense, specie nella figura femminile; lo stesso Robaut accenna a rapporti stilistici con Bonington.

136. CRISTO NELL'ORTO DI GETSEMANI. Parigi, Chiesa di Saint-Paul-Saint-Louis

ol/tl 294×362 1826 R. 176

Commissionato (2.400 fr.) nel 1824. La resa appare piuttosto opaca e scura. Se ne conoscono vari studi preparatori a disegno e acquerello. Il tema fu ripreso nel 1851 (n. 577), con l'eliminazione delle figure degli angeli.

Esp. C 1963, n. 86.

137. c.s.

ol/tl 25×35 f 1826(?) R. 181

Possibile 'prima idea' per la figura centrale del precedente, utilizzata però nello stesso tema del 1851 (n. 577).

138. c.s.

ol/tl 24×34 f 1826(?) R. 183

Altra possibile 'prima idea' per il n. 136. Appartenne al cantante Nourrit.

139. GIOVANE TURCO CHE ACCAREZZA UN CAVALLO. Lussemburgo, Musée de la Ville

ol/tl 31×40 f 1826 R. 172

Sérullaz lo accosta ai temi equini trattati dagli acquerellisti inglesi. Apparso al Salon del 1827.

Esp. C 1963, n. 93.

140. **L'IMPERATORE GIUSTINIANO. Già Parigi, Consiglio di Stato**

ol/tl 370×275 f d 1826 R. 153

Commissionato dal governo francese nel 1826 per la sala degli Interni al Consiglio di Stato. Distrutto nell'incendio del 1871.

141. **c.s. Parigi, Musée des Arts Décoratifs**

ol/tl 55×47 1826 R. 157

Abbozzo per il precedente.

Esp. V 1956, n. 9. C 1963, n. 73.

142. **c.s. Già Parigi, Robaut**

ol/tl 32×24 1826 R. 156

Altro abbozzo per il n. 140, col panneggio del fondo giallo.

143. **c.s. Già Parigi, Burty**

ol/tl 29×20 1826 R. 158

Altro abbozzo del n. 140.

144. **LA DECAPITAZIONE DEL DOGE MARIN FALIERO. Londra, Wallace Collection**

ol/tl 147×114 f 1826 R. 160

Reca la scritta: "PAX TIBI MARCE EVANGELISTA MEUS". Il dipinto raffigura l'esecuzione ormai avvenuta: il corpo decapitato del doge cospiratore giace ai piedi della scala ora detta dei Giganti (allora però non esistevano, e Delacroix li omette) in Palazzo Ducale a Venezia. L'opera era fra le predilette del maestro. Evidenti i rapporti coi ritrattisti inglesi (Lawrence, Etty, ecc.) nel fare di tocco, molto largo.

145. **CORAZZIERE FERITO TRA DUE CAVALLI MORTI (SERA DOPO UNA BATTAGLIA. WATERLOO). L'Aia, Rijksmuseum Mesdag**

ol/tl 44×55 f 1826 R. 166

Passato per la vendita postuma di Delacroix (n. 66) e aggiudicato per 3.100 franchi; poi per quelle, pure a Parigi, Demidoff (1868, 5.800 fr.) e La Recheb... (1873, 6.200 fr.); infine, per un'asta Drouot (1875, 2.400 fr.).

146. **ODALISCA SDRAIATA**

ol/tl 24×34 1826 R. 175

Acquistata da Haro per 410 franchi alla vendita postuma di Delacroix (n. 72).

147. **TESTA DI INDIANA**

ol/tl 1826(?) R. 184

Registrata anche da Moreau [pag. 169], evidentemente desumendo — così come Robaut — dal catalogo del Salon del 1827, dove fu esposta.

148. **ELMO CIRCASSO. Parigi, Louvre**

ol/tl 48,6×27 1826 R. 1918

Acquistato da A. Stevens per 1.200 franchi alla vendita postuma di Delacroix (n. 190).

149. **CAVALIERE CON ARMATURA**

ol/tl 24×21 1826 R. 1527

Alla vendita postuma di Delacroix (n. 78) fu acquistato (320 fr.) da du Poisat.

150. **FAUST NELLO STUDIO**

ol/tl 48×40 f *1826* R. 159

Riprodotto dallo stesso Dela-

croix (1827) in una litografia nota in cinque stati (foto 150¹). Passato per due vendite parigine dell'Hôtel Drouot (1853 e 1869) a 680 e 7.600 franchi.

151. **BUSTO DI BAMBINA (LA FIGLIA DI JENNY LE GUILLOU [?]. CAROLINE [?]). Parigi, Louvre**

ol/tl 46×38 1826*(?) R. 716

Secondo Robaut si tratta d'una figlia naturale di Jenny Le Guillou (che destinò il dipinto al Louvre), morta in giovane età ed effigiata da Delacroix nel 1840, contemporaneamente alla madre (n. 356). Per Lassale-Bordes raffigura invece una Caroline, conosciuta dal pittore nel 1819. Escholier respinge l'autografia; che invece viene ribadita da Maltese, il quale, pur riscontrando inibizione nel pittore dinanzi alla figuretta piuttosto volgare, avverte nella resa una

intensa vivacità dei valori atmosferici. Lo stesso critico respinge la datazione al 1840, postulando una cronologia fra il *Massacro di Scio* (n. 92) e la *Morte di Sardanapalo* (n. 158), senza dubbio più consona al contenuto stilistico.

152. **L'ASSASSINIO DEL VESCOVO DI LIEGI. Lione, Musée des Beaux-Arts**

ol/tl 60×72 1827 R. 196

Abbozzo (uno fra i più avanzati dei numerosi noti: si veda il n. 153, ecc.) del dipinto condotto a termine nel 1829 (n. 185).

Esp. C 1963, n. 135.

153. **c.s. Parigi, Louvre**

ol/tl 31×46 1827

Vale il commento al n. 152.

Esp. L 1930, n. 42. C 1963, n. 136.

154. **c.s. Già Parigi, Espagnat**

ol/tl 27×39 1827 R. 195

Si veda al n. 152. Distrutto durante il secondo conflitto mondiale.

155. **RAGAZZA CON GRANDE CAPPELLO. Già Parigi, Christophe**

ol/tl 26×21 1827 R. 207

Evidente omaggio ai ritrattisti inglesi, specie a Lawrence. Passata per la vendita postuma (n. 201) assieme ad altre dieci opere analoghe (n. 814-823).

156. **TURCO SEDUTO (IL CANTANTE BAROILHE [?]). Parigi, Louvre**

ol/tl 46,5×38 1827(?) R. 173

L'identificazione dell'effigiato col noto cantante lirico e appassionato di pittura [R.] non è certa. Sotto lo smalto della vernice al coppale si riscontra una

magnifica concordia di lacche splendenti. Di solito riferito al 1826, ma forse successivo, come suggerisce lo stacco rispetto al n. 139.

Esp. V 1956, n. 10.

157. **NATURA MORTA CON CROSTACEI. Parigi, Louvre**

ol/tl 80×106 f 1827 R. 174

Di solito si scorge un unico gambero marino (che, nelle versioni italiane del titolo, diviene per lo più un' "aragosta").

Rare le nature morte dipinte da Delacroix. Questa fu eseguita a Beffes (Cher) per il generale Coëtlosquet e compiuta nell'autunno '27. Impostata dopo il soggiorno inglese del 1825, secondo Sérullaz risente di Constable nel fondo paesistico. Più evidenti i richiami alla pittura fiamminga; e Maltese rileva trattarsi però d'un tentativo ambizioso, che "non regge il peso

140 [R]　141　142 [R]　143

144　145　146　148

150¹　152　153　154

151　155　156 [Tav. XVI]

157 [Tav. XX-XXII]　159　158 [Tav. XXIII-XXVI]

del secentismo alla Rubens", mancando "fusione tra sfondo e primi piani". Esposta al Salon del 1827.

Esp. L 1930, n. 28. C 1963, n. 95.

158. LA MORTE DI SARDANA-PALO. Parigi, Louvre

ol/tl 395×495 1827 R. 198

Si è supposta a lungo una derivazione tematica dal *Sardanapalo* di Byron (1821): può darsi che la tragedia abbia fornito lo spunto primo; tuttavia né essa né le fonti greche (Diodoro Siculo, ecc.) sono alla base della composizione, né del resto le incisioni del Gori per il *Museum Etruscum* (1737-43), che pure poterono fornire qualche suggerimento. Conviene perciò rifarsi al catalogo del Salon del 1827-28, dove l'opera fu esposta, non essendo stata pronta per la rassegna del 1827: "I rivoltosi lo assediano nel suo palazzo ... Adagiato su un letto superbo, al sommo di un'enorme pira, Sardanapalo ordina agli eunuchi e ai funzionari della reggia di sgozzargli le donne, i paggi, perfino i cavalli e i cani favoriti: nulla di quanto aveva servito ai suoi piaceri doveva sopravvivergli ... Aiesch, la donna bactriana, non sopportando che uno schiavo le dia la morte, si impicca da sé alle colonne reggenti la volta [in fondo, al centro] ... Infine Baleah, coppiere di Sardanapalo, appicca il fuoco alla pira e vi si precipita dentro". La comparsa della tela al Salon suscitò quasi esclusivamente riprovazioni, specie per le "negligenze" del disegno "alla Rubens", gli "errori" prospettici, l'"indeterminatezza" dello spazio, la "confusione" del primo piano. Occorre segnalare che tale è la rottura rispetto alle convenzioni accademiche dell'unità di tempo, azione e luogo, che nemmeno Delacroix sarà mai sicuro d'avere compiuto un capolavoro in questo fastoso spiegamento di pittura 'pura', dove ogni elemento — carni, stoffe, oggetti — sfocia in brani di straordinaria finezza, mentre un'assoluta coerenza stilistica si afferma — al di là dei canoni prospettici — nel sinuoso aggirarsi e capovolgersi dei volumi. Pervenuta al Louvre nel 1921, per acquisto.

Esp. L 1930, n. 36. C 1963, n. 96.

159. c.s. Parigi, Louvre

ol/tl 81×100 1826-27 R. 168

Abbozzo per la composizione pressoché definitiva del n. 158.

Esp. V 1956, n. 7. C 1963, n. 97.

160. c.s.

ol/tl 1826-27 R. 1520

Verosimilmente si tratta di un abbozzo, limitato, per il n. 158. Con altre tre opere analoghe (n. 161-163) passò, in un unico lotto (n. 198), alla vendita postuma di Delacroix e fu acquistato da ignoto per 160 franchi.

161. c.s.

ol/tl 1826-27 R. 1520

Vale il commento del n. 160. Alla vendita Delacroix fu acquistato da Garnier per 100 franchi.

162. c.s.

ol/tl 1826-27 R. 1520

Vedere il commento al n. 160.

Acquistato per 140 franchi da Riduon alla vendita Delacroix.

163. c.s.

ol/tl 1826-27 R. 1520

Si veda il commento al n. 160. Acquistato per 28 franchi da Saint-Maurice alla vendita Delacroix.

164. JULIETTE PIERRET BAM-BINA. Cleveland, Severance A. Millikin

ol/tl 40×32 1827 R. 215

Sorella di Claire, ritratta da Delacroix nel 1825 (n. 115).

Esp. C 1963, n. 68.

165. HENRI DE VERNINAC. Parigi, Sachs

ol/tl 61×50 *1827*(?)

L'effigiato era figlio di Henriette, sorella del pittore. L'attribuzione spetta a Huyghe [1963].

166. DONNA SUL LETTO DI MORTE (HENRIETTE DE VERNINAC [?])

ol/tl 35×50 1827(?) R. 1311

Poiché è stato supposto, non senza attendibilità, che si tratti di Henriette, sorella del pittore, morta quarantasettenne nel 1827, si prospetta con ogni cautela tale cronologia. Peraltro Robaut segnala che sul verso del dipinto, assieme al titolo *'La morte'*, si trova la data "1858" (ma potrebbe essere stata malamente letta dallo studioso). Acquistata da Charly (125 fr.) a un'asta dell'Hôtel Drouot (Parigi, 1876).

167. TAM O'SHANTER

ol/tl 26×30 f 1827 R. 197

Si tratterebbe, secondo Robaut, di una ripresa del tema già trattato (si veda n. 129), documentata da una lettera dell'artista a un amico, cui sarebbe stata inviata l'opera in questione.

168. EPISODIO DELLA GUERRA D'INDIPENDENZA GRECA. Winterthur, Reinhart

ol/tl 65×81 f 1827 R. 200

Seconda versione, assai variata, del tema proposto nel n. 130 (si veda), ripresa — dal lato compositivo — nel 1856 (n. 734).

169. MEFISTOFELE IN ARIA

ol/tl 48×40 1827 R. 223

Stesso tema d'una litografia coeva di Delacroix (foto 169[1]), nota in tre stati. Passato per la vendita postuma (n. 391).

170. MEFISTOFELE APPARE A FAUST. Londra, Wallace Collection

ol/tl 48×40 f 1827 R. 226

Tematicamente affine a un acquerello coevo. Esposto al Salon del 1827.

171. ODALISCA SDRAIATA (DONNA CHE ACCAREZZA UN PAPPAGALLO. LA DONNA DAL PAPPAGALLO). Lione, Musée des Beaux-Arts

ol/tl 24,5×32,5 f d 1827 R. 383

È noto che posò M.lle Laure (si vedano n. 100 e 131). Da Robaut ascritta al 1832, poiché quell'anno apparve a una rassegna parigina del Musée Colbert; altri studiosi, anche recenti, pensano al 1827-28; la data apposta sul dipinto elimina qualunque dubbio. Del resto, già il 9-10 marzo 1829 risulta nel catalogo di un'asta anonima a Parigi, dove fu aggiudicata per 149 franchi, col titolo: "Une jeune femme nue et éclairée de la manière la plus piquante joue avec un perroquet" [Sérullaz]. Mentre da un lato richiama Bonington, dall'altro prelude all'*Olimpia* di Manet.

Esp. L 1930, n. 44. C 1963, n. 106.

172. MILTON ASSISTITO DALLE FIGLIE. ... (U.S.A.), Heard Hamilton

ol/tl 80×64 f *1828* R. 87

Sérullaz concorda con Johnson nel rilevare analogie col *Cromwell a Windsor* del 1830 (n. 198), e pertanto propugna la cronologia 1828 circa, mentre Robaut riferiva il dipinto al 1824; d'altronde esso apparve al Salon del 1828. Nel fondo si notano richiami a Masaccio.

Esp. C 1963, n. 105.

173. SAN GIORGIO E IL DRAGO. ... (Francia [?]), propr. priv.

ol/tl 33×24 *1828*(?)

Data l'impossibilità di conoscere direttamente il dipinto, se ne lascia intera la responsabilità all'attribuzione di Escholier, che l'ha propugnata nel 1926 e ribadita nel 1963.

174. MESSA DEL CARDINALE RICHELIEU (RICHELIEU CELEBRA MESSA)

ol/tl 420×300 f d 1828 R. 253

Destinato alla Galerie del Palazzo Reale di Parigi, dove andò distrutto nell'incendio del 1848 (è ora noto attraverso una litografia di Jourdy [foto 174[1]]). Esposto al Salon del 1831, suscitò per lo più critiche negative: curiosamente, per una pretesa mancanza di originalità. Si veda, oltre che al n. 175, anche al n. 456.

175. c.s. Parigi, David-Weill

ol/tl 38×27 1828 R. 255

Abbozzo per l'opera precedente, di tonalità calda e dorata. Presentato al duca d'Orléans per definire la commissione ufficiale del n. 174.

Esp. C 1963, n. 128.

176. MAZEPPA STAFFATO. Helsinki, Atheneum

ol/tl 26,5×35 1828 R. 262

Ispirato dalla tragedia di Byron, né privo di affinità iconografiche con lo stesso tema di L. Boulanger (Rouen, Musée), pure esposto nel 1828.

164   165   166

168   169[1]   170

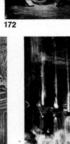

171 [Tav. XVII]   172   173

174[1]   175

177. ARABO CHE SELLA UN CAVALLO. Già Parigi (?), Arago

ol/tl 46×38 1828 R. 1540

Acquistato alla vendita postuma (n. 127) per 100 franchi da Carvalho.

178. STUDI DI LEONE

ol/tl *12×15* 1828 R. 264

Acquistato per 1.180 franchi da Bidermann alla vendita postuma di Delacroix (n. 213).

179. LABORATORIO DI ALCHIMISTA. Già Arras, Warnier

ol/tl 23×31 f 1828(?) R. 252

La datazione suddetta fu proposta da Robaut per affinità con le composizioni faustiane prese in esame qui sopra (n. 170 e 180).

180. FAUST AL SABBA

ol(?)/tl 1828 R. 269 (?)

Robaut, indicandolo su tela, lo dichiara un acquerello; Escholier [1927], da cui desumiamo l'illustrazione, lo definisce *"peinture"*, qualifica che lo studioso riserva agli olî: dalla riproduzione è impossibile decidere. Passò (115 fr.) per la vendita postuma del maestro (n. 389).

181. EUGÈNE BERNY D'OUVILLE. Filadelfia, Museum of Art (McIlhenny)

ol/tl 60×50 f d 1828 R. 257

Originariamente rettangolare, come il 'gemello' n. 182. Altro allievo meritevole del convitto di Goubaux (n. 103).

182. AUGUSTE-RICHARD DE LA HAUTIÈRE. Già Parigi (?), de la Hautière

ol/tl 60×50 1828 R. 258

Pendant dell'opera precedente (si veda).

183. LA BATTAGLIA DI NANCY. Copenaghen, Ny Carlsberg Glyptotek

ol/tl 47×68 f 1828 R. 261

'Prima idea' complessiva per il dipinto del 1831 (n. 214). Passata (4.500 fr., a de Laage) per la vendita postuma di Delacroix (n. 56).

Escholier [1926, pag. 236] pubblica un dipinto analogo che, dalla riproduzione, lascia ampi dubbi sull'autografia.

184. GIOVANE NUDA SU UN DIVANO (LA DONNA DALLE CALZE BIANCHE). Parigi, Louvre

ol/tl 26×33 1825-32

I vecchi cataloghi segnalano una firma, ora non più visibile. Studiosi recenti l'assegnano al 1830 circa; ma la datazione risulta assai ardua, e sembra convenire una indeterminatezza piuttosto estesa entro il 1832, anno in cui l'opera fu esposta al Salon. Peraltro appare stilisticamente prossima al n. 171.

185. L'ASSASSINIO DEL VESCOVO DI LIEGI (GUILLAUME DE LA MARK DETTO IL CINGHIALE DELLE ARDENNE). Parigi, Louvre

ol/tl 90×118 1829 R. 292

Il tema è attinto nel capitolo 22° (*L'orgia*) del *Quentin Durward* di Scott (1823). Eseguito per il duca d'Orléans dietro compenso di 1.500 franchi. Dal catalogo del Salon del 1831, dove l'opera fu esposta, si ricava: "Con l'aiuto dei cittadini di Liegi in rivolta, [Guillaume de la Mark] occupa il castello del vescovo. Durante un'orgia nel salone, assiso sul trono pontificale [*sic*], egli si fa condurre il vescovo con indosso, per derisione, i paramenti sacri, e lo lascia sgozzare in sua presenza". Come s'è visto, i primi abbozzi risalgono al 1827 (n. 152-154); altri ne dovettero seguire (ma se ne conoscono soltanto a disegno o all'acquerello), specie per la definizione della tra-ma luminosa: particolare problema del pittore fu la quantità di luce da conferire alla tovaglia bianca e ai riflessi che essa produce sulle figure dei convitati. L'architettura — si vuole [Bazin] — ricorda l'interno della cattedrale di Westminster. Al Salon del 1831 passò quasi inosservato. La vicenda successiva è nota attraverso i passaggi per numerose aste fra il 1853 e il 1912, che videro salire le quotazioni da 4.800 a 205.000 franchi. Donato al Louvre nel 1961.

Esp. L 1930, n. 50. V 1956, n. 13. C 1963, n. 134.

186. M.LLE DE LA BOUTRAYE. Cleveland, Museum of Art

ol/tl 73×59 1829(?) R. 554

La data suddetta, proposta da Moreau (che peraltro indica erroneamente — "Boutrai" — il cognome dell'effigiata), sembra più attendibile che non quella del 1834, asserita da Robaut (per supposte affinità col n. 254), a causa dei riferimenti ancora freschi alla ritrattistica inglese, in particolare di Th. Lawrence.

Esp. L 1930, n. 70. C 1963, n. 119.

187. IL CROCIFISSO CON LA MADDALENA

ol/tl 34×26 d 1829 R. 296

La data è precisata al 27 maggio dell'anno suddetto. Evidenti i rapporti con Rubens. Passato per la vendita postuma (n. 132).

188. ACHILLE SCHMITZ. Già Orléans, Schmitz

ol/tl 60×50 f d 1829 R. 293

Ancora un allievo meritevole del convitto di Goubaux (n. 103). Robaut ne segnala una copia fedelissima in proprietà degli stessi Schmitz.

176

178 [R]

179 [R]

180

183

184 [Tav. XXXI]

181

182 [R]

186

187

188 [R]

185 [Tav. XVIII]

192

189 [R]

190 [R]

191 [R]

193

194

196

197

198

203

189. M.ME F. SIMON

ol/tl 60×50 f 1829 R. 294

La signora era consorte di F. Simon, direttore del balletto dell'Opéra di Parigi. Apparsa alla rassegna postuma di Delacroix e a quella dei "Portraits nationaux" (1878).

190. PIETÀ. Già Bruxelles, Van Praet

ol/tl 27×35 1829 R. 297

Passata (435 fr.) per la vendita Villot (1865).

191. BRACCONIERE. Già Parigi, Astruc

ol/tl 70×55 *1830 R. 1551

Notturno con fondo di montagne; presso un corso d'acqua, un cavallo carico di un cervo, seguito da un uomo.

192. LA BATTAGLIA DI POITIERS (RE GIOVANNI DIFESO DAL FIGLIO FILIPPO L'ARDITO ALLA BATTAGLIA DI POITIERS). Parigi, Louvre

ol/tl 114×146 f d 1830 R. 321

Commissionata dalla duchessa de Berry (1829), che però la respinse a causa del prezzo. L'episodio raffigurato si riferisce alla guerra dei Cento Anni (1356). Apparve all'Exposition Universelle del 1855 senza praticamente suscitare commenti. Acquistata dal Louvre nel 1930, dopo esser passata per le vendite parigine Marmontel (1868, 28.000 fr.) e Edwards (1870, 42.650 fr.).

Esp. L 1930, n. 25. C 1963, n. 120.

193. c.s. Baltimora, Walters Art Gallery

ol/tl 54×66 f *1830 R. 322

Abbozzo per il precedente, con più figure, e reso con stupefacente libertà di stesura. Passato per la vendita postuma di Delacroix (n. 54), dove lo comprò de Laage per 4.700 franchi, e poi per numerose altre aste parigine, fino al 1899, quando venne acquistato da Walters.

Esp. C 1963, n. 121.

194. TIGROTTO CHE GIOCA CON LA MADRE. Parigi, Louvre

ol/tl 130,5×195 f d 1830 R. 323

Robaut segnala anche il titolo, improprio, di *Tigri in vedetta*. Esposto al Salon del 1831. Fu copiato da Degas (Zurigo, Bührle).

195. LA LIBERTÀ CHE GUIDA IL POPOLO (IL 28 LUGLIO 1830). Parigi, Louvre

ol/tl 260×325 f d 1830 R. 326

In una lettera (18 ottobre 1830) al fratello generale (si veda n. 41), Delacroix scriveva, riferendosi al presente dipinto: "Ho cominciato un tema moderno, una barricata ... e, se non ho vinto per la patria, almeno dipingerò per essa ...". Peraltro, secondo le testimonianze di A. Dumas, la partecipazione del pittore ai moti del '30 fu più che altro di carattere sentimentale; comunque è certo che fece parte della guardia nazionale, e in tale veste egli appare qui nel personaggio dal cilindro in capo. Al Salon del 1831 venne acquistata da Luigi Filippo (3.000 fr.) per il Musée Royal allora al Lussemburgo, ma non venne esposta durante alcuni mesi per motivi prudenziali. Dopo ulteriori traversie, apparve all'Exposition Universelle del 1855 col consenso di Napoleone III; in seguito fu ricollocata al Lussemburgo, dove rimase fino a quando (1874) pervenne al Louvre. Nonostante il timbro complessivamente favorevole, la critica la fece oggetto di considerazioni esteriori: si volle, per esempio, scorgere nel tamburino con la pistola il modello ideale del Gavroche che V. Hugo avrebbe

creato trent'anni dopo nei *Miserabili*. Si possono notare richiami a Goya, a Gros, soprattutto a Géricault. Come avverte Argan, si tratta della prima composizione politica della pittura moderna, segnando il momento in cui il romanticismo cessa di rivolgersi all'antico e comincia a voler assolutamente partecipare alla vita contemporanea. Non se ne conoscono preliminari a olio.

Esp. L 1930, n. 53. C 1963, n. 122.

200 [R]

201 [R]

204

209

196. INDIANO ARMATO DI SCIMITARRA GURKA. Zurigo, Kunsthaus

ol/tl 40×32 f 1830 R. 325

Probabile interpretazione, ma liberissima, d'una miniatura indiana; eseguita per l'amico Pierret. In seguito all'esposizione al Salon del 1831, Dumas ne richiese una copia al pittore, che la eseguì (n. 218).

Esp. C 1963, n. 131.

197. AMÉDÉE BERNY D'OUVILLE. Già Parigi, Degas

ol/tl 60×50 f 1830 R. 328

Fratello di Eugène; altro meritevole convittore di Goubaux (cfr. n. 103).

198. CROMWELL AL CASTELLO DI WINDSOR

ol/tl 36×27 f 1830 R. 320

Apparso al Salon del 1831, dal cui catalogo si ricava: "Avendo rivoltato per caso un ritratto di Carlo I, [Cromwell] cade in profonda meditazione, senza accorgersi di essere osservato da un testimone: è una spia del partito realista che ha ottenuto accesso presso di lui". Il tema deriva dal *Wodstock* di W. Scott. Il dipinto, segnalato dal suddetto catalogo in proprietà del duca di Fitz-James in Gran Bretagna, passò poi nuovamente in Francia, presso Petit (do-

ve lo vide Robaut); alla vendita Bernheim a Bruxelles nel 1884 venne acquistato dal mercante d'arte Rothschild per 5.200 franchi.

199. "ECCE HOMO"

ol/tl 40×32 1830 R. 1553

Presenta analogie col n. 201 [R.]. Abbozzo acquistato per 100 franchi da Lejeune alla vendita postuma di Delacroix (n. 116).

200. CRISTO E IL PARALITICO. Già Parigi, Choquet

ol/tl 24×28 1830 R. 324

Abbozzo finemente impostato su toni rosso-vinosi [R.].

201. CRISTO INCORONATO DI SPINE. Già Parigi, Herbelin

ol/tl 33×25 1830 R. 1554

195 [Tav. XXVII-XXX]

207 [Tav. XXXII]

208

214

215¹

Secondo Robaut ripete l'acquaforte — o meglio, un suo disegno preparatorio — di tema identico, eseguita da Delacroix nel 1833 e nota in tre stati.

202. RICCARDO IN PALESTINA. Già Parigi, Haro

ol/tl 40×32 1830 R. 1555

Quello suddetto è il titolo fornito da Robaut, desumendo dal catalogo della 'postuma' parigina di Delacroix del 1864, dove l'opera fu esposta. Stando a un accenno, peraltro assai posteriore, del *Journal* [29 dicembre 1860], potrebbe trattarsi di un tema suggerito dall'*Ivanhoe* di Scott.

203. TORQUATO TASSO IN MANICOMIO. Winterthur, Reinhart

ol/tl 60×50 f 1830(?) R. 199

Variante del n. 97. Talora riferito al 1839.

204. ARMATURE, CASCHI, COTTE. Zurigo, propr. priv.

ol/tl *1830* R. 1919

Assieme all'opera seguente costituiva il n. 189 della vendita postuma di Delacroix, dove fu acquistata (520 fr.) da Duchâtel.

Esp. V 1956, n. 11.

205. c.s.

ol/tl R. 1919

Si veda alla 'scheda' precedente. Acquistato (60 fr.) da Aubry.

206. ANGOLO DI CANTINA (INTERNO DI CANTINA RUSTICA). Versailles, Labeyrie

ol/tl 39×31 *1830*(?) R. 1800(?)

Al numero suddetto e col secondo dei due titoli riportati, indicando le dimensioni di 40×32, Robaut registra il dipinto passato (1.225 fr., a Gibert) per la vendita postuma di Delacroix (n. 96). Il catalogo (n. 14) della mostra di Bordeaux (1963), fornendo gli altri elementi 'esterni' di cui qui sopra, registra la tela Labeyrie senza però accennare al rapporto col n. 1800 di Robaut. La mancanza d'una riproduzione non consente di vagliare l'autografia.

Esp. L 1930, n. 208 bis.

207. LA BATTAGLIA DI NANCY (LA MORTE DI CARLO IL TEMERARIO). Nancy, Musée des Beaux-Arts

ol/tl 239×359 f d 1831 R. 355

Il tema viene chiarito dal catalogo dell'Exposition Universelle del 1855, dove l'opera fu esposta: "Il 5 gennaio 1477, Carlo il Temerario, duca di Borgogna, impegna battaglia su terreno ghiacciato, che costituì la fine della sua cavalleria. Egli stesso, impantanato in uno stagno, venne ucciso da un cavaliere lorense mentre tentava di uscirne"; si può aggiungere che il momento preciso è quello in cui Carlo grida all'assalitore: "Salva il duca di Borgogna!"; ma l'avversario — sembra — era privo dell'udito. Commissionato nel settembre 1828 da Carlo X, dopo una visita a Nancy, per il museo di questa città. Esposta al Salon del 1834, ricevette soprattutto critiche negative, sostanzialmente a causa degli errori di ordine 'storico'. Per un abbozzo, si veda al n. 183.

Nella vendita Sotheby (Londra) del 17 dicembre 1966 è stata immessa una tavola (34×39)

indicata come studio della figura del Temerario e peraltro rimasta invenduta.

Esp. L 1930, n. 55. C 1963, n. 196.

208. INTERNO DI CONVENTO DOMENICANO A MADRID (MELMOTH. L'ONOREVOLE AMMENDA). Filadelfia, Museum of Art (Wilstach)

ol/tl 131×162 f d 1831 R. 351

Il tema è desunto dal *Melmoth* di C. R. Maturin. Dal catalogo del Salon del 1834 si ricava: "Un giovane di grande famiglia, costretto a prendere i voti, è condotto dinanzi al vescovo in visita al convento e sottoposto, in sua presenza, a maltrattamenti". Maturin parla in verità di gesuiti; inoltre Delacroix ambienta l'episodio nel palazzo di Giustizia di Rouen. Al Salon del 1834 suscitò critiche superficiali. Venne acquistato dal duca d'Orléans; poi, fra il 1853 e il 1894 (quando pervenne alla sede odierna), passò per varie aste francesi, determinando quotazioni dai 3.015 ai 35.000 franchi (1889). Si veda anche n. 565.

Esp. C 1963, n. 199.

209. PAGANINI INTENTO A SUONARE IL VIOLINO. Washington, Phillips Collection

ol/ct 45×30 1831(?) R. 386

Eseguito dopo il concerto tenuto a Parigi dal celebre violinista il 9 marzo 1831. Il suonatore è risolto in una *silhouette* tesissima, quasi demoniaca.

Esp. L 1930, n. 60 A. C 1963, n. 150.

210. BOISSY D'ANGLAS ALLA CONVENZIONE. Bordeaux, Musée des Beaux-Arts

ol/tl 79×104 f d 1831 R. 353

F.-A. Boissy d'Anglas presiedeva la Convenzione durante le sommosse del 20 maggio 1795; il popolo invade la sala delle riunioni recando su una picca la testa decollata del giovane deputato Féraud e presentandola a d'Anglas, il quale la saluta con imperturbabile rispetto. Eseguito in occasione del concorso (1831) per tre dipinti destinati alla sala delle Scienze in palazzo Borbone di Parigi; Delacroix partecipò per due sole opere (si veda anche n. 212), ma senza seguito. Nel 1851 la presente tela si trovava ancora nel suo *atelier*; apparve all'Exposition Universelle del 1855; nel 1886 venne acquistata (40.000 fr.) per la sede attuale.

Esp. L 1930, n. 57. C 1963, n. 141.

211. c.s. Northampton (Mass.), Smith College Museum of Art

ol/tl 38×52 f 1831(?)

Potrebbe trattarsi d'un abbozzo per il n. 210; ma Johnson e Sérullaz lo considerano copia postuma, eseguita da Andrieu sotto la guida di Delacroix.

Esp. C 1963, n. 142.

212. MIRABEAU E DREUX-BRÉZÉ (DREUX-BRÉZÉ DAVANTI AL TERZO STATO). Copenaghen, Ny Carlsberg Glyptotek

ol/tl 77×101 f d 1831 R. 360

23 giugno 1789: il marchese Dreux-Brézé (a destra) ha esposto al Terzo Stato la volontà del re, di cui si scorge il trono vuoto sotto il baldacchino; al centro, Mirabeau gli rivolge la celebre frase: "Andate a dire al vostro padrone che siamo qui per volontà del popolo e ne usciremo solo sotto la violenza delle baionette". È la seconda delle due opere eseguite per il concorso del palazzo Borbone (si veda n. 210).

213. c.s. Parigi, Louvre

ol/tl 68×82 1831 R. 359

Rapido abbozzo per l'opera precedente. Acquistato da Ja-din per 200 franchi alla vendita postuma di Delacroix (n. 141).

Esp. L 1930, n. 58. C 1963, n. 144.

214. ROVINE DELLA CAPPELLA DELL'ABBAZIA DI VALMONT. Parigi, propr. priv.

ol/tl 47×38 f 1831 R. 352

Quello suddetto è il titolo corrente; in realtà la composizione presenta un pittore all'opera (a sinistra): forse un autoritratto. Tema trattato sovente (sia pure non a olio) da Delacroix, anche perché l'abbazia apparteneva a parenti suoi e il pittore vi si recò più volte. Passato per la vendita postuma (n. 219).

Esp. C 1963, n. 147.

215. CARLO V AL MONASTERO DI SAN GIUSTO

ol/tl 75×115 f d 1831 R. 354

L'imperatore, in abiti monacali, suona l'organo, assistito da un frate. Esposto al Salon del 1833. Alla vendita del conte de Mornay (1877) — che l'aveva acquistato per 2.000 franchi all'asta dell'attrice Mars — passò al marchese de la Valette (9.600 fr.). Per riprese variate si veda ai n. 297 e 347. In assenza dell'originale, se ne pubblica una versione litografica dello stesso Delacroix (foto 215[1]).

210

212

211

213

222

219

220 [R]

223 [R]

224 [R]

225 [R]

226 [R]

227

228

229

231

234

236

237

238 [Tav. XXXIV]

244

245

239

240 [R]

241

242

243

246

247 [Tav. XXXIII]

Esposta al Salon del 1834 senza suscitare commenti. Tentativo di conciliare classicismo e romanticismo sia nei valori contenutistici sia negli aspetti formali.

Esp. C 1963, n. 200.

235. VEDUTA DI ORANO. Prunay-le-temple (Seine et Oise), Aubry

ol/ct su tl 12×29 d 1832(?)

La data precisa: "Oran Juin 1832". Se ne dà conto, con ogni cautela, desumendo dal catalogo (n. 21) della mostra Delacroix di Bordeaux (1963).

236. VENDITORE DI ARANCE MAROCCHINO. Zurigo, Kunsthaus

ol/tl 35,5×27,5 f 1832(?)

Per affinità, puramente esteriori, con l'opera precedente si segnala qui questa composizione che il catalogo del Museo riferisce al 1845 c.

237. QUATTRO BABBUCCE O-RIENTALI. Parigi, Louvre

ol/ct 16,5×20,5 1832 R. 424

Alla vendita postuma di Delacroix (n. 221) fu acquistato da de Calonne per 165 franchi; in aste successive entro il 1881, giunse a 1.320 franchi.

238. ESERCITAZIONI MILITARI DI MAROCCHINI (FANTASIA ARABA. MAROCCHINI CHE CAVALCANO SPARANDO). Montpellier, Musée Fabre

ol/tl 58×73 f d 1832 R. 408

Durante il soggiorno in Marocco il pittore assisté a vari spettacoli del genere, a Tangeri e altrove. Dopo il ritorno in Francia, anche a distanza di anni, li rievocò in almeno due tele (si vedano i n. 244 e 245) e in un noto acquerello (Parigi, Louvre). Il presente dipinto passò forse attraverso la vendita de Mornay (1850), venduto a 300 franchi, mentre Delacroix voleva che non si stesse sotto ai 2.000.

Esp. L 1930, n. 62. C 1963, n. 189.

239. LEONCINO (GIOVANE LEONE IN MARCIA). Copenaghen, Ny Carlsberg Glyptotek

ol/tl 23,5×32,5 1832 R. 421

240. CAVALLO TURCO ALL'APERTO (o IN RIPOSO).

ol/seta 10×14 1832 R. 374

La materia è molto diluita, quasi simile all'acquerello [R.]. Donato dal pittore a Rivet.

241 AUGUSTINE DE CAULAINCOURT MARCHESA DE MORNAY. Parigi, propr. priv.

ol/tl 31×23,5 f 1832(?) R. 377

Ritratto eseguito 'a memoria' dopo la scomparsa dell'effigiata, madre del conte de Mornay (si veda n. 246), morta cinquantaduenne di colera.

Esp. C 1963, n. 151.

242. BIMBA ALGERINA. Washington, National Gallery of Art (Dale)

ol/tl 46,5×38 f 1832*(?)

Opera che lascia alquanto perplessi, ma il cui aspetto dubbio potrebbe derivare da riprese tardive, dovute al maestro stesso o ad altri.

---

216. IL GIOVANE RAFFAELLO IN MEDITAZIONE NELLO STUDIO

ol/tl 1831(?) R. 356

Il pittore è seduto su uno sgabello, col gomito appoggiato a un tavolo. Dipinto per il conte de Mornay. Esposto al Salon del 1831.

217. CRISTO NELL'ORTO DI GETSEMANI

ol/tl 50×110 1831 R. 357

Riduzione del n. 136, eseguita per il cantante Nourrit.

218. INDIANO ARMATO DI SCIMITARRA GURKA

1831 R. 362

È la replica del n. 196 (si veda), eseguita per Dumas padre.

219. TESTA DI RAGAZZA DAL TURBANTE ROSSO. Bristol, City Art Gallery

ol/tl 41,5×35,5 f d 1831(?) R. 358 e 450

Erroneamente catalogata da Robaut sia all'anno 1831 sia al 1833 a causa della difficile lettura della data, come precisa lo studioso stesso [note]. Forse si tratta della modella che posò per il n. 147.

220. M.ME DALTON. Già Parigi (?), de Courval

ol/tl 65×54 1831 R. 363

L'effigiata era allieva di Delacroix.

221. HENRI DE VERNINAC. Già Parigi, Duriez

ol/tl 40×32 1831 R. 361

Per l'effigiato, si veda al n. 165. Pure qui è a mezzo busto, con un berretto azzurro. Acquistato da Lecomte per 1.250 franchi alla vendita postuma di Delacroix (n. 74).

222. NAPOLEONE A MILANO (IL BUONAPARTE IN ITALIA). Birmingham, Trustees of the Barber Institute

ol/tl 44×60 f 1832 R. 373

Passato (n. 135) per la vendita postuma di Delacroix (910 fr.).

223. IL DOTTOR L. DESMAISON

ol/tl 65×54 1832 R. 375

L'effigiato era il medico di Delacroix, e suo buon amico fin dal 1814. Esposto al Salon del 1833.

224. JOSEPH-FERDINAND BOISSARD DE BOISDENIER

ol/tl 60×50 f 1832 R. 376

Si tratta di un pittore, musicista, scrittore, amico di Baudelaire e Gautier; non di Pétrus Borel, come talora fu asserito.

225. CANE MORTO

ol/tl 40×84 1832 R. 379

Abbozzo. Alla vendita postuma (n. 212) venne acquistato per 350 franchi da de Laage; passò quindi attraverso alcune aste parigine fra il 1873 e il 1880, per prezzi dai 610 agli 880 franchi.

226. LOUIS JUDICIS

ol/tl 60×50 f 1832 R. 380

Uno fra i convittori di Goubaux (cfr. n. 103), distintosi nel 1832.

227. PETIT DE BEAUVERGER

ol/tl 60×50 f 1832 R. 381

Vale il commento del n. 226.

228. GENTILUOMO DEL SEC. XVI ARMATO. Parigi, Lebel

ol/tl 24×18 1832 R. 382

229. ARMATURA DEL SEC. XVI

ol 1832(?)

Che si sappia, è riprodotta dal solo Escholier [1926], e dall'illustrazione parrebbe un autografo di elevata qualità. Soltanto in via d'ipotesi la si collega col *Gentiluomo* suddetto; ma potrebbe essere posteriore e in rapporto, per esempio, con un acquerello — *Lerse* (dal

Goetz di Goethe [R., n. 637]) — del 1836, o anche più tarda.

230. LEDA

ol/tl 1832(?) R. 384

È una delle opere che risultano esposte da Delacroix nella rassegna allestita l'anno suddetto all'allora museo Colbert di Parigi. Possibile abbozzo o 'prima idea' per l'opera murale di Valmont (n. 265).

231. FRÉDÉRIC VILLOT. Praga, Národní Galerie

ol/tl 65×54 1832 R. 378

Dal 1830 l'effigiato era grande amico del pittore. Si vedano anche i n. 248 e 336.

Esp. L 1930, n. 65. V 1956, n. 14. C 1963, n. 151 bis.

232. J.-L. BROWN

ol/tl 1832 R. 385

Esposto al Salon del 1833.

233. EBREA ALGERINA IN UNA STANZA

ol/tl 32×24 1832 R. 1613

Acquistata per 880 franchi alla vendita postuma di Delacroix (n. 70).

234. STRADA A MEKNEZ. Buffalo, Albright-Knox Art Gallery

ol/tl 46×64,5 f d 1832 R. 551

248 [R] 249 250¹ 251 [R]

252 253 254 257 [Tav. XXXVI-XXXVIII]

101

255 [R] 256 258 [R] 259

260 [R] 261 262 263 [R] 264 [R]

243. ESTERNO RINASCIMENTALE

ol f d(?) 1832*(?)

Proposto da Huyghe [1963] come autografo già appartenente (1934) a Pearl White, e a noi noto soltanto attraverso tale pubblicazione. La riproduzione, così come non consente di decifrare la data, che parrebbe inserita sotto la firma, in basso a destra, né permette di accertare la qualità del dipinto, nei cui caratteri figurali sembrano confluire anche elementi del viaggio in Africa: donde la cronologia qui dubbiosamente proposta.

244. FANTASIA ARABA. Francoforte, Städelsches Kunstinstitut

ol/tl 60,5×74,5 f d 1833 R. 468

Si veda n. 238. Passata attraverso varie vendite fra il 1852 e il 1896, a prezzi dai 1.060 ai 10.000 franchi. Nella sede odierna dal 1911.

Esp. C 1963, n. 190.

245. SCONTRO DI CAVALIERI MAROCCHINI. Baltimora, Walters Art Gallery

ol/tl 81,5×100 1833 R. 469

Tema analogo a quello del n. 238 (si veda). Fu respinto dal Salon del 1834: ciò vale di per sé a giustificare la cronologia suddetta contro i numerosi as-

sertori d'una più tarda, verso il 1846-47. A causa di estese sovraddipinture sul cielo, sulle ombre del drappo svolazzante del guerriero al centro e sul bianco del suo cavallo, l'autografia venne messa in dubbio fino al 1938, quando tali parti spurie furono eliminate.

Robaut ne segnala una pessima copia, in commercio come replica autografa.

246. IL PRINCIPE ANATOL DEMIDOFF IN VISITA AL CONTE DE MORNAY (L'APPARTAMENTO DEL CONTE DE MORNAY). Già Parigi, de Mornay

ol/tl 78×65 f 1833 R. 443

Distrutto durante la prima guerra mondiale. Il giovane de Mornay — che condusse con sé Delacroix nell'Africa del Nord (1832) — abitava nella parigina rue de Verneuil. Esposto al Salon del 1833.

247. STANZA NELL'APPARTAMENTO DEL CONTE DE MORNAY. Parigi, Louvre

ol/tl 41×32,5 f 1833 R. 444

Studio per l'ambientazione dell'opera precedente. Nel catalogo della vendita postuma del maestro (n. 95; acquistato da Petit per 1.800 fr.) risulta intitolato: *La camera di E. Delacroix durante la sua giovinezza.* Passato per ulteriori aste (1874, 5.200 fr.; 1883, 1.950 fr.), finché

nella prima del patrimonio appartenuto a Degas (26-27 marzo 1918) venne acquistato (2.206 fr.) per il Louvre.

Esp. L 1930, n. 63. V 1956, n. 15. C 1963, n. 193.

248. FRÉDÉRIC VILLOT

ol/tl 20,5×15 1833 R. 446

Riduzione del n. 231 (si veda).

249. RE RODRIGO DOPO LA SCONFITTA DI GUADALETE (IL CONTE GIULIANO). Brema, Kunsthalle

tp/ct 192×95 1833 R. 367

Tema desunto dal *Romancero* di anonimo, tradotto in versi da E. Deschamps. Eseguito per decorare il salone di A. Dumas padre, in occasione del carnevale 1883; lo stesso Dumas ricorda che venne dipinto in due o tre ore.

Esp. C 1963, n. 195.

250. FABBRO FERRAIO

ol/tl 31×24 1833 R. 1653

Il tema è ora testimoniato da un'acquaforte coeva di Delacroix (foto 250¹), nota in tre stati. Alla vendita postuma del maestro (n. 129) fu acquistato per 280 franchi da Piron.

251. IL GIOVANE HEURTAUX. Già Parigi, Arosa

ol/tl 60×50 f d 1833 R. 447

Altro pensionante di Goubaux (si veda n. 103), distintosi al Concours général del 1833.

252. HENRI DE VERNINAC

ol/tl 55×40 1833 R. 448

Da non confondersi col n. 221 (si veda). Lasciato in eredità dal pittore a M.me Duriez de Verninac. L'opera che qui si riproduce è pubblicata da Huyghe [1963] come ritratto di Charles de Verninac (che peraltro, dalle fonti, non risulta tra gli effigiati di Delacroix) del 1830 circa, in proprietà privata non altrimenti definita: il nostro titolo e l'identificazione col n. 448 di Robaut presuppongono un *lapsus* da parte dello stesso Huyghe.

Esp. V 1956, n. 6.

253. MAZZO DI FIORI

ol/tl 57×49 f d 1833 R. 451

Passato per la vendita Villot (1865, 325 fr.), e, dopo vari cambi di proprietà, per l'asta allestita il 28 ottobre 1970 dalle Parke-Bernet Galleries di New York.

Esp. L 1930, n. 219 A.

254. RABELAIS. Chinon, Musée des Amis du Vieux-Chinon

ol/tl 210×150 f d 1833 R. 558

Esposto al Salon del 1834, non venne compreso dalla critica, a causa dei presunti errori

d'anatomia. Lo stesso. Planche ["Revue des Deux-Mondes" 1° aprile 1834] nota che il "disegno manca di precisione e purezza".

Esp. C 1963, n. 211.

255. MAROCCHINO CON UN RAGAZZO

ol/tl 23,5×31 f 1833 R. 488

Inviato dal pittore a una mostra allestita a Marsiglia nel 1844. Passato per la vendita Wilson (1881, 900 fr.).

256. EBREA DI ALGERI CON DOMESTICA

ol/tl(?) 47×39,5 1833*(?)

Robaut [n. 461] registra un'acquaforte di Delacroix che presenta una composizione quasi uguale. Il dipinto in esame, pur presentando — nella riproduzione a noi nota — elementi non del tutto persuasivi, è tuttavia degno di considerazione. Immesso nella vendita Parke-Bernet (New York) del 5 maggio 1971.

257. DONNE DI ALGERI NELLE LORO STANZE. Parigi, Louvre

ol/tl 180×229 f d 1834 R. 482

Durante il breve soggiorno ad Algeri (25-28 giugno 1832), verso la fine del viaggio in Africa, Delacroix poté visitare un harem; il suo commento [*Journal*]

265

266

267

fu: "È bello come ai tempi di Omero! Nel gineceo, la donna si occupa dei bambini, fila la lana o tesse splendidi tessuti. È la donna come l'intendo io". Peraltro si vuole [Joubin, 1936] che alla figura di sinistra abbia prestato le sembianze una parigina, Elisa Boulanger. Esposto al Salon del 1834, venne acquistato (2.400 fr.) da re Luigi Filippo, quantunque sembri che il pittore fosse molto restio a cederlo. Celebre il commento di Baudelaire [1846]: "Questo piccolo poema ... ci guida verso i limbi circondati dalla tristezza". Picasso ne eseguì quindici variazioni (1954-55).

Per una replica, si veda al n. 534.

Esp. L 1930, n. 68. V 1956, n. 17. C 1963, n. 201.

258. TIGRE SDRAIATA. Già Versailles, Boulanger-Cavé

ol/tl 26×33,5 1834 R. 560

Secondo Robaut, sviluppa uno studio eseguito in Marocco.

259. IL PRIGIONIERO DI CHILLON. Parigi, Louvre

ol/tl 73,5×92,5 f d 1834 R. 561

Il tema è desunto dal canto 8° del poema omonimo di Byron: il protagonista, incatenato al muro, vede morire il fratello minore che condivide la prigione con lui. Dipinto per il duca di Orléans ed esposto al Salon del 1834 con differenti accoglienze da parte della critica, che d'altronde neppure oggi ammette concordemente i valori del dipinto.

Esp. L 1930, n. 69. C 1963, n. 218.

260. NEVE A CHAMPROSAY

ol/tl 21×33 1834 R. 543

Acquistato da Filhs per 260 franchi alla vendita postuma di Delacroix (n. 216). Nel 1877 apparteneva alla coll. Choquet di Parigi.

261. LÉON RIESENER. Parigi, Louvre

ol/tl 54×44 1834(?) R. 552

L'effigiato era cugino di Delacroix.

262. IL GIOVANE BELLINGER. Douai, Musée des Beaux-Arts

ol/tl 61×50 f 1834 R. 553

Altro pensionante meritevole di Goubaux (si veda al n. 103).

263. M.ME F. SIMON. Già Parigi, Choquet

ol/tl 58×48 1834 R. 555

Per la modella, si veda al n. 189.

264. LA DEPOSIZIONE NEL SEPOLCRO (PIETÀ). Già Versailles, Boulanger-Cavé

aq e ol/ct su tl 32,5×24 1834 R. 559

Mitologie di Valmont

Durante un soggiorno a Valmont (Fécamp), nel settembre 1834, Delacroix esegue questi tre dipinti come sovrapporte nel corridoio al primo piano della costruzione allora appartenente al cugino Bataille, quindi a un altro cugino, Bornot, e adesso dei Merat. Poiché all'anno prima risaliva l'incarico per l'ornamentazione della sala del Re in palazzo Borbone di Parigi, è probabile che, a Valmont, il pittore abbia inteso attuare una sperimentazione del suo procedimento murale: in effetti, quantunque solitamente si parli di dipinti a fresco, si tratta di olio e cera sulla parete opportunamente preparata. In due lettere a Villot (23 settembre e ottobre 1834), Delacroix espone i vantaggi di tale tecnica.

265. LEDA E IL CIGNO

ol e cera/muro 67×88 1834 R. 545

Per una possibile 'prima idea' si veda al n. 230.

266. BACCO

ol e cera/muro 57×89 1834 R. 547

267. ANACREONTE E LA MUSA

ol e cera/muro 67×88 1834 R. 546

268. GEORGE SAND IN ABITI MASCHILI. ... (Francia [?]), propr. priv.

ol/tl 25×21 1834* R. 449

La scrittrice, amica di Delacroix dal 1834, poserà anche per il più noto ritratto del 1838.

269. CONFESSIONE DEL GIAURRO. Melbourne, National Gallery of Victoria

ol/tl 23,5×32,4 f *1835* R. 683

Dal *Giaurro* di Byron. Robaut (fornendo dimensioni assai minori, 10,5×15) lo assegna al 1838, anno in cui fu riprodotto in litografia da A. Mouilleron per "France littéraire"; ma verosimilmente anteriore per i riferimenti alla tavola illustrativa dell'episodio inclusa nella versione francese del poema byroniano eseguita da Pichot (1822-25) e a un'altra, di Cruikshank, apparsa nella biografia del poeta pubblicata da Clinton (1825).

270. COMBATTIMENTO FRA IL GIAURRO E IL PASCIA. Parigi, Petit Palais

ol/tl 74×60 f d 1835 R. 600

Per il tema si veda al n. 130, di cui costituisce una ripresa assai variata (si vedano anche n. 168, 733 e 734), non immemore — si direbbe — della copia rubensiana del perduto cartone di Leonardo per la *Battaglia di Anghiari*. Apparso all'Exposition Universelle del 1855, suscitando grande ammirazione. Thoré [*La Galerie Péreire*] notava che il dipinto è patinato in modo da sembrare uno "smalto duro e luminoso", come un Rubens o un Velázquez.

Esp. L 1930, n. 78. C 1963, n. 223.

271. ARABI SEDUTI DAVANTI A UNA PORTA (ARABI DI ORANO)

ol/tl 41×31 1835 R. 611

Apparso al Salon del 1835. Alla vendita J. de Vos (Amsterdam 1883) fu acquistato da Langenhuisen per 9.600 franchi.

272. CAVALLO AL PICCHETTO SORVEGLIATO DA UN ARABO

ol/tl 34,5×43,4 1835 R. 610

273. LA CROCIFISSIONE. Vannes, Musée Municipal des Beaux-Arts

ol/tl 182×135 f d 1835 R. 602

Esposta al Salon del 1835, dove fu acquistata da re Luigi Filippo per 2.000 franchi; poi donata alla sede attuale. I pareri della critica furono positivi, nonostante il rilievo di evidenti ricordi di Rubens. Per una ripresa si veda in particolare n. 453.

Esp. L 1930, n. 77. C 1963, n. 217.

268   269   270

271 [R]   272 [R]   275   273

274 [R]   276 [R]   280   281   282 [R]

283   284 [R]   285   286 [R]

274. IL RITORNO DEL FIGLIOL PRODIGO

ol/tl 26×34 1835 R. 599

Abbozzo. Passato per la vendita Sensier (Parigi 1877).

275. M.ME H. RIESENER. Parigi, Salavin

ol/tl 70×58 1835 R. 606

Verosimilmente eseguita in febbraio, durante il soggiorno a Frépillon presso la zia materna (appunto una Riesener [si veda n. 261]). Di ispirazione classica, prossima ai ritratti di David e Ingres.

Esp. L 1930, n. 73. V 1956, n. 18. C 1963, n. 222.

276. TESTA DI GIOVANE SUORA. Già Parigi, Christophe

ol/tl 42×31 1835 R. 603

Passata per la vendita postuma di Delacroix (n. 201).

277. M.ME LAPORTE (o DELAPORTE)

ol/tl 20×15 1835(?) R. 604

L'effigiata era consorte d'un diplomatico, che Dumas padre incontrerà console a Tangeri nel 1846.

278. FÉLIX GUILLEMARDET

ol/tl 1835(?) R. 605

Amico d'infanzia del pittore.

279. SCOGLIERE A FÉCAMP (COSTA NORMANNA). Già Parigi, Bornot

ol/tl 36×45 1835 R. 613

280. NATURA MORTA CON SCOIATTOLO

ol/tl 27×19 f 1835 R. 609

Acquistata da Haro per 600 franchi alla vendita postuma di Delacroix (n. 97).

281. IL MARESCIALLO ANNE-HILARION DE CONTENTIN CONTE DI TOURVILLE. Versailles, Musée National

ol/tl 221×144 1835 R. 607

L'effigiato era morto nel 1701. Il dipinto venne eseguito, in pratica, 'alla maniera' di Rigaud.

282. c.s.

ol/tl 34×27 1835 R. 608

Abbozzo per il precedente. Acquistato da Arosa per 160 franchi alla vendita postuma di Delacroix (n. 138); nel 1878 'fece' 410 franchi alla vendita Arosa, pervenendo a d'Anthouart.

283. AMLETO E ORAZIO AL CIMITERO. ..., de Vall

ol/tl 100×81 f d 1835 R. 576

È la nota scena (1ª, atto 5°) della tragedia di Shakespeare, relativa al teschio di Yorick. Respinto dal Salon del 1836. Acquistato (21.000 fr.) da Heine alla vendita Edwards (1870); recentemente passato (11.000 sterline) per una vendita della casa Sotheby (15 aprile 1970). Per riprese posteriori del tema si veda ai n. 344, 349 e 763.

284. VESCOVO E CHIERICHETTO. Già Parigi, Astruc

ol/tv 26×23 1831-40 R. 1702

Robaut ne esalta la dorata finezza dei toni e la bontà della conservazione.

287

293

295 [Tav. XLIV-XLV]

296

288

289 [R]

295¹

290 [R]

291

297 [R]

298 [R]

285. SAN SEBASTIANO SOCCORSO DALLE PIE DONNE. Nantua (Ain), Chiesa parrocchiale

ol/tl 215×246 f 1836 R. 627

Esposto con successo al Salon del 1836: per lo più venne richiamato Tiziano per il colore; Raffaello dell'*Incendio di Borgo* per la figura della donna a destra recante i balsami. Acquistato dal governo francese per 3.000 franchi e poi ceduto alla sede odierna.

Esp. L 1930, n. 79. C 1963, n. 230.

286. TESTA DI UOMO BARBUTO

ol/tl 44×36 1836 R. 629

'Fece' 105 franchi a una vendita (1874) dell'Hôtel Drouot.

287. LA BATTAGLIA DI TAILLEBOURG. Versailles, Musée National

ol/tl 485×555 d 1837 R. 653

Si tratta dello scontro vinto il 21 luglio 1242 (non giugno, come risulta nel titolo del dipinto nel catalogo del Salon del 1837, dove l'opera venne esposta) da san Luigi di Francia contro gli inglesi di Enrico III presso Saintes. Commissionata da Luigi Filippo (1834) per Versailles. Era certamente in via d'esecuzione nel 1836. Al Salon del '37 le accoglienze della critica furono complessivamente positi-

ve. Secondo quanto riferisce Robaut, il dipinto sarebbe stato ridotto di 2 piedi su tutti e quattro i lati per esigenze di ambientazione.

Esp. L 1930, n. 83. C 1963, n. 233.

288. c.s. Parigi, Louvre

ol/tl 53×66,5 *1837 R. 650

Abbozzo per l'opera precedente, ancora piuttosto lontano dalla composizione definitiva.

Esp. L 1930, n. 82. C 1963, n. 234.

289. c.s. Già Parigi, Choquet

ol/tl 54×66 *1837 R. 651

Altro abbozzo per il n. 287, variato rispetto al precedente.

290. BUSTO DI GIOVANE BRUNO

ol/tl 40×31 1837 R. 1686

Passato per una vendita parigina del 1884.

291. M. DESLOGES (?). Parigi, principe Paolo di Jugoslavia

ol/tl 100×81 f d 1837 R. 648 (?)

Forse da identificare, per le dimensioni, la firma e la data, e per la precedente appartenenza ai Demidoff (Firenze), col numero suddetto di Robaut, il quale peraltro scorge nell'effigiato un Demidoff, appunto, mentre nel catalogo della ven-

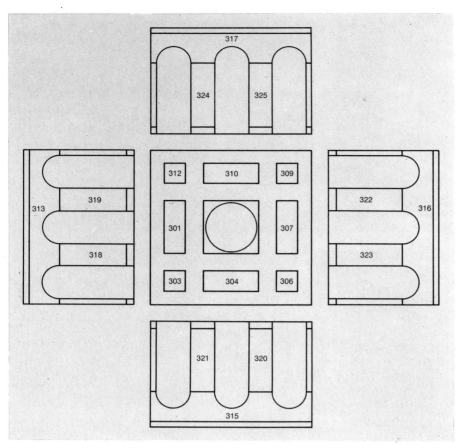

Grafico relativo al ciclo murale nella sala del Re in palazzo Borbone a Parigi; i numeri sono quelli dei singoli elementi pittorici secondo la presente catalogazione.

dita dei Demidoff stessi (Firenze 1880) era indicato come *Ritratto d'uomo*. Quanto al riconoscimento dell'effigiato, mentre non è possibile stabilire un'assimilazione al visitatore nel n. 246, si pensa trattarsi del personaggio richiamato da Robaut al suo n. 649 (nostro n. 292), forse facendo due opere di una. In ogni caso, l'opera in esame non può essere il supposto *Ritratto di M. Deloge* (sic) apparso all'Exposition Universelle del 1855 (si veda allo stesso n. 292).

Esp. C 1963, n. 248.

292. c.s. (?)

ol(?)/tl(?) 65×55(?) 1837(?) R. 649(?)

In dipendenza da quanto notato per il numero precedente,

ogni elemento relativo al dipinto risulta incerto. Robaut, desumendo dal catalogo di Moreau, intitola l'opera come *Ritratto di M. Deloge* (sic), senza poter fornire alcun dato esterno; può anche darsi che lo studioso confonda col suo n. 648 (nostro n. 291). Quanto alle dimensioni, si propongono quelle del dipinto apparso all'Exposition del 1855 (si veda ugualmente al n. 291), benché lo stesso Robaut escluda che quest'ultimo sia assimilabile al suo n. 649.

293. CONVULSIONARI A TANGERI (I FANATICI DI TANGERI). New York, Hill

ol/tl 98×131,5 f *1837* R. 662

Si tratta di seguaci del marabutto Sidi-Mohammed-ibn-Aissa, vissuto nel sec. XVIII, forse

ripresi non a Tangeri — come vuole il titolo ormai tradizionale — bensì a Meknez, dove appunto si trova la tomba del marabutto. In ogni caso, si tratta d'un tema colto dal vero, come testimonia un acquerello del 1832 [R. 502]. Apparve al Salon del 1838 e all'Exposition Universelle del 1855, ottenendo giudizi positivi. Per una replica del 1857 si veda al n. 743.

Esp. L 1930, n. 85. C 1963, n. 259.

294. LA FIDANZATA DI ABYDOS

ol/tl 45×36 d 1837 R.* 648 bis

Tema derivante dall'omonimo poema di Byron; e, come quello delle versioni successive (n. 371, 372, 547), con ogni verosimiglianza attinto dal canto 2° (stanza 23ª).

295. FESTA DI NOZZE EBRAICHE IN MAROCCO. Parigi, Louvre

ol/tl 105×140,5 f 1837(?) R. 687

I vecchi cataloghi del Louvre segnalano, oltre alla firma, anche la data 1839, ora irreperibile. Il 21 febbraio 1832, a Tangeri, Delacroix poté assistere a un matrimonio israelita tramite la famiglia di Abraham-ben-Chimol, con cui aveva stretto buoni rapporti; nel *Journal* descrisse — non senza particolari strettamente corrispondenti — l'episodio che costituirà il tema dell'opera, e in un acquerello (pure al Louvre [foto 295¹]) fissò l'ambientazione. Il catalogo del Salon del 1841, dove la tela fu esposta, fornisce ulteriori ragguagli, avvertendo che la novella sposa rimane chiusa nelle sue stanze mentre il resto della casa è in festa, convitati arabi dànno denaro per i musici, i quali suonano e cantano senza pausa, e mentre le donne — esse sole — danzano suscitando applausi. Commissionata dal conte Maison, che non fu soddisfatto del risultato, l'opera venne acquistata (1.500 fr.) da Luigi Filippo, e questi la donò al Luxembourg (1841). Interessanti i rilievi di Delécluze ["Journal des Débats" 21 marzo 1841] sul dipinto, in occasione del Salon del '41: "osservato da vicino, tutto diventa confuso, vago, e l'occhio rimane all'improvviso sgradevolmente colpito da piccole pennellate rosse, gialle e blu, distribuite come a caso e in mille direzioni opposte"; si tratta del procedimento che verrà sviluppato dagli impressionisti.

Esp. L 1930, n. 96. C 1963, n. 309.

296. OMAGGIO DI CONTADINI MAROCCHINI A UN CAPO DI PASSAGGIO (IL 'CAID'. CAPO MAROCCHINO IN VISITA A UNA TRIBÙ. SOSTA: IL 'CAID' ACCETTA L'OSPITALITÀ DEI PASTORI). Nantes, Musée des Beaux-Arts

ol/tl 98×126 f d 1837 R. 647

Ispirato a ricordi del soggiorno in Africa. Esposto al Salon del 1838 (suscitando in particolare l'ammirazione di Planche ["Revue du XIXe siècle" 1° aprile 1838], che ne rilevò la felice concordia fra lo stupendo paesaggio e le figure), e, l'anno dopo, a Nantes, il cui museo lo acquistò per 1.200 franchi. Per una ripresa del 1862 si veda al n. 794.

Esp. L 1930, n. 84. C 1963, n. 261.

297. CARLO V AL MONASTERO DI SAN GIUSTO. Già Parigi, Boulanger-Cavé

ol/tl 17×25 1837 R. 654

Variante dello stesso tema dipinto nel 1831 (n. 215).

298. CRISTO IN CROCE. Parigi, propr. priv.

ol/tl 45×36,5 1837 R. 656

Allegorie nella sala del Re a palazzo Borbone

Grazie a Thiers, allora ministro, il 31 agosto 1833 Delacroix riceveva la prima grande commissione di un ciclo murale, per la sala del Re in palazzo Borbone di Parigi, con un compenso di 35.000 franchi. Il ciclo comprende il fondo di otto cassettoni nel soffitto — quattro grandi alternati ad altrettanti piccoli —, i quattro fregi sviluppantisi sopra gli archivolti sovrastanti gli usci e le finestre, e gli otto pilastri appaiati su ogni parete. Alla fine del 1836 il pittore richiedeva un aumento del compenso, data l'accresciuta estensione dei dipinti sul fregio, che in origine dovevano riguardare un unico registro; ma la richiesta venne respinta. L'opera venne eseguita esclusivamente di mano sua, tranne gli ornamenti, per i quali il maestro si valse d'uno specialista. La stesura ebbe termine all'inizio del 1838; il pubblico fu ammesso a vedere l'opera nell'autunno dello stesso anno; i critici ne presero visione fino dal 1836, esprimendo giudizi favorevoli. Gautier ["La Presse" 26 aprile 1836] elogia l'eloquenza dello stile, degna d'un rinascimentale fiorentino; anche l'anonimo recensore dell'"Artiste" [fine 1836 - inizio '37] riconosce che, dopo i lavori del Primaticcio a Fontainebleau, nulla era stato prodotto in Francia di altrettanto elevato; Planche ["Revue des Deux-Mondes" 15 giugno 1837] dichiara che chi aveva negato a Delacroix le capacità dei grandi italiani ha perso la causa.

La trattazione dei singoli elementi, qui di seguito, viene attuata partendo da quelli del soffitto (in particolare, dalla *Giustizia*, sopra la nicchia occupata dal trono) e richiaman-

313, 318 e 319

315, 320 e 321

301

304

307

310

do, dopo ogni opera definitiva, eventuali abbozzi a olio. Poiché, però, sono note anche alcune 'prime idee', pure a olio, non realizzate, l'analisi particolareggiata di queste viene preposta a ogni trattazione singola.

299. Tema ignoto
ol/tl 1833 R. 1666

'Prima idea' non attuata. Acquistato per 125 franchi da Dagu alla vendita Delacroix (n. 6).

300. Tema ignoto
ol/tl 1833 R. 1667

Come il precedente. Acquistato da Huguet per 55 franchi alla vendita postuma del maestro (n. 6 bis).

Cassettoni

Si alternano, grandi (140×380) e piccoli (140×140), attorno al tondo centrale (con elementi ornamentali negli spazi triangolari isolati dal quadrato che lo comprende); nei primi, figure allegoriche; in ciascuno dei secondi, un putto alato con emblemi. Dipinti — fra il 1833 e il 1836 — su tela applicata al muro. Come si è detto, le descrizioni dettagliate procedono dalla *Giustizia*, in senso orario; non vengono ripetuti dati tecnici, essendo sufficiente l'indicazione che, a uno scomparto maggiore, ne segue uno minore.

301. LA GIUSTIZIA
R. 512

La figura allegorica è presentata nell'atto di stendere lo scettro protettore su donne, vecchi e bambini che l'implorano.

302. c.s.
ol/tl 16×35 1833 R. 1655

303

306

309

312

Abbozzo per l'opera precedente. Passato per la vendita postuma di Delacroix (n. 1).

303. PUTTO CON LA CIVETTA DI MINERVA
R. 516

304. L'AGRICOLTURA
R. 513

La figura è in atto di allattare due putti; a sinistra, un seminatore.

305. c.s.
ol/tl 16×35 1833 R. 1658

Abbozzo del precedente. Passato per la vendita postuma di Delacroix (n. 4).

306. PUTTO CON CESTO DI FIORI E BASTONE DA PASTORE
R. 517

307. LA GUERRA
R. 515

La figura, coronata di alloro, si appoggia a un capitello ionico, reggendo bandiere; a destra, donne contemplano il cadavere di un caduto (a sinistra).

308. c.s.
ol/tl 16×35 R. 1656

Abbozzo del precedente. N. 2 della vendita postuma di Delacroix.

309. PUTTO CON SCALPELLO, COMPASSO E MARTELLO
R. 518

310. L'INDUSTRIA
R. 514

Attributi dell'allegoria, balle di merci, un'ancora, ecc.; il genio appoggiato a un tridente impersona la marina; quello col caduceo, i trasporti.

311. c.s.
ol/tl 16×35 R. 1657

Abbozzo del precedente. N. 3 della vendita postuma del pittore.

312. PUTTO CON LA CLAVA DI ERCOLE
R. 519

Fregi

Come accennato, si sviluppano al sommo di ciascuna parete, per una lunghezza di m. 11 ciascuno (altezza massima, cm. 260); e, per ciascuna parete, dipendono tematicamente dal cassettone maggiore cui corrispondono, e del quale riferiscono il titolo in latino: "IVSTITIA", "AGRICVLTVRA", "BELLVM", "INDVSTRIA"; altri motti, nel fregio superiore, illustrano tali figurazioni 'complementari'. Dipinti a olio e cera direttamente sul muro. Verosimilmente eseguiti nel 1836.

313. ALLEGORIE RELATIVE ALLA GIUSTIZIA
R. 520

La Verità e la Prudenza — intercalate dalla Meditazione, che pondera sulle leggi — assistono un vecchio intento a redigere le leggi stesse, mentre i popoli dimorano sereni sotto la loro protezione; nel fregio minore, soprastante, il motto: "LEGES INCIDERE LIGNO" (incidere le leggi sulla tavola). Dopo due putti, sopra l'archivolto centrale, tre vecchi assisi in tribunale, presso la Forza, appoggiata alla clava e avente ai piedi un leone fremebondo: l'applicazione delle leggi; il motto soprastante: "CVLPAM PŒNA PREMIT COMES" (la punizione accompagna la colpa).

314. LA PRUDENZA, LA FORZA E IL GENIO DELLA PUNIZIONE. Cambridge, Fitzwilliam Museum
ol/tl 38,7×61 1835*(?) R. 1660(?)

Abbozzo parziale per l'opera precedente. Da Robaut ascritto al 1833. Acquistato per 300 franchi da F. Brest alla vendita postuma di Delacroix (n. 5).

315. ALLEGORIE RELATIVE ALL'AGRICOLTURA
R. 521

A sinistra, la Vendemmia accompagnata da fauni e baccanti; nel fregio soprastante si legge: "PLENIS SPVMAT VINDEMIA LABRIS" (la vendemmia spumeggia coi tini pieni). All'altro lato, la Mietitura è impersonata da un contadino che be-

314

ve da un recipiente offerto da donne e bimbi; più a destra, un mietitore dorme su un covone; due divinità silvane suonano, e un giovane carezza una capra; il motto soprastante: "PACIS ALVMNA CERES" (la Pace nutre Cerere).

316. ALLEGORIE RELATIVE ALLA GUERRA
R. 523

A sinistra, i mali della guerra, con donne condotte in schiavitù, ecc.; il motto soprastante: "INVISA MATRIBVS ARMA" (le armi invise alle madri). A destra, la costruzione delle armi, con fabbri variamente occupati; il motto soprastante: "GLADIOS INCVDE PARANTE" (l'incudine che prepara le spade).

317. ALLEGORIE RELATIVE ALL'INDUSTRIA
R. 522

316, 322 e 323

317, 324 e 325

326 [Tav. XXXV]   330 [Tav. XL]   331 [Tav. XLI]   330¹

328   329   332   335 [R]

333   334   337

339   340   341

106

A sinistra, negri scambiano polvere d'oro, avorio, datteri e altri prodotti esotici, contro derrate europee; ninfe e ulteriori divinità marine, con coralli e perle, assistono alla partenza di navi, adombrata dai putti che incoronano una prua; sopra si legge: "INDI DONA MARIS" (doni del mare delle Indie). A destra, filatrici e tessitrici di seta, donne e ragazzi che trasportano bozzoli, altri ancora attendono a raccogliere foglie di gelso; il motto soprastante è: "FVSO STAMINA TORTA LEVI" (fili attorti dal fuso leggero).

Pilastri

Come si è detto, le figurazioni occupano i due pilastri di ciascuna parete (300×100), mentre i due semipilastri alle estremità presentano motivi ornamentali di carattere vegetale. I temi concernono i mari e i fiumi che bagnano la Francia. Si tratta di chiaroscuri eseguiti direttamente sulla parete. La datazione più probabile concerne il 1837-38. L'ordine delle singole trattazioni è quello adottato per le opere precedenti (e sempre da sinistra a destra). Di ogni allegoria si trascrive il sottostante 'titolo' in latino.

318. IL MARE MEDITERRANEO
R. 524
La scritta sottostante: "MEDITERRANEVM MARE".

319. L'OCEANO ATLANTICO
R. 525
"OCEANVS".

320. LA GARONNA
R. 526
"GARVMNA".

321. LA SAONA
R. 527
"ARARIS".

322. LA SENNA
R. 530
"SEQVANA".

323. IL RODANO
R. 531
"RHODANVS".

324. LA LOIRA
R. 528
"LIGERIS".

325. IL RENO
R. 529
"RHENVS".

326. TURCO PRESSO UNA SELLA. Parigi, Louvre
ol/tl 41×33 f 1835-40 R. 265
Robaut lo ascrive al 1828.

327. L'ARABO YUSUFF
ol/tl ovale *1838 R. 661
Il titolo suddetto è fornito da Robaut. In una lettera a ignoto (23 agosto 1838) Delacroix risulta avergli spedito il dipinto, come effige di un arabo qualsiasi.

328. LA FURIA DI MEDEA (MEDEA FURIOSA). Lilla, Musée des Beaux-Arts
ol/tl 260×165 f d 1838 R. 668
Il tema deriva dalla *Medea* di Euripide; la protagonista sta per uccidere i figlioletti. Esposta al Salon del 1838, suscitò anche l'ammirazione di George Sand, che — scrivendo a Delacroix (aprile 1838) — dichiara il dipinto "cosa magnifica, superba, angosciosa". Al Salon stesso venne acquistato dallo Stato (4.000 fr.) per la sede odierna. Il tema verrà ripreso più volte dal maestro (n. 329, 738, 795 e 796).
Esp. L 1930, n. 90. C 1963, n. 249.

329. c.s. Lilla, Musée des Beaux-Arts
ol/tl 46×38 1838 R. 667
Abbozzo per l'opera precedente. Alla vendita postuma di Delacroix (n. 139) venne acquistato (235 fr.) per la sede odierna.
Esp. C 1963, n. 250.

330. GEORGE SAND. Copenaghen, Ordrupgaardsamlingen
ol/tl 79×57 1838 R. 665
Si tratta della nota scrittrice al tempo della relazione con Chopin. Col ritratto del musicista stesso (n. 331), l'effige in esame venne eseguita su un'unica tela (Robaut ne fornisce le dimensioni: 100×84), come probabile abbozzo per una composizione studiata da Delacroix anche in un disegno del Louvre (foto n. 330¹). Nelle condizioni originarie, l'opera rimase nell'*atelier* di Delacroix fino alla morte del maestro; poi pervenne alla collezione Dutilleux, e in questo periodo fu suddivisa; il successivo proprietario — forse Disourcq — cedette la sola *Sand* a Chéramy (1887, 500 fr.); in seguito ad altri passaggi, nel 1919 giunse (35.000 corone danesi) alla sede odierna.
Esp. L 1930, n. 88. C 1963, n. 278.

331. CHOPIN. Parigi, Louvre
ol/tl 45×38 1838 R. 665
A quanto detto per il n. 330, è da aggiungere che, alla vendita Dutilleux (1874), il solo *Chopin* fu aggiudicato a Brame per 820 franchi. Pervenuto nel 1907 al Louvre col lascito Marmontel.
Esp. L 1930, n. 87. V 1956, n. 20. C 1963, n. 277.

332. LA MORTE DI OFELIA. Monaco, Neue Pinakothek
ol/tl 37×46 f 1838 R. 660
Il tema è desunto dall'*Amleto* (atto 4º, scena 7ª) di Shakespeare; e fu ripreso dal maestro — che già l'aveva trattato in una litografia del 1834 — negli anni 1844 (n. 415) e '59 (n. 764). Alla vendita Villot (1865) fu acquistato dal Soultzener per 2.020 franchi.

333. CORTILE MAROCCHINO CON SOLDATI (?) E CAVALLI (SOSTA). Friburgo (?), propr. priv.
ol/tl 58×72 1838(?) R. 664
Robaut lo ricorda apparso al Salon del 1833, donde la cronologia da lui supposta a quell'anno; ma in realtà il Salon in questione fu quello del '38. Col secondo dei titoli suddetti ('*Une halte*') fece parte d'una rassegna allestita dalla galleria parigina G. Petit nel 1884.
Esp. V 1956, n. 16.

334. ARABO (o BEN-ABU) PRESSO UNA TOMBA (LA PREGHIERA)
ol/tl 45×55 f 1838 R. 663
Rifiutato dal Salon del 1839. Alla vendita della duchessa di Orléans (1853) 'fece' 2.150 franchi; a quella del marchese de Lamberty (1868), 11.000.

335. CAPO ARABO. Già Parigi, Cassin
ol/tl 31×24 f d 1838 R. 1689
A sinistra, un cavaliere che si allontana; a destra, due arabi seduti in conversazione. Esposto nel 1884 alla galleria Petit di Parigi.

336. FRÉDÉRIC VILLOT
ol/tl(?) 1838
Lo stesso modello che ai n. 231, del 1832, e 248, del '33. In quest'opera l'effigiato, pure a mezzo busto, appare di fronte, con un fazzoletto arancione al collo. È ricordata da Moreau come rimasta incompiuta nell'*atelier* alla morte del maestro, e fatta sparire dalla sua governante.

337. CLEOPATRA RICEVE L'ASPIDE (CLEOPATRA E IL CONTADINO). Chapel Hill (North Carolina), William Hayes Ackland Memorial Art Center
ol/tl 98×127 f d 1838 R. 691
Il tema deriva dall'*Antonio e Cleopatra* di Shakespeare (atto 5º, scena 2ª). Esposta al Salon del 1839, con successo, benché qualche critico la giudicasse "incompiuta". Acquistata, forse nel '39 stesso, dal conte di Mornay (che però nel 1850 non aveva ancora versato il compenso), alla cui vendita (1850) 'fece' 1.305 franchi; poi, entro il 1959, quando pervenne alla sede odierna, passò per altre aste: a quella Cochin (1916) fu aggiudicata per 32.000 franchi. Per una ripresa del tema (1848) si veda al n. 514; un possibile abbozzo al n. 338.
Esp. L 1930, n. 92 A. C 1963, n. 283.

338. CLEOPATRA

ol/tl 24×32 1838(?) R. 1692

Robaut l'assegna al 1839, ma si può pensare che sia un abbozzo parziale o una 'prima idea' per l'opera precedente, soprattutto perché risulta "incompiuta". Moreau la confonde con la replica variata del 1848 (n. 514). Acquistata da Baroilhet per 45 franchi (il prezzo è pure indicativo ai fini della nostra ipotesi) alla vendita postuma di Delacroix (n. 122).

339. CRISTOFORO COLOMBO E IL FIGLIO ALLA RÁBIDA. Washington, National Gallery (Dale)

ol/tl 90,5×118,5 f d 1838 R. 659

Nel 1484, otto anni prima della scoperta dell'America, Colombo e suo figlio arrivano a piedi al monastero della Rábida, presso la fatidica Palos; mentre i due viaggiatori si trovano nell'atrio (il famoso scopritore osserva una carta geografica alla parete), il priore, don Juan Pérez de Marchena, scende a conversare con loro; nasce così l'amicizia fra lui e Colombo. Commissionato per i Demidoff di San Donato (Firenze), probabilmente assieme al n. 340. Alla vendita San Donato (1870) 'fece' 38.000 franchi; in seguito passò attraverso varie collezioni private.

340. IL RITORNO DI CRISTOFORO COLOMBO DAL PRIMO VIAGGIO IN AMERICA. Toledo (Ohio), Museum of Art

ol/tl 85×116 f d 1839 R. 690

Lo scopritore presenta (Barcellona, 15 marzo 1493) ai sovrani spagnoli Ferdinando e Isabella gli indigeni e le ricchezze che ha portato dal Nuovo Mondo. Appartenuto ai Demidoff di San Donato (Firenze) e verosimilmente da loro commissionato come *pendant* del n. 339. Per-

342 [Tav. XLIII]   343 [R]   344 [Tav. XXXIX]   345

346   348   351 [Tav. XLII]   353

107

apparso alla 'postuma' del 1864, dove suscitò il felice commento di Henry de la Madeleine: "un prodigio di silenzio e di immobilità". A una vendita dell'Hôtel Drouot (1853) fu acquistato per 400 franchi da Arosa, alla cui asta (1878) se lo aggiudicò Pinart per 4.300.

342. AUTORITRATTO A QUARANT'ANNI CIRCA. Parigi, Louvre

ol/tl 65×54 *1839* R. 295

Quantunque Robaut — modernamente seguito da Marchiori e altri — lo riferisca al 1829, e altri pensino al 1830, al '34 o al '37, si propone la cronologia suddetta, sia pure entro il '40, quando il pittore cominciò a portare la barbetta che si scorge nel ritratto fattogli da Champmartin.

Esp. L 1930, n. 81. C 1963, n. 247.

343. PAESAGGIO MAROCCHINO

ol/tl 30×39 1839 R. 689

In primo piano a sinistra, due arabi, uno seduto, l'altro in piedi con fucile; da destra sopravviene un cavaliere. Fra il 1858 e il 1882 passò per varie vendite parigine con prezzi dai 250 ai 3.100 franchi.

344. AMLETO E ORAZIO AL CIMITERO. Parigi, Louvre

ol/tl 81×65 f d 1839 R. 694

Ripresa del tema già trattato

nel 1835 (n. 283). Esposto al Salon del 1839 suscitando giudizi favorevoli. Per due repliche, del 1840 e '59, si veda ai n. 349 e 763.

Esp. L 1930, n. 95. C 1963, n. 284.

345. IL NAUFRAGIO DI DON GIOVANNI. Londra, Victoria and Albert Museum

ol/tl 81×100 f 1839 R. 686

Abbozzo per il n. 351 (si veda). Acquistato alla vendita postuma (n. 140) da Haro per 1.500 franchi; a un'asta parigina del 1881 'fece' 7.500 franchi.

346. LA GIUSTIZIA DI TRAIANO. Già Parigi, Leclère

ol/tl 58×45 1839 R. 693

Abbozzo per il n. 352 (si veda). Dopo essere stato acquistato per 1.600 franchi da Piron alla vendita postuma di Delacroix (n. 58), passò per varie aste parigine tra il 1865 e l'82, con prezzi dai 455 ai 1.620 franchi. Pittoricamente, anche più vigoroso dell'opera definitiva [Sérullaz].

Esp. L 1930, n. 97.

347. CARLO V AL MONASTERO DI SAN GIUSTO

ol/tl 12×17 f d 1839 R. 695

Replica dello stesso tema secondo la versione del 1831 (n. 215), poi variata nel '33 (n. 347). Fra il 1850 e il '70 passò per vendite parigine con prezzi dai 2.500 ai 5.200 franchi.

348. HENRI HUGUES. Parigi, propr. priv.

ol/tl 74×60 1839 R. 696

Si tratta d'un parente del pittore.

349. AMLETO E ORAZIO AL CIMITERO

ol/tl 39×42 (?) 1840 R. 711

Riproduzione del n. 344, con un solo becchino. Passato per vendite parigine fra il 1840 e il '54 con prezzi dai 40 ai 230 franchi.

350. INGRESSO DEI CROCIATI A COSTANTINOPOLI (PRESA DI COSTANTINOPOLI DA PARTE DEI CROCIATI). Parigi, Louvre

ol/tl 410×498 f d 1840 R. 734

Rievoca l'episodio del 12

aprile 1204 (quarta crociata), con protagonista Baldovino delle Fiandre. Commissionato da Luigi Filippo nell'aprile 1838 per Versailles (10.000 fr.), dove nel 1883 fu sostituito da una copia di Ch. de Serres. Esposto al Salon del 1841 (e a questa data lo assegna, erroneamente, Robaut), con pareri discordi: contro presunte deficienze di disegno e di colorito, o in lode del colore stesso, giudicato vigoroso eppure finissimo, esatto e armonioso [Laviron, *Le Salon de 1841*, 1841]. Evidentissima la volontà di emulare i grandi veneziani, specie il Veronese, mettendo a profitto anche le teorie ottiche di Chevreul. Per una replica del 1852, con relativo abbozzo, si veda al n. 595 e 596.

Esp. L 1930, n. 100. C 1963, n. 300.

351. IL NAUFRAGIO DI DON

GIOVANNI (UN NAUFRAGIO). Parigi, Louvre

ol/tl 135×196 f d 1840 R. 707

Tema desunto dal *Don Giovanni* di Byron (canto 2°, stanze 74ª e 75ª); secondo Robaut potrebbe però trattarsi del canotto di salvataggio del vascello *Don Giovanni*, analogamente cioè alla *Zattera della "Medusa"* di Géricault. Ma la derivazione dal poeta inglese è provata indirettamente anche dai richiami — nell'impianto compositivo — alle tavole apprestate da G. Cruikshank per illustrare, appunto, Byron. Al Salon del 1841 i pareri della critica riguardarono la pretesa negligenza della stesura e l'abilità espressiva. Acquistato da un antiquario, provenne poi a Ad. Moreau, i cui eredi lo donarono (1883) al Louvre. Per un abbozzo si veda al n. 345.

Esp. L 1930, n. 101. V 1956, n. 22. C 1963, n. 306.

350 [Tav. XLVII-XLVIII]

l'ambientazione, Delacroix ha presente appunti presi in Spagna, strutturando però i vari elementi in analogia con la famosa *Presentazione della Vergine al tempio* (Venezia, Accademia) di Tiziano.

Esp. L 1930, n. 92. V 1956, n. 21. C 1963, n. 285.

341. ACCAMPAMENTO ARABO. Milwaukee (Wisconsin), Art Center Collection

ol/tl 38×46,5 f *1839* R. 688

Respinto dal Salon del 1839;

352

352. LA GIUSTIZIA DI TRAIANO. Rouen, Musée des Beaux-Arts

ol/tl 490×390 f d 1840 R. 714

Tema, notissimo, desunto dal canto 10° del *Purgatorio* di Dante. Esposto al Salon del 1840, suscitando qualche riserva per i più o meno pretesi fraintendimenti della fonte letteraria, e ampi elogi per la felicità compositiva e il tessuto coloristico, memore dei grandi veneziani: Planche ["Revue des Deux-Mondes" 1° aprile 1840] lo esalta come il migliore dipinto della rassegna. Per un abbozzo del 1839, si veda al n. 346; per una replica del 1858, al n. 750.

Esp. L 1930, n. 98. C 1963, n. 286.

353. COMMIATO DI AMLETO DA OFELIA. Parigi, Louvre

ol/tl 29×22 1840 R. 712

Dall'*Amleto* di Shakespeare (atto 2°, scena 2ª).

354. SAN SEBASTIANO SOCCORSO DALLE PIE DONNE. ... (Gran Bretagna), Le Bas

ol/tl 25×30 d 1840(?) R. 628

Da Robaut considerato abbozzo del n. 285 e ascritto al 1836. La data apposta sul dipinto (così il catalogo della mostra Delacroix, Londra 1952) fa pensare a una ripresa posteriore, analogamente ad altre successive (n. 757, 767 e 768). Acquistato da Rouart per 1.300 franchi alla vendita Arosa (1878), passò poi attraverso l'asta Rouart del 1912.

355. SUORA CLARISSA DELLA FAMIGLIA HEINDERICKS (RITRATTO DI M.LLE HEINDERICKS)

ol/tl 140×106 f d 1840 R. 713

356. JENNY LE GUILLOU. Parigi, Louvre

ol/tl 45,5×37,5 1840 R. 715

Si tratta della governante di Delacroix. Pervenne alla sede attuale, per acquisto, nel 1931.

357. CRISTO IN CROCE

ol(?)/tv(?) 1848 R. 1699

Robaut, definendolo — quanto al supporto — un "*panneau*", lo ricorda appartenuto a Dumas padre.

358. L'ANNUNCIAZIONE. ..., Woolcombe

ol/tl 30×42 f d 1841 R. 1707

Passata per le vendite Baroilhet (Parigi 1860, 1.160 fr.), Blanc (*ibid.* 1862, 600 fr.) e, di recente, per quella Sotheby (2.500 sterline) del 15 aprile 1970.

359. VEDUTA A FRÉPILLON. ... (Francia [?]), propr. priv.

ol/tl 17×34 1841(?)

354   355 [R]   356   358

359   361 [R]   362

363   364   365 [R]

L'attribuzione al maestro, asserita da Escholier [1963], non può essere verificata a causa dell'irreperibilità del dipinto. Una copia viene segnalata nella coll. Mérat di Valmont [Escholier, 1927; Sérullaz].

Esp. V 1956, n. 40. C 1963, n. 313.

360. ARABI CON CAVALLI (CAVALLI AL PICCHETTO)

ol/tl 1841 R. 740

Secondo Robaut [note] potrebbe essere una ripetizione molto ridotta del n. 333. Acquistato da Meffre per 350 franchi alla vendita Binant (Parigi 1844), e da Tedesco per 460 a quella Durand-Ruel del 1845.

361. CAVALIERI MAROCCHINI SULLE SPONDE DEL SEBU

ol/ct 26×33 1841 R. 738

Tramonto, con marocchini che conducono i cavalli nell'acqua del fiume. Venne donato dal maestro alla figlia di Piron; la quale lo diede al cognato de Courval.

362. LEONE PRESSO UNA FONTE. Bordeaux, Musée des Beaux-Arts

ol/tl 46×51 f d 1841 R. 1052

363. PIETÀ. Parigi, Louvre

ol/tl 29,5×42,5 1841* R. 1705

Abbozzo per il n. 378 (si veda). Acquistata da Lambert per 1.120 franchi alla vendita postuma di Delacroix (n. 7).

364. AUTORITRATTO A QUARANTAQUATTRO ANNI CIRCA. Firenze, Uffizi

ol/tl 66×54 *1842* R. 1411

Robaut lo assegna al 1860, quando — oltretutto — il maestro era molto ammalato; per concorde ammissione degli studiosi più recenti, la cronologia suddetta sembra convenire meglio anche per motivi stilistici. Lasciato in eredità (1863) dal pittore all'amico Blondel, presso i cui discendenti fu acquistato da Chéramy, che lo destinò (1912) alla sede odierna.

365. TURCO INTENTO A SCRIVERE

ol e cera/tl 28×35 1842 R. 751

Passato (170 fr.) per la vendita Villot (Parigi 1865).

366. L'EDUCAZIONE DELLA VERGINE (SANT'ANNA. LA LEZIONE DI LETTURA). Parigi, propr. priv.

ol/tl 93×121 f d 1842 R. 752

Eseguita a Nohant durante un soggiorno presso George Sand; posarono la governante e la figlia della scrittrice, mentre Maurice, figlio della stessa, ne traeva una copia (Nohant, Chiesa parrocchiale). Rifiutata dal Salon del 1845. Venduta dalla Sand (1866) a E. Rodriguez per 5.000 franchi; poi passata per varie collezioni private.

Esp. L 1930, n. 106. V 1956, n. 23. C 1963, n. 314.

367. QUENTIN DURWARD E SUO ZIO LESLY LO SFREGIATO

ol/tl 1842 R. 1714

Da una lettera di Delacroix (1842) risulta che l'episodio raffigurato concerne la consegna della propria catena d'oro a un valletto, da parte di Lesly, per celebrare messe in suffragio dei parenti assassinati. Robaut segnala il passaggio di un tema identico per la vendita allestita dall'Hôtel Drouot il 7 aprile 1884.

368. IL GIARDINO DI GEORGE SAND A NOHANT (?). New York, Metropolitan Museum

ol/tl 44×55 f 1842(?) R.* 752 bis

Il riferimento al giardino della Sand non ha potuto essere confermato; così come non risulta assolutamente certo che, dei tre soggiorni a Nohant di Delacroix (1842, 1843, 1846), l'esecuzione del presente dipinto riguardi il primo. Alla vendita Sand (1890) 'fece' 1.700 franchi; nella sede odierna dal 1922.

Esp. L 1930, n. 209. C 1963, n. 316.

369. CAVALLO ASSALITO DA UNA LEONESSA. Parigi, Louvre

ol/tl 34×43 f 1842* R. 761

Passato per la vendita postuma di Delacroix (n. 80).

370. FIORI E FRUTTA (MAZZO DI FIORI IN UN VASO DI GRÈS). Vienna, Kunsthistorisches Museum

ol/tl 74×93 *1843* R. 557

Da Moreau e Robaut ascritto al 1834. Poiché appartenne a George Sand, si può pensare che la natura morta sia stata dipinta nel 1842 o '43 (si veda n. 484). Alla vendita della Sand (1864) 'fece' 2.070 franchi; a quella Carlin, 13.650.

Esp. C 1963, n. 317.

371. LA FIDANZATA DI ABYDOS. Parigi, Louvre

ol/tl 35,5×27,5 f 1843(?) R. 772

Versione variata del tema già trattato nel 1837 (n. 294). A una vendita parigina del 1874 'fece' 32.050 franchi [R.]. Nella sede odierna dal 1902. Per ulteriori versioni si veda ai n. 371, 372 e 547.

372. c.s.

ol/tl 32×40 1843 R. 773

Ripresa variata del tema precedente (si veda). Presente all'Exposition Universelle del 1855 (n. 216).

373. TESTA DI TURCO

ol/tl 40×32 1843 R. 788

Apparso all'Exposition Universelle del 1855. Alla vendita postuma dell'artista (n. 73) venne acquistato da Haro per 835 franchi.

374. LEONESSA CON LE ZAMPE SUL CORPO DI UN ARABO. Già Parigi, Lambert-Sainte-Croix

ol/tl 20×30 1843 R. 763

Tema fedelmente ripreso da Delacroix in un'incisione del 1849. Robaut (n. 764) menziona un dipinto analogo, ŝu tavola (24×35), non catalogato da Moreau, avanzando seri dubbi sull'autografia.

375. AMLETO TENTATO DI UCCIDERE IL RE. Già Parigi, P. Meurice

ol/tl 26×19 1843 R. 765

Dall'*Amleto* di Shakespeare (atto 3°, scena 3ª). Riprende, con leggere varianti, la composizione già trattata dal maestro in una litografia del 1834 [R.].

376. AMLETO UCCIDE POLONIO

ol/tl 27×20 1843 R. 766

Dall'*Amleto* di Shakespeare (atto 3°, scena 4ª). La composizione riprende, variandola, quella trattata da Delacroix stesso in una litografia del 1834 nota in tre stati.

377. LA MORTE DI MARCO AURELIO. Lione, Musée des Beaux-Arts

ol/tl 26×32 1843 R. 923

Abbozzo per il n. 413. Alla vendita postuma di Delacroix (n. 59) fu acquistato da Porzio per 1.000 franchi. Nella sede odierna dal 1913.

Esp. C 1963, n. 334.

378. PIETÀ. Parigi, Chiesa di Saint-Denis du Saint-Sacrement

ol e cera/muro 355×475 f 1843-44 R. 768

Il 4 giugno 1840 Rambuteau, prefetto della Seine, conferiva a Delacroix l'incarico, rifiutato da R. Fleury, di eseguire un di-

pinto destinato alla chiesa suddetta. Il pittore, dopo essersi fatto assegnare, anziché la cappella dell'Annunciazione, quella della Pietà, a lui più congeniale, attendeva alla stesura nell'inverno 1843-44; poi, entro il maggio del 1844, eseguiva i tocchi finali. La 'prima idea' si trova in un disegno riprodotto silograficamente da A. Pothey per "L'Illustration" (agosto 1863), dove la visione si schiude fra due drappi sorretti da angeli. Il gesto drammatico della Vergine a braccia spalancate e la positura stessa del Redentore richiamano in qualche modo la *Deposizione* vaticana del Caravaggio. L'opera, che fu pagata all'artista 6.000 franchi, venne accolta da giudizi aspramente incomprensivi; però Mantz ["L'Artiste" 2 febbraio 1845] notava che "questa Pietà è più che arte: è cuore, umanità, vita"; e Baudelaire [*Salon de 1846*]: "Questo capolavoro lascia nell'anima un senso di profonda malinconia".

379. c.s.

ol/tl 38×46(?) 1843 R.771

Possibile abbozzo per il n. 378, forse con qualche figura in meno. Acquistato da Lambert per 1.120 franchi alla vendita postuma di Delacroix (n. 7).

380. c.s.

ol/tl 37×45 *1844* R.769

Altro abbozzo per il n. 378 o per una sua derivazione ridotta. Passato per la vendita parigina Laurent-Richard (1878).

381. c.s. Già Parigi, Rodrigues

ol/tl 28,5×41 *1844* R.770

Abbozzo analogo al precedente.

382. TESTA DELLA VERGINE

ol/tl 1843(?)

Ci è nota soltanto da una riproduzione in Escholier [1929], dalla quale sembra di poter desumere una qualità degna del maestro. Probabile abbozzo parziale della *Pietà* suddetta (n. 378).

Abbozzi per i dipinti nella biblioteca di palazzo Borbone

Si raggruppano qui di seguito i dipinti preliminari per il secondo ciclo dipinto in palazzo Borbone (ed eventuali repliche coeve) e condotto a termine nel 1847 (si veda n. 461-482). Tali opere costituiscono una minima parte del lavoro preparatorio per il ciclo, che comprese anche numerosi disegni, acquerelli e pastelli. Vengono generalmente riferiti al 1843-44, e Robaut li assegna tutti al '44; ma L. de Planet, uno dei due aiuti del maestro nell'impresa, segnala [1929] che nel febbraio 1843 gli abbozzi erano pressoché pronti al completo.

383. ORFEO DIFFONDE LA CIVILTÀ IN GRECIA

ol/tl R.1718

Abbozzo per il n. 461. Acquistato per 530 franchi da Aubry alla vendita postuma di Delacroix (n. 12).

366

368

369

370

371 [Tav. XLVI]

372

373 [R]

374 [R]

375

376 [R]

377

Un'opera dello stesso tema (ol/ct su tela, 51×88,5, con le iniziali del maestro) è stata immessa nella vendita Sotheby (Londra) del 25 novembre 1964; poi passò (8.500 ghinee, a Hallsborough) per quella di Christie del 6 dicembre 1968 (foto n. 383¹).

384. c.s. Parigi, propr. priv.

ol/tl applicata su tv emisferica 40×70 (profondità: 30 cm) R.830

Come il precedente. Passato per la vendita postuma di Delacroix (n. 12).

Esp. C 1963, n. 367.

385. LA MORTE DI PLINIO IL VECCHIO

ol/tl 24×30 R.888

Abbozzo per il n. 462. Acquistato da Vauzelard per 740 franchi alla vendita postuma di Delacroix (n. 15).

386. ARISTOTELE DESCRIVE GLI ANIMALI INVIATI DA ALESSANDRO MAGNO

ol/tl 24×30 R.889

Abbozzo per il n. 463. Acquistato per 723 franchi da Tesse alla vendita postuma di Delacroix (n. 14).

387. IPPOCRATE RIFIUTA I DONI DI ARTASERSE

ol/tl 24×30 R.891

Abbozzo per il n. 464. Alla vendita postuma di Delacroix (n. 16) fu acquisito da Normand (400 fr.).

388. c.s. Già Parigi, Desmaisons

ol/tl R.1724

Secondo Robaut sarebbe una ripetizione del n. 387, riferibile al 1844 sulla base di una nota manoscritta di Delacroix, eseguita per il proprio medico.

la qualità (che tuttavia sembra degna del maestro). Sicuramente non identificabile con alcun olio registrato da Robaut; di conseguenza, sia pure con ogni cautela, da prospettare quale abbozzo del n. 465: d'altronde dovrebbe trattarsi di un dipinto passato per la vendita postuma di Delacroix, come sembra provare il *cachet* apposto in basso, sul recto stesso (ciò che peraltro costituisce un'eccezione non priva di aspetti opinabili).

390. ERODOTO SI INFORMA SUI RE MAGI

ol

Valgono le argomentazioni fatte per il n. 389: dunque, possibile abbozzo per il n. 466.

391. I PASTORI CALDEI INVENTORI DELL'ASTRONOMIA

ol/tl 45×38 R.879

Abbozzo per il n. 467. Alla vendita postuma di Delacroix (n. 120) fu acquistato per 100 franchi da Arosa; alla cui vendita (1878) 'fece' 75 franchi.

392. c.s. Parigi, Lebel

ol/tl 24×29 R.880

Come il precedente. Alla vendita postuma di Delacroix (n. 17) fu acquistato (114 [?] fr.) da Piron.

393. LA MORTE DI SENECA

ol/tl 27×20 R.882

Abbozzo per il n. 468. Alla vendita Arosa (1878) fu acquistato da Breysse per 605 franchi; nel 1884 pervenne a H. Rouart per 1.000.

394. c.s.

ol/tl 22×27 R.885

Come il precedente. Alla vendita postuma di Delacroix (n. 18) fu acquistato da de Laage per 700 franchi.

378

382

389. LA MORTE DI ARCHIMEDE

ol

Il dipinto parrebbe pubblicato dal solo Escholier [1929], dalla cui illustrazione, qui riprodotta, non è possibile valutare

379

380

383[l]

384

395. TESTA DI GIOVANE E BRACCIO

ol/tl 47×60 R. 884

Altro abbozzo per il n. 468, ma parziale. Alla vendita postuma dell'artista (n. 199) fu aggiudicato ad Arosa, insieme con un'altra tela, per 70 franchi; venne quindi acquistato (1878) da Hazard per 60 franchi.

396. SOCRATE E IL SUO GENIO FAMILIARE

ol

Valgono le argomentazioni formulate per il n. 389; quindi, possibile abbozzo per il n. 469.

397. NUMA POMPILIO E LA NINFA EGERIA

ol/tl 26×30 R. 865

Abbozzo per il n. 470. Acquistato da Normand per 540 franchi alla vendita postuma di Delacroix (n. 26).

398. c.s. Parigi, Lebel

ol/tl 24×28 R. 866

Come il precedente, a grisaglia. Passato per la vendita postuma di Delacroix (n. 19); poi, per la vendita Carlin (1872, 4.100 fr.) e altre.

399. LICURGO CONSULTA LA SACERDOTESSA PIZIA. Già ... (Gran Bretagna [?]), Leighton

ol/tl 24×30 R. 868

Abbozzo per il n. 471. Passato a 820 franchi per la vendita postuma di Delacroix (n. 20).

400. c.s. Già Parigi (?), Donatis

ol/tl 32×39 f R. 869

Come il precedente.

401. CICERONE ACCUSA VERRE

ol/tl 24×30 R. 873

Abbozzo per il n. 472. Acqui-

stato da Stevens per 1.540 franchi alla vendita postuma di Delacroix (n. 21).

402. DEMOSTENE SULLA SPIAGGIA

ol/tl 24×30 R. 871

Abbozzo per il n. 473. Acquistato per 500 franchi da Petit alla vendita postuma di Delacroix (n. 22).

403. c.s.

ol/tl 46×36 R. 872

Come il precedente. Acquistato da Lecesne per 1.120 franchi alla vendita postuma di Delacroix (n. 62).

404. ADAMO ED EVA SCACCIATI DALL'EDEN. Parigi (?), Granville

ol/tl 21×25 f R. 853

Abbozzo per il n. 474.

405. c.s. Glasgow, Art Gallery and Museum

ol/tl 136,2×105,1 f 1844(?) R. 854

Quantunque la critica — a cominciare da Robaut — sembri per lo più propensa a considerarlo abbozzo del n. 474, potrebbe essere nel giusto Sérullaz scorgendovi una ripresa posteriore.

406. LA DECOLLAZIONE DEL BATTISTA

ol

Quantunque la riproduzione qui pubblicata, attingendo in Escholier [1929], presenti un supporto rettangolare, possono valere le argomentazioni addotte per il n. 389, anche perché la zona dipinta accenna con evidenza a un pennacchio; perciò, probabile abbozzo del n. 476.

407. IL TRIBUTO DELLA MONETA. Parigi, propr. priv.

ol/ct su tl 24×29 R. 862

412

412[l]

Abbozzo per il n. 477. Acquistato da Ph. Rousseau per 750 franchi alla vendita postuma di Delacroix (n. 23).

408. OVIDIO IN ESILIO

ol/tl 24×30 R. 847

Abbozzo per il n. 479. Acquistato da Thoré per 1.020 franchi alla vendita postuma di Delacroix (n. 24).

409. L'EDUCAZIONE DI ACHILLE

ol/tl 23×29 R. 842

Abbozzo per il n. 480. Acquistato da Berryer per 1.000 franchi alla vendita postuma di Delacroix (n. 25). Passò poi (1878) per la vendita Laurent-Richard.

410. c.s. Montpellier, Musée Fabre

ol/tl 22×30 R. 843

Più che preparatorio per il n. 480, viene considerato da Sérullaz come replica posteriore (1848) di un suo abbozzo. Sembra però strano che, compiuto il ciclo in palazzo Borbone, Delacroix abbia dipinto nuovamente un'opera preparatoria, dandole forma di pennacchio. Donata dal maestro a C. Dutilleux; poi passata per due vendite parigine (1874 e '75) a 3.500 e 3.050 franchi.

Esp. C 1963, n. 394.

411. ESIODO E LA MUSA

ol/tl 24×30 R. 848

Abbozzo per il n. 481. Acquistato da Piron per 1.980 franchi alla vendita postuma di Delacroix (n. 19).

Un'opera analoga (ol/ct su tela, 31,5×40), di non agevole valutazione agli effetti dell'autografia, appartiene (1962) alla Kunsthalle di Brema.

389

390

393

396

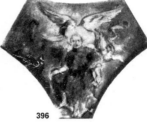

399

398

404

405

406

407

409

410

411

414 [R]

415 [Tav. IL]

416

422 [R]

422¹

412. ATTILA PERCORRE L'I-TALIA IN ROVINA. Strasburgo, Musée des Beaux-Arts

ol/tl 36×93 R. 834

Abbozzo per il n. 482. Alla vendita postuma di Delacroix (n. 13) 'fece' 1.050 franchi.

Un'opera di tema uguale (ol/ct su tela, 52,5×90, con le iniziali del maestro) ha avuto le stesse vicende di quella accennata in calce al n. 383, 'facendo' però 8.000 ghinee all'asta di Christie (foto n. 412¹).

413. LA MORTE DI MARCO AURELIO (ULTIME PAROLE DELL'IMPERATORE MARCO AURELIO). Lione, Musée des Beaux-Arts

ol/tl 256×330 f 1844 R. 924

Il catalogo del Salon del 1845, dove l'opera fu esposta, chiarisce che, essendosi già manifestate le inclinazioni perverse di Commodo, l'imperatore morente raccomanda il figlio all'attenzione di alcuni amici filosofi, i quali peraltro sembrano consci delle ombre che si stanno addensando sul trono di Roma. Dipinta durante i lavori a palazzo Borbone e al Lussemburgo, forse per utilizzarla nel primo dei due cicli, ma poi tradotta su tela autonoma. Acquistata dallo Stato (10.000 fr.) nel 1858 e l'anno dopo destinata alla sede odierna. Di contro all'entusiasmo di Baudelaire [*Salon de 1845*] ("splendido, magnifico, sublime ... Il colore è d'una sapienza incomparabile ..."), la comparsa al Salon del '45 suscitò per lo più riserve sulla pretesa "trivialità" dei personaggi, ecc. Maltese rileva il timbro emotivo della composizione, indicando affinità tra la positura dell'imperatore e quella di Sardanapalo nel n. 158. Per un abbozzo si veda al n. 377.

Esp. L 1930, n. 113. C 1963, n. 334.

414. BACCANTE ASSOPITA

ol/tl 33×45 1844 R. 789

Acquistata da Haro per 320 franchi alla vendita postuma di Delacroix (n. 128).

415. LA MORTE DI OFELIA. Parigi, Louvre

ol/tl 23×30,5 f 1844 R. 790

Versione del tema già trattato nel 1838 (n. 332) e ripreso nel 1859 (n. 764).

416. LA MORTE DI SARDANA-PALO. Filadelfia, Museum of Art (McIlhenny)

ol/tl 74×93 1844 R. 791

Versione ridotta del n. 158, lasciata in eredità dal maestro a Legrand, e poi appartenuta a Crabbe (Bruxelles).

Robaut ne ricorda una copia eseguita da Villot nell'*atelier* di Delacroix.

417. LEONE CHE DIVORA UN CAVALLO

ol/tl 33×41 f 1844 R. 806

Tema affine a quello d'una litografia eseguita dal maestro per "Les Artistes contemporains" (1844), nota in cinque stati (foto n. 417¹). Passato per due aste parigine (1853 e 1857) a 545 e 960 franchi.

418. c.s.

ol/tl 1844(?) R. 1842

Abbozzo, che soltanto per l'identità del tema si può supporre relativo all'opera precedente, quantunque Robaut lo dichiari leggermente variato rispetto alla litografia di cui al n. 424. Passato (290 fr.) per la vendita postuma (n. 149).

419. CRISTO IN CROCE

ol/tl 1844 R. 1729

Acquistato da Dauzats per 100 franchi alla vendita postuma di Delacroix (n. 132).

413

423

420. PAESAGGIO A CHAMP-ROSAY

ol/ct 17×26 1844(?) R. 544

Escholier [1926] lo pubblica come *Il parco di Valmont*. Passato per la vendita postuma di Delacroix (n. 219). Da Robaut ascritto al 1834; ma, per le ragioni di cui ai n. 562-564, probabilmente posteriore almeno d'un decennio.

421. DALIE. New York, Wildenstein

ol/tl 48×73 1844-45

Proviene dalla collezione Rouart.

Esp. L 1930, n. 220.

422. AMLETO E LO SPETTRO

ol/tl *1845 R. 1731

Dall'*Amleto* di Shakespeare (atto 1°, scena 5ª). Noto per essere apparso in una rassegna allestita da Bocage nel *foyer* dell'"Odéon" di Parigi (1845) e per una caricatura pubblicata dall'"Illustration" del 6 dicembre 1845. Si riproducono qui un disegno (Detroit, Institute of Arts; foto n. 422¹) per la litografia autografa del 1834 e la litografia autografa del 1843 (foto n. 422²), che Robaut lascia supporre di composizione affine a quella del dipinto.

423. IL SULTANO DEL MA-ROCCO. Tolosa, Musée des Augustins

ol/tl 377×340 f d 1845 R. 927

Dal catalogo del Salon del 1845, dove l'opera fu esposta, risulta che la composizione riproduce "esattamente" il cerimoniale di un'udienza concessa dal sultano Muley-abd-err-Rahmann, cui il pittore assistette il 22 marzo 1832 durante il viaggio in Marocco. A sinistra dell'imperatore, Amyn-Bias, amministratore delle dogane, e il ministro Muchtar, favorito del sovrano; a destra, quasi di schiena, il *caid* Mohammed-Abu, uno dei capi militari più in vista. Presso il cavallo, il servo addetto a scacciare le mosche; il sultano è l'unico in sella, anche i soldati di cavalleria alle sue spalle sono appiedati. Assegnato (1845) dal Ministero degli Interni al museo tolosano in cambio del *Marco Aurelio*, per lo stesso prezzo (si veda n. 413). La critica accolse favorevolmente il dipinto: pur notando qualche "negligenza", Houssaye ["L'Artiste" 6 aprile 1845] rileva verità e grandezza; Baudelaire [*Salon de 1845*] esprime i pareri più comprensivi: "La composizione è ottima, inattesa, perché vera e naturale". Lambert [*Histoire d'un tableau: l'Abd-er-Rahmann ... de Delacroix*, 1953] ha studiato la genesi dell'opera, indicando sei fasi differenti; ma rimane impossibile stabilire quali siano gli studi eseguiti dal vero, quali a memoria durante la quarantena a Tolone, e quali le rielaborazioni finali [Sérullaz].

Esp. L 1930, n. 144. C 1963, n. 339.

424. c.s. Parigi, Granville

ol/tl 31×40 1845 R. 1744

Unico abbozzo sicuro a olio (numerosi altri, a disegno, pastello, acquerello) del n. 423.

Esp. C 1963, n. 340.

425. SOLDATO DELLA GUARDIA IMPERIALE MAROCCHINA. Bordeaux, Musée des Beaux-Arts

ol/tl 32×41 f d 1845 R. 1046

Donato (1845) dal pittore al fratello Charles-Henry, che lo destinò alla sede odierna. Da Robaut ascritto al 1848; ma poi lo studioso stesso [R.*] si corresse.

426. ODALISCA SDRAIATA. Parigi, David-Weill

ol/tl 32×40 f 1845 R. 942

Tema già trattato a partire dal 1825 (n. 128, 146 e 171). Venduta dal pittore, durante l'esposizione al Salon del 1847, a Van Isaker; passata poi attraverso varie collezioni. Thoré ["Le Constitutionnel" 17 marzo 1847] ne elogiò il modellato, "morbidissimo come nel Correggio e altri maestri della scuola parmense o veneziana".

Esp. C 1963, n. 366.

427. CONGEDO DI ROMEO DA GIULIETTA. ... (Svizzera), propr. priv.

ol/tl 62×49 f d 1845 R. 939

Dal *Romeo e Giulietta* di Shakespeare (atto 3°, scena 5ª). Apparso al Salon del 1846, dove lo elogiò Th. Gautier.

428. SIBILLA INDICANTE IL RAMOSCELLO D'ORO (LA SIBILLA CUMANA). New York, Wildenstein

417¹

424

425   426   427   428

429 [R]   430   433   435

ol/tl 130×97 f *1845* R. 918

Il racemo è la "conquista dei grandi cuori e dei diletti dagli dèi", come avverte il catalogo del Salon del 1845, ove l'opera fu esposta con successo ("... incomparabile, la spalla nuda vale un Correggio", così Baudelaire [Salon de 1845]). Apparsa anche all'Exposition Universelle del 1855 e, nel 1963, alla mostra di Delacroix a Bordeaux. Passò per la vendita postuma del maestro (n. 60), dove fu acquistata (3.350 fr.) da Haro.

429. GOETZ VON BERLICHIN-GEN SCRIVE LE MEMORIE

ol/tl 27×20 1845 R. 919

Tema desunto dal Goetz di Goethe (atto 4°, scena 5ª). Già trattato da Delacroix in una litografia del 1836, di cui il dipinto ripete la composizione.

430. LA MADDALENA IN PRE-GHIERA, CON UN ANGELO. Winterthur, Reinhart

ol/tl 31×23 1845 R. 920

Appartenuta a Dumas padre.

431. TESTA DELLA MADDALE-NA PENITENTE

ol/tl 1845 R. 921

Abbozzo per l'opera precedente. Presente al Salon del 1845, dove fu molto lodata da Baudelaire, e all'Exposition U-niverselle del 1855.

432. TESTA DI DONNA MOR-TA. Già Parigi, Osiris

ol/tl 52×45 1845(?) R. pag. 538

Vista da Robaut alla rassegna parigina di Delacroix allestita nel 1885 (n. 183) e accolta come autografo, indicando le affinità — almeno, 'esterne' — con la Maddalena di cui al numero precedente.

433. CRISTINA DI SVEZIA E IL MONACO A FONTAINEBLEAU. Parigi, propr. priv.

ol/tl 1845 R. 922

Tema desunto dal dramma di Dumas padre, Stokholm, Fontainebleau et Rome ou Christine de Suède (1830). Appartenuta allo scrittore stesso.

Esp. V 1956, n. 26.

434. RINALDO E ARMIDA

ol/tl 46×56 1845(?) R. 1745

Dal canto 16° della Gerusalemme liberata di T. Tasso. Risulta per certo, dal Journal, che nel 1860 Delacroix intendeva affrontare questo tema; donde la possibilità che la cronologia suddetta, asserita da Robaut, sia da ritardare. Apparso alla prima rassegna postuma del maestro (n. 119), e alla vendita postuma dello stesso (n. 121), dove fu acquistato (107 fr.) da Andrieu, che lo cedette alla duchessa Colonna, motivo per cui è pensabile che l'opera possa trovarsi in Svizzera.

435. CAVALIERE ARABO IN RI-POSO (ARABO CON DESTRIE-RO)

ol/tl 34×29 f *1845*(?) R. 739

Acquistato da Soultzener per 380 franchi a una vendita parigina del 1850. Tale notizia, fornita da Robaut, vale a smentire la cronologia 1854 sostenuta da Escholier [1929], quantunque quella addotta da Robaut stesso, 1841, sembri precoce.

Personaggi illustri, allegorie ed episodi storici nella biblioteca del Lussemburgo

Mentre da due anni è occupato nel secondo ciclo di palazzo Borbone, il 3 settembre 1840 — ancora una volta grazie all'appoggio di Thiers, divenuto presidente del Consiglio — Delacroix riceve l'incarico di decorare la nuova biblioteca nel palazzo parigino del Lussemburgo, sede del Senato. La nuova serie, eseguita su tele applicate alla parete, si sviluppa sulla cupola e sui relativi quattro pennacchi esagonali, e sull'emiciclo soprastante la finestra. Nella stesura, il maestro venne assistito da G. Lassalle-Bordes.

Villot, in una lettera a Sensier (1869), ricorda che il tema venne scelto da Delacroix una sera che lo trovò intento a leggere il canto 4° dell'Inferno di Dante, là dove si parla degli "spiriti magni" al Limbo; tuttavia il pittore traduce lo spunto nell'esaltazione del genio umano in generale. Delacroix stesso provvide a illustrare le varie composizioni in una nota apparsa nell'"Artiste" del 4 ottobre 1846 e in un manoscritto reperito da Ph. Burty [1880]. I lavori furono conclusi alla fine del '46 stesso, ma gli elogi della critica si manifestarono già nell'aprile di quell'anno, con Gautier ["La Presse"], seguito da Planche ["La Revue des Deux-Mondes" 1° luglio 1846] e da Thoré ["Le Constitutionnel" 10 gennaio 1847], il quale asseriva: "non credo che dopo i grandi tempi del Rinascimento siano state eseguite pitture murali più belle". Mantz ["L'Artiste" 7 febbraio 1847] concludeva il proprio esame: "per il colore, il senso poetico, la luce e la composizione, non esito a sostenere che Delacroix mai è andato oltre e che certe qualità che non aveva ancora del tutto manifestato sgorgano dalla cupola con uno splendore e una perfezione imprevedibili".

Data la brevità dei tempi fra lavori preliminari e stesura (Robaut assegna entrambi al 1845, ma il periodo va almeno esteso fra il 1842 e il '46), a ciascun elemento del ciclo si fa seguire, nella presente trattazione particolareggiata, l'esame dei relativi abbozzi a olio.

Emiciclo

436. ALESSANDRO MAGNO E I POEMI DI OMERO

ol/tl diam. 680, sviluppo massimo 1.020 R. 967

È lo stesso tema di un pennacchio di palazzo Borbone (n. 478), ma trattato in modo differente. A destra del sovrano in trono, che la Vittoria (o la Fama) scende a incoronare, il gruppo dei familiari di Dario; al lato opposto, i funzionari addetti a deporre i poemi omerici nel prezioso scrigno; all'estrema sinistra, avversari sconfitti trascinati in disastrosa fuga dai cavalli.

437. c.s. Già Parigi, Piat

ol/tv diam. 90 R. pag. 538

Eseguito su un supporto ligneo riproducente la curvatura dell'opera definitiva. Abbozzo visto da Robaut alla rassegna parigina di Delacroix allestita nel 1885, e accolto come autografo.

Cupola

438. GLI SPIRITI MAGNI NEL LIMBO (o NEI CAMPI ELISI)

ol/tl diam. 680, sviluppo massimo 2.040 R. 968

La composizione è, dunque, ispirata dal Limbo dantesco; ma, come avverte lo stesso Delacroix nella nota suddetta del 1846, essa ricrea una sorta di Campi Elisi. La formano quattro gruppi principali. Il primo, "che è come il centro e il più importante del dipinto" e risulta il meglio illuminato, fronteggiando la finestra verso il giardino, appare dominato dall'aquila reggente il cartiglio coi seguenti versi della Commedia (se ne dà la trascrizione diplomatica): "COSÌ VIDI ADUNAR LA BEL-LA SCUOLA / DI QUEL SI-GNOR DELL'ALTISSIMO CAN-TO / CHE SOVRA GLI ALTRI COM'AQUILA VOLA"; lo compone Omero, appoggiato al lungo scettro e accompagnato da Ovidio, Stazio e Orazio, nell'atto di accogliere Dante presentato da Virgilio; ai piedi del vate greco sgorga una polla divina, la cui acqua è raccolta da un putto alato, che sembra offrirla in una coppa d'oro a Dante. A sinistra del gruppo è assiso Achille; a destra, Pirro, armato, e, dietro di lui, Annibale: quest'ultimo, "con lo sguardo rivolto alla parte della composizione in cui si scorgono i romani". A sinistra di Achille, inizia il secondo gruppo — dei greci illustri — Alessandro, appoggiato alla spalla del suo maestro Aristotele e rivolto ad Apelle, seduto in primo piano e intento a ritrarre il Macedone; poi, sempre verso sinistra, Aspasia dalla bianca veste, e Socrate, cui un genietto presenta la palma dell'oracolo, attorniato da alcuni personaggi fra cui Alcibiade con l'elmo; più oltre, Senofonte, coronato di fiori, si rivolge a Demostene che tiene un rotolo sulle ginocchia. Procedendo verso sinistra si incontra il terzo gruppo, dominato dai due putti con la tar-

452   453   454   455   456

457   458   459   460 [Tav. L]

ga recante altri versi danteschi: "L'ORRATA NOMINANZA / CHE DI LOR SUONA IN SU / NELLA TUA VITA / GRAZIA ACQUISTA NEL CIEL / CHE SI GLI AVANZA"; e composto da Orfeo, seduto con la lira, mentre la musa in volo alle sue spalle "pare dettargli canti divini"; Esiodo (a destra), sdraiato ai suoi piedi, raccoglie i miti della Grecia, e Saffo (a sinistra) presenta ai due le "tavolette ispirate"; dinanzi alla poetessa, una pantera, che trascura la vicina capretta per volgersi a Orfeo; dietro, un ameno pianoro con altre figure vaganti: donne che colgono fiori ai bordi d'un ruscello e belve mansuete. Infine, il quarto gruppo, dei romani insigni; principia con Cincinnato in abiti rustici, che un ragazzetto — "sembra il genio di Roma" — invita a riprendere le armi; quindi, Catone l'Uticense — col manoscritto del suo trattato su Platone e, al suolo, la spada puntata verso il ventre — nell'atto di rivolgersi alla figlia Porzia, seduta presso Marco Aurelio, cui indica il braciere coi carboni ardenti, strumento di morte dell'imperatore stesso; all'ombra dell'alloro, Traiano, dietro al quale stanno Giulio Cesare, Cicerone e altri; in primo piano, all'estrema sinistra, due ninfe, di cui quella più arretrata è intenta a giocare con un bimbo.

439. c.s.

ol(?) R. 960

Robaut lo definisce "abbozzo dipinto di forma semisferica": verosimilmente su tavola, doveva concernere metà della figurazione nella cupola. Acquistato (750 fr.) da Piot alla vendita postuma di Delacroix (n. 9).

440. OMERO E IL SUO SEGUITO (GRUPPO DI OMERO)

ol/tl 45×58 R. 958

Abbozzo parziale — a grisaglia — per il primo dei quattro gruppi principali della cupola. Acquistato da É. Arago per 295 franchi alla vendita postuma di Delacroix (n. 8).

441. c.s. (OMERO, OVIDIO, ORAZIO E LUCANO)

ol/tl 47×58 R. 1750

Abbozzo, a colori, come il precedente. Passato per 185 franchi alla vendita postuma del maestro (n. 8 bis).

Pennacchi

Tutti e quattro a olio, su tela esagonale (140×150), a grisaglia imitante bronzo su fondo d'oro. Le trattazioni particolareggiate, qui di seguito, procedono nell'ordine tenuto per le figurazioni della cupola soprastante.

442. L'ELOQUENZA (CICERONE)

R. 970

Un uomo maturo intento ad arringare la folla.

443. c.s.

ol/tl esagonale 15×15 R. 966

Abbozzo del precedente. Passato per la vendita postuma di Delacroix (n. 10 D), dove venne acquisito da Haro, assieme agli altri tre della stessa serie (n. 446, 448 e 451), per 820 franchi.

436

438 [Tav. LI]

442   444   447   449

444. LA POESIA (LA MUSA DI ORFEO. ORFEO)

R. 971

L'ultimo dei titoli suddetti [R.; ecc.] è da escludere, data la femminilità dell'immagine.

445. c.s. Cambridge, Fitzwilliam Museum

ol/tl 25×27 R. 961

Abbozzo per l'opera precedente. Acquistato (300 fr.) da sir F. Leighton alla vendita postuma di Delacroix (n. 11).

446. c.s.

ol/tl esagonale 15×15 R. 962

Come il precedente. Passato per la vendita postuma del maestro (n. 10 A; si veda n. 443).

447. LA FILOSOFIA (LA SCIENZA. LA MUSA DI ARISTOTELE)

R. 972

Stranamente, nel manoscritto ricordato più sopra, Delacroix descrive la presente figura come quella di "un uomo circondato d'attributi e animali d'ogni genere". Peraltro, qualche autore scorge Aristotele stesso.

448. c.s.

ol/tl esagonale 15×15 R. 963

Abbozzo per l'opera precedente. Passato per la vendita postuma del maestro (n. 10 B; si veda n. 443).

449. LA TEOLOGIA (SAN GEROLAMO NEL DESERTO)

R. 969

450. c.s.

ol/tl esagonale 25×27 f R. 964

Abbozzo per il precedente. Acquistato da Sichel (1.000 fr.) alla vendita Th. Gautier (1873).

451. c.s.

ol/tl esagonale 15×15 R. 965

Come il precedente. N. 10 C della vendita postuma di Delacroix (si veda n. 443).

452. IL RAPIMENTO DI REBECCA. New York, Metropolitan Museum (Wolfe)

ol/tl 100×82 f d 1846 R. 974

Il tema deriva dall'*Ivanhoe* di W. Scott. Esposto al Salon del 1846, suscitando lo sdegno di Delécluze ["Journal des Débats" 31 marzo 1846] e di Planche ["La Revue des Deux-Mondes" 1° maggio 1846] per le "sproporzioni", ecc.; mentre Mantz ["L'Artiste" 12 aprile 1846] ne lodava il movimento, e Baudelaire [*Salon de 1846*] l'ordine perfetto dei toni. Per una ripresa del 1858 si veda al n. 748.

Esp. L 1930, n. 119. C 1963, n. 355.

453. CRISTO IN CROCE. Baltimora, Walters Art Gallery

ol/tl 81×65 f d 1846 R. 986

Accolto favorevolmente dalla critica, al Salon del 1847, indicando riferimenti a Rubens e al tonalismo veneto da Giorgione a Tiziano.

Esp. C 1963, n. 363.

454. c.s. Rotterdam, Museum Boymans - van Beuningen

ol/tv 37×25 *1846* R. 995

Abbozzo per l'opera prece-

Grafico del 2° ciclo di palazzo Borbone (n. 461-482): i numeri sono quelli del Catalogo.

dente. Venduto da Delacroix a Meurice.

455. MARGHERITA IN CHIESA TENTATA DALLO SPIRITO MALIGNO. Già Parigi, Cassirer

ol/tl 55×45 f d 1846 R. 976

Dal *Faust* di Goethe (parte 1ª, *Duomo*). Il tema era già stato espresso da Delacroix, con una composizione praticamente uguale, in una litografia del 1827. L'opera apparve al Salon del 1846. Nel 1852 fu acquistata da Stevens (2.340 fr.) alla vendita Collot.

456. MESSA DEL CARDINALE RICHELIEU. Ginevra, Durand-Matthiesen

ol/tl 40×32 f *1846* R.* 254 bis

Replica del n. 175. Da Robaut riferita al 1831, ma verosimil-

mente più tarda, come suggeriscono lo stile e il tipo stesso della firma [Sérullaz].

Esp. C 1963, n. 129.

457. ODALISCA SDRAIATA. Parigi, Louvre

ol/tl 24×32,5 f 1846 R. 978

Forse eseguita a Nohant, presso George Sand [R.].

458. L'INCREDULITA DI SAN TOMMASO (CRISTO E SAN TOMMASO). Zurigo, propr. priv.

ol/tl 40×33 f 1846 R. 980

Acquistato (770 fr.) da M.me Mahler a una vendita dell'Hôtel Drouot di Parigi (3 marzo 1856).

Esp. V 1956, n. 28.

459. c.s. Copenaghen, Ny Carlsberg Glyptotek

ol/tl 40×32 1846 R. 1754

Abbozzo, forse per l'opera precedente; comunque — secondo Robaut —, opera diversa da quest'ultima. Acquistata da Carvalho (260 fr.) alla vendita postuma di Delacroix (n. 115).

460. CANOTTO DI NAUFRAGHI (NAUFRAGHI ABBANDONATI SU UN CANOTTO). Mosca, Museo Pusc'kin

ol/tl 36×57 f *1846* R. 1010

Per il tema, si veda al n. 28, del 1821. Esposto al Salon del 1847, dove fu accolto con favore. Venduto (500 fr.) da Delacroix al conte Tyszkiewicz; poi, entro il 1925, quando pervenne alla sede odierna, passato per altri proprietari.

Esp. C 1963, n. 365.

Temi allegorici, storici e religiosi nella biblioteca di palazzo Borbone

Delacroix aveva da poco compiuto il ciclo nella sala del Re per lo stesso palazzo Borbone di Parigi (n. 299-325), sede del Parlamento, quando scriveva (15 febbraio 1838) all'amico Rivet esprimendo la speranza di ottenere altri incarichi del genere. In agosto gli giunse la commissione dell'opera in esame, per il compenso di 60.000 franchi. Pure con l'assistenza degli allievi G. Lassalle-Bordes e L. de Planet, sopravvenuta nel 1840 l'incombenza del Lussemburgo (n. 436-451), il nuovo ciclo di palazzo Borbone non fu concluso che nel '47, dopo che gli abbozzi erano pressoché pronti fino dal 1843-44 (si veda no n. 383-412).

L'ornamentazione si sviluppa sui due emicicli alle estremità della galleria che costituisce la biblioteca (ciascuno: 735×1.098 cm.) e sulle cinque cupole succedentisi fra essi, comprendente ognuna quattro pennacchi esagonali (ciascuno: 221×291 cm.; i singoli lati, in senso orario, partendo da quello superiore: 182, 106, 176, 65, 176, 106 cm.): in tutto, ventidue composizioni. La tematica fu chiarita dal maestro stesso in una nota inviata (9 gennaio 1848) al critico Thoré: essa è "in rapporto con la filosofia, la storia, la storia naturale, la giurisprudenza, l'eloquenza, la letteratura, la poesia e, anche, la teologia". Le figurazioni nei due emicicli, enucleate su Orfeo (n. 461) e At-

tila (n. 482), simboleggiano l'eterno cozzo tra il diffondersi della civiltà e la sua distruzione: per tale motivo l'emiciclo sud è detto della Pace, l'altro della Guerra. Le composizioni inserite nelle cupole celebrano: le scienze (Plinio il Vecchio, n. 462; Aristotele, n. 463; Ippocrate, n. 464; Archimede, n. 465), la filosofia (Erodoto, n. 466; i caldei, n. 467; Seneca, n. 468; Socrate, n. 469), la giurisprudenza (Numa, n. 470; Licurgo, n. 471; Cicerone, n. 472; Demostene, n. 473), la teologia — con due temi del Vecchio e due del Nuovo Testamento — (Adamo ed Eva, n. 474; ebrei a Babilonia, n. 475; e Battista, n. 476; il Tributo, n. 477), la poesia (Omero, n. 478; Ovidio, n. 479; Achille, n. 480; Esiodo, n. 481). Ciascun pennacchio è compreso entro una

cornice decorativa e separato dai vicini mediante cartigli adorni di mascheroni tutti differenti.

Oltre al sopravvenuto incarico per il Lussemburgo, concorse a ritardare la stesura in particolare il fatto che, quando ormai la composizione dell'emiciclo sud era compiuta su tela e applicata sulla parete, il calore produsse una crepa irreparabile; cosicché si dovette eliminare il dipinto ed eseguirne un nuovo sulla parete stessa preparata a cera (nel 1847 Delacroix richiedeva un compenso supplementare per il rifacimento, ma invano), procedimento che venne adottato pure nell'altro emiciclo. I pennacchi delle cupole sono invece eseguiti su tela e poi applicati sul muro. La cronologia va complessiva-

(In alto) Interno parziale della biblioteca di palazzo Borbone (n. 461-482), verso l'emiciclo della Guerra (n. 482). - (Qui sopra) Veduta complessiva della cupola terza del ciclo suddetto (n. 470-473).

mente fissata, per la stesura, al 1846-47.

L'accoglienza della critica fu entusiasta, da Cl. de Ris ["L'Artiste" 9 gennaio 1848] a Pr. Haussard ["National" 18 ottobre 1850], a P. de Saint-Victor, che dopo la morte di Delacroix, in una serie di cinque articoli ["La Presse" settembre 1863], scrive: "L'opera più importante di Delacroix è la decorazione della biblioteca di palazzo Borbone ... una chiarezza meravigliosa s'impone in questa profusione di episodi e di immagini, i pensieri si fanno chiari attraverso le forme ... che ammirevole comprensione del nitore greco, della compostezza latina, della sinuosità orientale ... Delacroix fa della storia viva".

Le trattazioni particolareggiate, qui di seguito, si attengono a una sequenza piuttosto incoerente (come appare anche dal grafico a pag. 114, valido per ricostruire la realtà delle ubicazioni), che tuttavia è stata adottata per mantenere l'ordine della descrizione suddetta, dovuta al maestro stesso; nelle singole schede non si riportano i dati 'esteriori' (rintracciabili nella presente introduzione), tranne il numero catalogico di Robaut.

461

Emiciclo sud

461. ORFEO DIFFONDE LA CIVILTÀ IN GRECIA

R. 896

I greci, ancora dediti a un'esistenza selvaggia, si accostano al poeta; buoi al giogo cominciano ad arare, mentre vecchi e uomini più refrattari alla civiltà osservano da lontano lo straniero, i centauri si apprestano a rientrare nelle selve, naiadi e altre divinità fluviali stupiscono fra le acque, e le dee delle arti e della pace — Cerere e Minerva — solcano il cielo, apprestandosi a scendere sulla terra.

Cupola prima

462. LA MORTE DI PLINIO IL VECCHIO

R. 914

Lo scienziato, in aperta campagna, è seduto sotto la pioggia di cenere che sta distruggendo Pompei ed Ercolano; accanto alcuni schiavi costernati, uno dei quali sembra intento a scrivere.

463. ARISTOTELE DESCRIVE GLI ANIMALI INVIATI DA ALESSANDRO MAGNO

R. 915

Uno degli inviati del condottiero macedone tiene per le corna uno strano caprone; un soldato anziano ha fra le braccia una gazzella; al suolo, conchiglie, vegetali, ecc.

464. IPPOCRATE RIFIUTA I DONI DI ARTASERSE

R. 916

Il medico di Coo è circondato dai messi del re di Persia, con vasi e scrigni contenenti preziosi.

465. LA MORTE DI ARCHIMEDE

R. 917

Il filosofo è colpito dal solda-

482 [Tav. LII]

to romano mentre si trova in meditazione.

Cupola seconda

466. ERODOTO SI INFORMA SUI RE MAGI

R. 910

Forse in Egitto, a Menfi, lo storico, accompagnato da un servo, raccoglie notizie per la propria opera sulle antiche tradizioni dei Magi; gli astanti osservano con diffidenza lo straniero greco.

467. I PASTORI CALDEI INVENTORI DELL'ASTRONOMIA

R. 911

I due personaggi osservano il cielo stellato: la contemplazione del Creato come premessa all'invenzione [Blanc].

468. LA MORTE DI SENECA

(SENECA SI FA TAGLIARE LE VENE)

R. 912

Il filosofo è sorretto da servi e amici, mentre già gli cola il sangue dai polsi; i due centurioni recanti l'ordine fatale assistono alla sua fine.

469. SOCRATE E IL SUO GENIO FAMILIARE

R. 913

La figura alata simboleggia probabilmente la solitudine e il raccoglimento, necessari per le ispirazioni più profonde.

Cupola terza

470. NUMA POMPILIO E LA NINFA EGERIA

R. 906

Il re romano e la ninfa sono osservati da una cerva.

471. LICURGO CONSULTA LA SACERDOTESSA PIZIA

R. 907

Tema dell'interrogazione: la durata delle leggi proposte da Licurgo per Sparta.

472. CICERONE ACCUSA VERRE

R. 909

Alla presenza del popolo romano, l'oratore fa portare le opere d'arte sottratte dal proconsole durante la carica in paesi lontani.

473. DEMOSTENE SULLA SPIAGGIA

R. 908

Per abituare la voce a sopraffare il tumulto degli ateniesi, l'oratore arringa le onde marine in tempesta. Due contadini lo osservano fra gli scogli.

Cupola quarta

474. ADAMO ED EVA SCACCIATI DALL'EDEN

R. 902

475. EBREI IN CATTIVITÀ A BABILONIA (LA CATTIVITÀ A BABILONIA)

R. 903

Una famiglia ebraica contempla malinconicamente le acque dell'Eufrate; dietro, alcuni connazionali adibiti a umili lavori.

476. LA DECOLLAZIONE DEL BATTISTA

R. 904

La figlia di Erodiade riceve dal boia il capo del santo.

477. IL TRIBUTO DELLA MONETA (LA DRACMA DEL TRIBUTO)

R. 905

San Pietro toglie la moneta dal pesce, circondato da pescatori e dai loro familiari stupefatti.

Cupola quinta

478. ALESSANDRO MAGNO E I POEMI DI OMERO

R. 898

Il Macedone fa deporre gli scritti del poeta negli scrigni del tesoro di Dario.

479. OVIDIO IN ESILIO

R. 900

Il poeta è seduto tristemente, mentre una famiglia scita gli offre latte e frutta.

480. L'EDUCAZIONE DI ACHILLE

R. 899

Il futuro eroe, sulla groppa del centauro suo maestro, tira con l'arco agli uccelli.

481. ESIODO E LA MUSA (LA MUSA DI ESIODO)

R. 901

La dea ispira il poeta assopito.

Emiciclo nord

482. ATTILA PERCORRE L'ITALIA IN ROVINA

R. 897

Al sopraggiungere degli unni, l'Eloquenza è desolata, le Arti fuggono, mentre campagne e città vengono abbandonate dagli abitanti che lasciano dietro le spalle tracce di sangue.

483. CRISANTEMI. Parigi, Lebel

ol/tl 59×41 1845-50

Appartenuto allo scultore A. Préault.

484. MAZZO DI FIORI IN UN VASO DI GRÈS

ol/tl 65×53 f d 1847 R. 1757

Da non confondere col n. 370: oltre alla presenza di firma e data, presenta varianti rispetto a tale composizione [R.]. Ritirato alla vendita postuma di Delacroix (n. 91).

485. MUSICI EBREI DI MOGADOR. Parigi, Louvre

ol/tl 46×55 f 1847 R. 1011

È il ricordo di un episodio del soggiorno in Marocco: "Il 30 [marzo 1832], l'imperatore ci ha inviato alcuni musici di Mogador: quanto di meglio esista nell'impero" [*Journal*]. Esposto

al Salon del 1847, ottenne giudizi favorevoli ma piuttosto superficiali.

Esp. L 1930, n. 103. C 1963, n. 364.

486. DUE CAVALLI DA FATICA. Già Parigi, Loysel

ol/tv 40×63 1847(?) R. 1014

I quadrupedi sono legati alla porta d'un edificio rustico [R.]. Passato (1.015 fr.) per la vendita Baroilhet (1855). Ci si domanda se non sia lo stesso dipinto di cui al nostro n. 121.

487. SAN GIORGIO COMBATTE CONTRO IL DRAGO (RUGGERO LIBERA ANGELICA). Parigi, Louvre

ol/tl 28×36 f 1847 R. 1003

Inteso [Moreau] anche come *Andromeda liberata da Perseo*. Acquistato (1.220 fr.) dalla baronessa Rothschild alla vendita Marmontel (1858).

488. c.s. Grenoble, Musée

ol/tl 46×55 f 1847(?) R. 1241

Forse coevo del precedente, benché Robaut lo assegni al 1854.

Esp. L 1930, n. 158. C 1963, n. 384.

489. CRISTO IN CROCE

ol/tl 40×32 f 1847 R. 996

Passato per la vendita Laurent-Richard (7 aprile 1873, 29 mila fr.).

490. 'MATER DOLOROSA'

ol/tl 1847 R. 998

Robaut la indica opera di piccole dimensioni.

491. LA MORTE DI VALENTINO. Brema, Kunsthalle

ol/tl 62×65 f d 1847 R. 1008

Tema ricavato dal *Faust* di Goethe (parte 1ª, *Notte*): il moribondo è fratello di Margherita, visibile a destra; feritore, lo stesso Faust, che si allontana, nel fondo, con Mefistofele. Esposto con successo al Salon del 1848: la critica rimase soprattutto colpita dai valori cromatici espressi in questo notturno.

Esp. C 1963, n. 389.

492. IVANHOE E REBECCA NEL CASTELLO DI FRONT-DE-BOEUF

ol/tl 27×21 f 1847 R. 1000

Dall'*Ivanhoe* di W. Scott. Passato, fra il 1853 e il '78, per alcune vendite parigine a prezzi dai 300 ai 3.000 franchi.

493. MARGHERITA IN CHIESA TENTATA DALLO SPIRITO MALIGNO. Già Parigi, Rivet

ol/tl 55×46 1847 R. 1009

Stesso tema del n. 455 (si veda), ma variato. Alla vendita postuma di Delacroix (n. 126) 'fece' 700 franchi.

494. ANDROMEDA LIBERATA DA PERSEO (?)

ol/tl 42×33 f 1847 R. 1001

Il tema potrebbe anche essere un altro (cfr. n. 487). Acquistato da Jardin (850 fr.) alla vendita postuma di Delacroix (n. 64).

495. c.s. Stoccarda, Staatsgalerie

ol/tl 43,8×34,2 f 1847 R. 1002

Replica la composizione precedente [R.]. Passata alla vendita Didier (1854) per 460 franchi, e a una anonima, pure di Parigi (1868), per 3.000.

496. LA MORTE DI LARA. Obersdorf (Allgau), Scharf

ol/tl 51×65 f d 1847 R. 1006

Dal *Lara* di Byron (canto 2°, stanze 15ª-20ª); dopo lo scontro con Otho, il protagonista è soccorso dal misterioso paggio, che si rivela essere una giovane donna. La composizione presenta rapporti con le tavole dell'inglese Th. Stothard per l'opera di G. Clinton su Byron (1825). Al Salon del 1848 suscitò entusiasmo, specie in Thoré ["Le Constitutionnel" marzo 1848], per la vastità dell'ambiente naturale e la sua adesione al dramma psicologico dei personaggi. Per una variante del 1858, si veda al n. 749.

Esp. C 1963, n. 390.

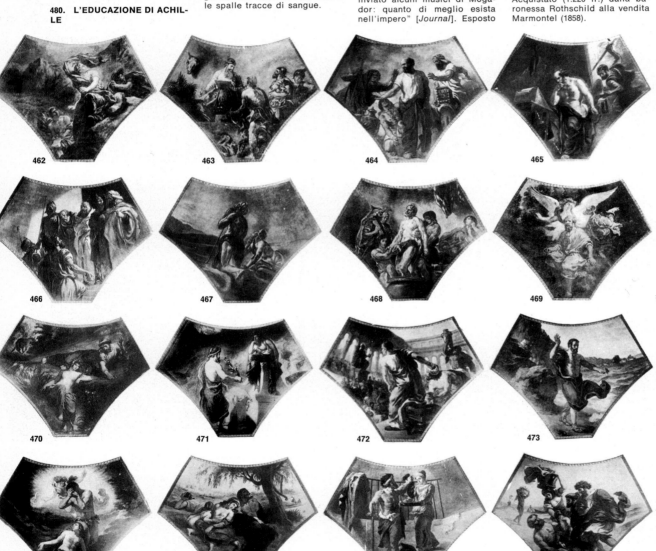

462 463 464 465
466 467 468 469
470 471 472 473
474 475 476 477
478 479 480 481

497. SOLDATI DORMIENTI IN UN CORPO DI GUARDIA A MEKNEZ (CORPO DI GUARDIA A MEKNEZ). Chantilly, Musée Condé

ol/tl 65×54 1847 R. 1015

Tema marocchino, già trattato in un acquerello del 1833. Al Salon del 1847 ottenne giudizi favorevoli, specie per l'ordito luminoso.

498. TIGRE REALE SDRAIATA (RIPOSO DI UNA TIGRE REALE). San Francisco, California Palace of the Legion of Honour (Wintersteen)

ol/tl 41×56 f 1847 R. 1005

Ripropone abbastanza fedelmente la composizione litografata da Delacroix nel 1829. Alla vendita L. Richard (1878) 'fece' 11.800 franchi.

499. TIGRE SDRAIATA. Già Parigi, Wolff

ol/tl 31×50 f 1847 R. 1022

Fra il 1855 e il 1860 passata attraverso alcune vendite parigine a prezzi dai 505 ai 700 franchi.

500. LEONE CHE SBRANA UN ARABO (LEONE NELL'ANTRO). Oslo, Nasjonalgalleriet

ol/tl 54×65 f 1847 R. 1017

Esposto al Salon del 1848.

501. LEONE CHE SBRANA UNA CAPRA (IL LEONE)

ol/tl 28×36 1847 R. 1021

Esposto al Salon del 1848.

502. LEONE CHE SCHIACCIA UNA SERPE. Già Parigi, Dreux

ol/tl 31×24 f 1847 R. 1020

503. DUE CACCIATORI ARABI APPOSTATI (LA POSTA DI ARABI). Già Parigi, Meyer

ol/tl 36×28 f 1847 R. 1018

504. TOELETTA D'UNA EBREA DI ALGERI (INTERNO DI HAREM A ORANO. DONNE DI ALGERI ALLA TOELETTA). Rouen, Musée des Beaux-Arts

ol/ct su tl 27×22 f 1847* R. 1016

Dal *Journal* risulta in via di stesura nel maggio 1847. Nel catalogo della mostra di Tokio viene ascritto al 1853.

Esp. L 1930, n. 185. V 1956, n. 29.

505. ARABI CHE GIOCANO A SCACCHI (GIOCATORI DI SCACCHI A GERUSALEMME). Edimburgo, National Gallery of Scotland

ol/tl 45,5×55,5 1847-49 R. 598

Da Robaut assegnato al 1835; la cronologia suddetta — assai più attendibile — viene sostenuta da Johnson [1963].

506. LA DEPOSIZIONE NEL SEPOLCRO (PIETÀ). Boston, Museum of Fine Arts (Brimmer)

ol/tl 160×130 f d 1848 R. 1034

Delacroix ha lasciato numerosi ragguagli sulla genesi di questo dipinto, intrapreso il 1° febbraio 1847, che costituisce una delle sue maggiori manifestazioni in quanto a tecnica dei toni locali, della luce, dell'ombra. Esposto al Salon del 1848, suscitò consensi, sia pure soprattutto per la carica religiosa, benché Gautier ["La Presse" 26 aprile 1848] indicasse una nota discorde nello squillare dei colori.

Esp. L 1930, n. 121. C 1963, n. 385.

507. c.s. Zurigo, Nathan

ol/tl 55×46 f 1848 R. 1035

Ripresa, con varianti minime, della composizione precedente. Fra i numerosi che ne furono successivamente proprietari, anche il pittore Degas.

Esp. C 1963, n. 386.

508. c.s.

ol/tl 30×42 f 1848 R. 1036

Altra replica ridotta del n. 506. Fra il 1855 e il '68 passò per alcune vendite parigine con prezzi varianti dagli 890 ai 4.000 franchi.

509. c.s.

ol/tl 54×44 1848 R. 1037

510. c.s.

ol/tl 74×59 1848 R. 1038

Passata alla vendita Davin (1863) per 4.000 franchi.

511. CRISTO IN CROCE. Parigi, Louvre

ol/tv 24×17 1848 R. 1047

512. ATTORI COMICI ARABI.
Tours, Musée des Beaux-Arts

ol/tl 96×130 f d 1848 R. 1044

Il titolo suddetto ('*Comédiens bouffons arabes*') è quello con cui l'opera apparve al Salon del 1848, nel cui catalogo è chiarito trattarsi di uno spettacolo cui assistono arabi ed ebrei. Alla rassegna suscitò consensi, e lo Stato provvide ad acquistarlo (2.000 fr.) per la sede attuale.

Esp. L 1930, n. 123. C 1963, n. 392.

513. DONNA DI ALGERI

ol/tl 32×24 1848 R. 1045

Passata per la vendita postuma di Delacroix (n. 70); poi (1879) per quella Hermann, dove l'acquistò (1.650 fr.) Charlet.

514. CLEOPATRA RICEVE L'ASPIDE. ..., Ryan

ol/tl 27×35 f 1848 R. 692 e(?) 1691

Replica variata del n. 338, dipinta per George Sand: le figure principali sono quasi intere e quella della regina egizia è sdraiata; inoltre, alle sue spalle si scorgono due schiavi. Robaut, pur nel dubbio di registrare due volte la medesima opera, cataloga il dipinto in esame, datando al 1838 (28×36, R. 692) e al '39 (27×35, R. 1691), precisando comunque di non conoscere quest'ultimo che attraverso l'elencazione di Moreau. Esiste tuttavia la possibilità che lo studioso sia nel giusto, poiché per l'uno segnala il passaggio attraverso la vendita C. (Parigi, 13 aprile 1865) a 7.250 franchi; per l'altro, quello attraverso la stessa vendita, a 785 franchi.

515. CAVERNA A NANTERRE

ol/tl 1848 R. 1759

Appartenuta a George Sand, poi a suo figlio Maurice. Documentata da una nota di Delacroix e da una lettera della scrittrice a Th. Silvestre [R.].

516. LÉLIA. Berna, Hahnloser

ol/tl 22×15 f d 1848 R. 1032

Dal romanzo omonimo di G. Sand: la protagonista è nella caverna del monaco, dinanzi al corpo del proprio amante.

Esp. C 1963, n. 395.

517. c.s. Parigi, Musée Carnavalet

ol/tl 45×37 1848 R. 1033

Possibile 'prima idea' del precedente. Forse inviato (1852) da Delacroix a George Sand, e immesso nella vendita di quest'ultima (1864); Robaut segnala anche il passaggio per la vendita Allou-Erler (1872, 3.850 fr.).

518. PAESAGGIO A CHAMPROSAY (o A AUGERVILLE). Già Parigi, Dolfus

ol/tl 37×45 1848 R. 1043

Passato (295 fr.) per la vendita postuma di Delacroix (n. 219); poi (355 fr.) per quella Belly (1878).

519. MAZZO DI FIORI IN UN VASO

ol/tl 31×43 f d 1848 R. 1040

Acquistato (820 fr.) da Choquet alla vendita postuma di Delacroix (n. 92).

520. UFFICIALE GRECO SE-

511

512 [Tav. LIII]

513 [R]

514 [R]

516

517

519 [R]

520 [R]

522 [R]

523 [R]

524

525

527

528

530

531

532

533

DUTO SU UN COLLE IN VISTA DEL MARE

ol/tl 34×28 1848 R. 1048

Da Robaut assimilato — per l'aspetto della figura — a un disegno già in proprietà di Dutilleux. Passato (1.240 fr.) per la vendita Albert (1866).

521. LEONE SDRAIATO

ol/tl 37×70 1848 R. 1050

Secondo Robaut la positura del felino è quella fissata in uno schizzo a penna che lo studioso stesso assegna al 1856. Passato (199 fr.) per una vendita parigina del 1853; acquisto da Brun (6.400 fr.) a quella di Marmontel (1868).

522. LEONE CHE SBRANA UN CADAVERE

ol/tl 28×35 1848 R. 1055

Variante dell'opera del 1847 (n. 500). Passato per vendite pa-

rigine tra il 1858 e il '62 a prezzi dai 500 ai 620 franchi.

523. DUE LEONI PRESSO UNA FONTE

ol/tl 41×52 f 1848 R. 1051

Fra il 1858 e il 1883 passò per vendite parigine a prezzi fra i 1.125 e i 15.000 franchi.

524. TIGRE RINGHIANTE. Già Parigi, Bellino

ol/tl 24×37 f 1848 R. 1056

Passata per due vendite parigine del 1853 e '55 a 160 e 155 franchi.

525. CESTO DI FIORI ROVESCIATO, IN UN PARCO. New York, Metropolitan Museum (Milton de Groot)

ol/tl 105×140 *1848* R. 1072

Apparso al Salon del 1849 e all'Exposition Universelle del 1855. Alla vendita postuma di

Delacroix (n. 88) fu acquistato per 7.550 franchi da Sourignes; alla vendita di quest'ultimo (1881), per 10.300 da Durand-Ruel.

526. MARGHERITE E DALIE IN UN VASO. Già ..., Ashburton

ol/tl 105×140 *1848* R. 1070

Apparso al Salon del 1849 e all'Exposition Universelle del 1855.

527. FIORI IN UN VASO AZZURRO. Montauban, Musée Ingres

ol/tl 135×102 *1848* R. 1069

528. PEONIE, ROSE E DALIE IN UN VASO. Filadelfia, Johnson Collection

ol/tl 49×32 *1848* R. 1013

529. ORTENSIE SULLE SPONDE DI UNO STAGNO. Già ..., Ashburton

ol/tl 105×140 *1848* R. 1071

Passato per la vendita postuma di Delacroix (n. 89).

530. CESTO CON FIORI E FRUTTA SU UN BASAMENTO. Filadelfia, Johnson Collection

ol/tl 105×140 *1848* R. 1041

Apparso al Salon del 1849, poi all'Exposition Universelle del 1855. Alla vendita postuma di Delacroix (n. 90) fu acquistato (7.000 fr.) da Piron, alla cui asta (1865) 'fece' 3.000 franchi; quindi, di altri proprietari.

531. PEONIE. Oslo, Nasjonalgalleriet

ol/tl 40,5×60 1848(?)

532. FIORI. Lilla, Musée des Beaux-Arts

ol/tl 62×87 f *1848*

533. MAZZO DI FIORI IN UN

VASO (FIORI). Brema, Kunst-halle

ol/ct 45×58 *1848* R. 1012

La data proposta da Robaut, 1847, sembra da ritardare fin verso il '49 per motivi storici. Lasciato in eredità dal maestro al barone Rivet; alla sede odierna dal 1952 dopo vari passaggi di proprietà.

Esp. C 1963, n. 403.

534. DONNE DI ALGERI NEL-LE LORO STANZE. Montpellier, Musée Fabre

ol/tl 84×111 f *1849 R. 1077

Replica molto variata (specie nell'ordito luminoso) dell'opera del 1834 (n. 257). Intrapresa nel gennaio 1847, ed esposta con successo al Salon del 1849. Alla sede odierna dal 1868, dopo essere passata (450 fr.) per una vendita parigina del 1850.

Esp. L 1930, n. 128. C 1963, n. 397.

535. OTELLO E DESDEMONA (DESDEMONA). New York, Thaw

ol/tl 50×60 f *1849 R. 1079

Tema desunto dall'*Otello* di Shakespeare (atto 5º, scena 2ª) e dall'opera omonima di Rossini (atto 3º, scena 3ª), messa in scena a Parigi nel 1847. Esposto al Salon del 1849. Passato per vendite parigine del 1852 e '68 a prezzi dai 510 ai 12.000 franchi.

Esp. L 1930, n. 129 A. C 1963, n. 398.

536. c.s.

ol/tl 55×60 1848* R. 1769

Probabile abbozzo dell'opera precedente. Acquistato (390 fr.) da Diéterle alla vendita postuma di Delacroix (n. 125).

537. LEONE SDRAIATO. Fribur-go, Musée d'Art et d'Histoire

ol/tl 33×69 1849 R. 1762

Replica dello stesso tema di-pinto nel 1848 (n. 521).

538. CAVALIERE ARABO AT-TACCATO DA UN LEONE. Chi-cago, Art Institute (Potter Pal-mer)

ol/tl 46×37,5 f 1849 R. 1067

Chiari i riferimenti a Rubens. Alla vendita de Trétaigne (1872) 'fece' 17.000 franchi.

539. SIRIANO E CAVALLO

ol/tl 33×40 f d 1849 R. 1075

Esposto al Salon del 1849. Fra il 1861 e il '73 passò per alcune vendite parigine a prezzi dagli 890 ai 10.010 franchi.

540. ARABO CHE MONTA A CAVALLO

ol/tl 56×46 f 1849 R. 1076

A un'asta parigina del 1858 fu acquisito per 1.000 franchi da Arosa, alla cui vendita (1878) passò (8.000 fr.) a Desprez.

541. IL GIAURRO INSEGUE I RAPITORI DELLA SUA DONNA. Algeri, Musée des Beaux-Arts

ol/tl 45×38 f d 1849 R. 1074

Tema desunto dal *Giaurro* di Byron. Esposto al Salon del 1850, dove fu acquistato da Vac-querie.

Esp. V 1956, n. 30.

542. TAM O'SHANTER. Zurigo, Bührle

ol/tl 25,5×32 1849

534

535

537

538 [R]

539

540 [R]

541

542

543

544

546

547

548

549

550 [Tav. LIV]

551 [R]

552

553

Ripresa del tema già trattato nel 1825 (n. 129). Passato per la vendita postuma di Delacroix (n. 67), dove lo acquistò de Laage (540 fr.); poi, entro il 1925, quando pervenne alla sede odierna, appartenuto a varie collezioni.

Esp. C 1963, n. 139.

543. PAESAGGIO NEI DINTOR-NI DI CHAMPROSAY. Parigi, propr. priv.

ol/tl 41×72 1849 R. 754

Da Robaut riferito al 1842, ma evidentemente affine — dal lato stilistico — all'opera successi-va, che anche per considerazio-ni di ordine storico conviene al '49. Acquistato da Piron (910 fr.) alla vendita postuma di De-lacroix (n. 215); poi, entro il 1912, passato per varie vendite parigine a prezzi variabili entro gli 8.000 franchi.

Esp. L 1930, n. 210. V 1956, n. 24. C 1963, n. 333.

544. PAESAGGIO A CHAMP-ROSAY. Brema, Kunsthalle

ol/ct su tl 38×46 1849 R. 1082

Passato (295 fr.) per la vendita postuma di Delacroix (n. 219), poi per quella Belly (1878), dove lo acquistò Dollfus (335 fr.).

Esp. C 1963, n. 401.

545. MALVONI, LILLÀ E GIRA-SOLI. Prunay-le-Temple (Seine-et-Oise), Aubry

ol/tv 64×53 *1849*

Se ne dà notizia sulla base del catalogo (n. 43) della mostra De-lacroix di Bordeaux (1963), che lo dichiara dipinto a Champro-say e passato per la vendita po-stuma del maestro.

546. DANIELE NELLA FOSSA DEI LEONI. Montpellier, Musée Fabre

ol/tl 67×49 f 1849* R. 1066

Per una replica variata del 1853, si veda al n. 650.

547. LA FIDANZATA DI ABY-DOS. Lione, Musée des Beaux-Arts

ol/tl 56×45 f 1849*(?) R. 1182

Versione variata del tema trat-tato ai n. 294 (si veda), 371 e 372. Robaut, dando dimensioni leggermente diverse (51×44), la data al 1851, anno in cui si può supporre che venisse portata a termine, essendo stata intra-presa nel '49 [*Journal*]. Passata per varie vendite parigine fra il 1854 e il '91, con prezzi dai 470 ai 15.500 franchi.

Probabilmente fu quest'opera stessa che il pittore [*Journal*] vendette nel 1853 al mercante Weil; in caso diverso si potreb-be pensare a una quinta ver-sione del tema, sfuggita anche a Robaut.

Esp. C 1963, n. 402.

548. IL BUON SAMARITANO. Parigi, propr. priv.

ol/tl 35×28 f 1849* R. 1168

Esposto al Salon del 1850-51, dove per la stesura rapida e brillante si richiamò il Tintoret-to. Il movimento viene reso me-diante la fierezza dei contrasti chiaroscurali. Il tema verrà ri-preso dal maestro nel 1852, ma molto variato (n. 588). Nello stesso periodo lo trattò anche Daumier (Glasgow, National Gallery), mentre nel '50 Van Gogh copierà la composizione di Delacroix (Otterlo, Rijksmu-seum Kröller-Müller).

Esp. L 1930, n. 138. C 1963, n. 412.

549. TIGRE CHE OSSERVA UN SERPENTE. Già Parigi, Sarlin

ol/tl(?) 24×32 *1850 R. 1023

550. SUSANNA AL BAGNO (BAGNANTE). Parigi, de la Haye Jousselin

ol/tl 29×31 f *1850 R. 1246

554

555

556

557

559 [R]

560 [R]

561

565

562 [R]

563 [R]

564 [R]

566

573

577

578 [R]

579

580

581

Da Robaut collocata nel 1854, ma da alcuni riferimenti nel *Journal* di Delacroix risulta di poco anteriore al 7 gennaio del '50. Fra il 1864 e il '68 passò attraverso alcune vendite parigine a prezzi dai 570 ai 7.800 franchi.

Esp. C 1963, n. 528.

551. c.s. Reims, Musée

ol/ct 31×24,8 *1850(?) R. 1247

Pure datata 1854 da Robaut, ma in apparenza affine all'opera precedente, nonostante le sostanziali varianti della composizione. Acquistata (315 fr.) da F. Brest alla vendita postuma di Delacroix (n. 118).

Esp. L 1930, n. 160.

552. LADY MACBETH. Montreal, Pillow

ol/tl 40×32 f *1850 R. 1171

Dal *Macbeth* di Shakespeare (atto 5°, scena 1ª). Esposta al Salon del 1850-51; poi donata dal maestro a Th. Gautier (che, in occasione della mostra suddetta, aveva esaltato l'energica grandiosità della figura, nonostante le piccole dimensioni ["La Presse" 8 marzo 1851]), alla cui vendita (1873) venne acquistata (7.000 fr.) da Brame.

553. VENERE E VULCANO

ol *1850*(?)

Dato il formato, ottagonale, e la stesura sommaria, si può pensare che sia la 'prima idea', più che per l'uno o l'altro dei cicli murali noti, per una serie non eseguita. L'opera ci è nota soltanto attraverso l'illustrazione di Escholier [1929], cui si lascia la responsabilità del riferimento diretto al maestro, peraltro apparentemente attendibile.

554. DONNA ALLA TOELETTA E MEFISTOFELE (IL 'LEVER'). Parigi, propr. priv.

ol/tl 47×38 f d 1850 R. 1165

Esposta al Salon del 1850-51 con accoglienze favorevoli della critica, nonostante qualche dissenso su pretesi "errori nel disegno". Venduta (800 fr.) dal maestro ad A. Vacquerie nel 1851.

Esp. C 1963, n. 409.

555. LA RESURREZIONE DI LAZZARO. Già Bruxelles, Van Praet

ol/tl 58×50 f d 1850 R. 1163

Apparsa al Salon del 1850-51.

556. ANGELICA E MEDORO FERITO. Già Mannedorf, Staub

ol/tl 81×65 1850 R. 1164

Tema desunto dall'*Orlando furioso* dell'Ariosto (canto 19°). Acquistato (920 fr.) da Carvalho alla vendita postuma di Delacroix (n. 123); poi appartenuto, fra gli altri, al pittore Daubigny.

557. ARIANNA ABBANDONATA. Già Parigi, Soultzener

ol/tl 36×27 1850 R. 1167

Nel 1855 passò per due vendite parigine a prezzi tra i 400 e i 510 franchi.

558. c.s.

ol/tl 32×24 1850 R. 1166

Abbozzo, che però Robaut non sembra collegare all'opera precedente. Acquistato (710 fr.) da Porzio alla vendita postuma del maestro (n. 65).

559. GOETZ VON BERLICHINGEN ACCOLTO DAGLI ZINGARI. Già Parigi, Mégard

ol/tl 100×81 1850 R. 1170

Tema dal *Goetz* di Goethe (atto 5°, scena 6ª), già trattato — ma con tutt'altre composizioni — da Delacroix in incisioni del 1836 e '43. Acquistato (480 fr.) da H. Lejeune alla vendita postuma del maestro (n. 124).

560. DESDEMONA E LA DOMESTICA (OTELLO E DESDEMONA)

ol/tl 47×39 1850 R. 1172

Tema dall'*Otello* di Shakespeare (atto 4°, scena 3ª): Desdemona, colta da tristi presentimenti, viene consolata dalla domestica, mentre dal fondo (a sinistra) sopraggiunge Otello. Fra il 1858 e il '68 passò per due vendite parigine a 1.300 e 2.500 franchi.

561. PIETÀ (LA DEPOSIZIONE DALLA CROCE). Oslo, Nasjonalgalleriet

ol/tl 35×27 f 1850 R. 1173

Fu copiata da Van Gogh nel settembre 1889 (Amsterdam, Rijksmuseum V. van Gogh).

562. PAESAGGIO A CHAMPROSAY. Già Parigi, Larrieu

ol/tl 25×38,5 1850 R. 1176

Passò per la vendita postuma di Delacroix (n. 219). Si vedano anche i n. 420 e 544.

563. c.s. Già Parigi, Charly

ol/tl 28×46 1850 R. 1178

Pure passato per la vendita postuma del maestro (n. 219). Si vedano anche i n. 420 e 544.

564. c.s. (RICORDI DI CHAMPROSAY)

ol(?)/ct 18,5×40 1850 R. 1177

Passato per la vendita postuma di Delacroix (n. 219). Si vedano anche i n. 420 e 544.

565. INTERNO DI CONVENTO DOMENICANO A MADRID. Urbana (Illinois), Krannert Art Museum

ol/tl 60,5×73,5 f *1850*

Già creduto abbozzo del n. 208, ma più probabilmente replica tardiva.

566. ARABO A CACCIA (ALLA POSTA. CACCIATORE DI LEONI). Già Parigi, Dubuisson

ol/tl 33×40 1850* R. 1227

Da Robaut ascritto al 1853, ma forse leggermente anteriore.

Abbozzi per le 'storie' sacre di Saint-Sulpice

Il ciclo nella chiesa parigina venne compiuto nel 1861 (n. 781-787); i relativi abbozzi risultano per lo più eseguiti nel 1850 [*Journal*]; di sicuro, comunque, ben prima della stesura definitiva. Pertanto ci è parso di staccare le opere preliminari, che Robaut invece unisce cronologicamente a quelle in Saint-Sulpice riferendo il tutto al 1857. L'esame particolareggiato, qui sotto, segue l'ordine dei dipinti murali, alle cui trattazioni si rinvia per ragguagli sui temi, ecc.

567. SAN MICHELE SCONFIGGE IL DEMONIO

ol/tl 32×40 R. 1287

Robaut, eccezionalmente riferendo l'opera al 1856, la dichiara variante del soffitto di Saint-Sulpice; ma è da intendere piuttosto come una delle 'prime idee' per esso. Venduto (300 fr.)

da Delacroix (1858) a Le Gentil, giudice ad Arras.

568. c.s.

ol/tl 47×62 R. 1336

Altro preliminare del n. 781. Acquistato (460 fr.) da Porzio alla vendita postuma di Delacroix (n. 51).

569. c.s. Nancy, Gavet

ol/tl ovale 40×50 1850(?) R. 1337

Arduo da stabilire se si tratti di un'opera preliminare per il n. 781, o di una copia, poiché Robaut la registra come iniziata da Andrieu e condotta a termine da Delacroix; peraltro, nel catalogo (n. 52) della mostra di Bordeaux (1963) si asserisce che ad Andrieu spetta la sola preparazione.

570. LOTTA DI GIACOBBE CON L'ANGELO (GIACOBBE IN LOTTA CON L'ANGELO). Vienna, Kunsthistorisches Museum

ol/tl 57×38 f R.* 1328 bis

Abbozzo quasi definitivo del n. 786.

Altro analogo (ol/tl, 49×29) a Praga (Národní Galerie) viene escluso dal novero degli autografi.

Esp. L 1930, n. 155. V 1956, n. 36. C 1963, n. 507.

571. ELIODORO SCACCIATO DAL TEMPIO. Friburgo, Musée d'Art et d'Histoire

ol/tl 56×38 R. 1786

È l'unico assolutamente sicuro fra i vari dipinti noti come abbozzi per il n. 787.

Esp. C 1963, n. 506.

572. c.s. Le Havre, Musée - Maison de la Culture

ol/tl 59×36 R. 1332

Quantunque passato (1.050 fr.) per la vendita postuma di Delacroix (n. 52), esiste qualche incertezza sull'assoluta autografia di quest'altro dipinto in rapporto col n. 787.

Viene invece escluso dal novero degli autografi quello (ol/tl, 43,5×29) a Praga (Národní Galerie).

573. DUE UOMINI E UNA DONNA IN UN CIMITERO PRESSO TANGERI (?) (VEDUTA DI TANGERI). Già (?) Saint-Paul (U. S.A.), Hill

ol f 1850*(?)

Il secondo dei titoli suddetti è asserito da Moreau-Nélaton e da Escholier [1929], concordi nel situare il dipinto verso il 1853.

L'"Apollo" nel soffitto del Louvre

Il 12 dicembre 1848 venivano stanziati due milioni di franchi per restaurare il Louvre di Parigi, e nell'aprile successivo Delacroix sapeva di essere designato per dipingere il soffitto al centro della galleria d'Apollo; ma la commissione seguiva soltanto l'8 marzo 1850 (18.000 fr., accresciuti poi di altri 6.000); perciò non si comprende perché Robaut colleghi gli abbozzi a olio col 1849 (mentre, data la continuità dei lavori, vengono qui schedati dopo l'opera definitiva, essendo presumibile una

cronologia al 1850). Secondo gli accordi, il maestro riprese il tema già previsto nel sec. XVII da Le Brun: *Apollo sul carro,* precisandolo come *Apollo vincitore di Pitone.* Nell'impresa, Delacroix ebbe come assistente l'allievo P. Andrieu. La stesura ebbe termine alla fine di agosto del '51; applicata la tela sulla parete, fu poi ritoccata, e il 16-17 ottobre avvenne la presentazione alla critica. L'invito era accompagnato da una nota di Delacroix relativa al soggetto, da cui si possono trarre vari ragguagli: Apollo, sul carro, ha ormai messo a segno alcuni dardi; Diana gli presenta la faretra, il serpente Pitone esala gli ultimi aliti vitali; le acque

del Diluvio cominciano a ritrarsi, trascinando corpi di uomini e animali, mentre gli dèi sono indignati che la Terra sia in preda a mostri: Minerva e Mercurio si lanciano armati per distruggerli, Ercole ne fa strage, Vulcano scaccia le tenebre, Borea e Zefiro disperdono le brume, le ninfe ritrovano gli ameni ricettacoli, le divinità più timide contemplano la lotta, la Vittoria scende dall'alto a incoronare Apollo, e Iride dispiega le ali in segno di vittoria.

Tranne Vitet ["La Revue contemporaine" 15 settembre 1853], che riscontrava affettazione e teatralità, l'entusiasmo della critica fu unanime; in particolare Tillot ["Siècle" 30 ottobre

1851] notava che il colore di Delacroix "non è un'imitazione di Rubens o di Veronese; esso riunisce le qualità dei due, la finezza e la soavità del veneziano con la ricchezza del fiammingo". D'altronde è una fra le opere più meditate del francese, e nel tempo stesso di quelle concepite con slancio maggiore attraverso un fantastico impiego di prospettive multiple, mentre l'ardimento della cromia non solo richiama Veronese e Rubens ma anche il Tiepolo.

574. APOLLO VINCITORE DI PITONE

ol/tl su muro 800×750 1850-51 R. 1118

Si veda qui sopra.

575. c.s. Bruxelles, Musées Royaux

ol/tl 130×97 R. 1110

Splendido abbozzo definitivo del n. 574. Invenduto all'asta postuma di Delacroix (n. 28); rimasto perciò a Piron, alla cui vendita (1865) venne acquistato (6.100 fr.) per la sede odierna.

Esp. L 1930, n. 132. V 1956, n. 31. C 1963, n. 416.

576. c.s. Amburgo, Kunsthalle

ol/tl 41×36 R. 1109(?)

L'identificazione con l'opera catalogata da Robaut al n. 1109 — acquista da Dauzats (1.000 fr.) all'asta postuma di Delacroix (n. 30) —, che troverebbe

570

571

572

574 [Tav. LV]

575

576

121

conferma nella descrizione del dipinto fornita dal catalogo della vendita stessa, riesce incerta a causa delle dimensioni reperibili in detto catalogo (70×65). Peraltro al n. 1109 di Robaut — posto che si tratti della tela in esame — convengono i requisiti — in ispecie la fattura greve e sorda — che lo stesso autore indica per il suo n. 1111 (110×99,5), identificandolo col dipinto aggiudicato a Cadart (5.150 fr.) alla vendita suddetta (n. 29), poi appartenuto a Petit e ora a Zurigo (Sammlung Stiftung E. G. Bührle), ed escludendolo dal novero degli autografi. Esclusione proposta anche da Johnson e Sérullaz per la tela di Amburgo, asserendo che possa trattarsi di un'imitazione eseguita da P. Andrieu, il collaboratore del maestro.

Esp. C 1963, n. 414.

578. LA FUSTIGAZIONE DI CRISTO (CRISTO NEL PRETORIO)

ol/tl 92×73 1851 R. 1188

Acquistato (1.754 fr.) da Detrimont alla vendita postuma di Delacroix (n. 117); poi (3.000 fr.), a Waroquier d'Orchies.

579. GIULIETTA ALLA TOMBA DEI CAPULETI (ROMEO E GIULIETTA)

ol/tl *35×25* 1851 R. 1183

Dal *Romeo e Giulietta* di Shakespeare (atto 5°, scena 3ª). Inviato all'Exposition Universelle del 1855.

580. MICHELANGELO NELLO STUDIO. Montpellier, Musée Fabre

ol/tl 41×33 f 1851 R. 1184

Altra versione (tavola, 24,3×18,5) pervenne nel 1962 con la collezione Dale alla National

582. CAVALIERE ARABO IN AVANSCOPERTA

ol/tl 55×46 f d 1851 R. 1187

Il cavaliere è volto indietro verso due altri che sopravvengono al galoppo. Passato per varie vendite parigine fra il 1860 e il 1872 a prezzi dagli 860 ai 14.000 franchi.

583. CARLO IL TEMERARIO A CAVALLO

ol/tl 1851 R. 1186

Ripresa parziale e variata del tema trattato nel 1831 (n. 207).

584. DESDEMONA MALEDETTA DAL PADRE. Reims, Musée des Beaux-Arts

ol/tl 59×49 f d 1852 R.* 697 bis

Dall'*Otello* di Shakespeare (atto 1°, scena 3ª) e dall'omonima opera lirica di Rossini (atto 2°, scena 6ª). Per una proba-

vinto Pinabello (a destra in fondo), costringe l'amante di lui a spogliarsi per donarne le vesti alla vecchia che l'accompagna. Venduto (1.500 fr.) dal pittore a Bonnet; poi passato per alcune vendite (a una parigina del 1881 'fece' 25.100 fr.) e per varie proprietà private. Opera di straordinaria finezza per il tessuto coloristico.

Esp. C 1963, n. 426.

586. c.s. (?)

24×19 1852(?) R. 1199

Possibile 'prima idea' per l'opera precedente. Sérullaz identifica il n. 1199 di Robaut (n. 364 della vendita postuma) con un disegno attualmente nel Musée di Lilla (foto n. 586¹), in tutto identico alla riproduzione fornita dal medesimo Robaut per l'opera in esame; però Robaut parla di *"peinture"*, precisando anzi che quando egli la vide

588. IL BUON SAMARITANO. Londra, Victoria and Albert Museum

ol/tl 32×40 f d 1852 R. 1191

Riprende il tema del 1849 (n. 548), ma variandolo a fondo.

589. SAN SEBASTIANO

ol/tl 60×50 1852 R. 1190

Abbozzo. Acquistato (105 fr.) da Lenoir alla vendita postuma di Delacroix (n. 113).

590. CRISTO CAMMINA SULLE ACQUE

ol/tl 60×50 1852 R. 1202

La nostra riproduzione concerne una versione coeva, eseguita a pastello (R. 1204).

591. c.s.

ol/tl 60×50 1852 R. 1203

Abbozzo per l'opera precedente. Acquistato (800 fr.) da Filhston alla vendita postuma di Delacroix (n. 112).

592. PIRATI AFRICANI RAPISCONO UNA GIOVANE. Già Parigi (?), Bischoffsheim

ol/tl 64×80 f d 1852 R. 1194

Esposto al Salon del 1853.

593. MERCANTE ARABO E DONNA EBREA (UN MERCANTE ARABO)

ol/tl 37×45 f 1852 R. 1196

594. PUMA. Parigi, Louvre

ol/tv 41×30 f 1852(?) R. 1390

Robaut, intitolandolo *Leonessa che guata una preda*, l'assegna al 1859; Sérullaz pensa più attendibilmente al rapporto con un disegno (Parigi, Louvre) del '52. Regalato da Delacroix al pittore Troyon; poi — entro il 1906, quando pervenne alla sede odierna — passò per varie proprietà private.

Esp. L 1930, n. 180. C 1963, n. 501.

595. INGRESSO DEI CROCIATI A COSTANTINOPOLI. Parigi, Louvre

ol/tl 81,5×105 f d 1852 R. 1189

Replica variata del tema espresso nel 1840 (n. 350). Pervenuto alla sede odierna nel 1906.

Esp. L 1930, n. 146. C 1963, n. 430.

596. c.s. Chantilly, Musée Condé

ol/tl 37×48 1852(?) R. 709

Da Robaut e altri inteso come abbozzo della versione dell'*Ingresso* dipinta nel 1840 (n. 350); ma, a evidenza, più prossimo a quella del '52 (n. 595).

597. IL MARE DALLE ALTURE DI DIEPPE. Parigi, propr. priv.

ol/tl 35×51 1852 R. 1245

Acquistato (3.650 fr.) da Duchatel alla vendita postuma di Delacroix (n. 98). Da Robaut ascritto al 1854, ma la cronologia anticipata risulta dal *Journal* del maestro (14 settembre 1852), dove si precisa che le barche sono in attesa dell'alta marea per rientrare. Eseguito a memoria, come asserisce il pittore stesso, ma con tutta la forza della ripresa diretta, e una stesura che anticipa gli impressionisti.

Esp. L 1930, n. 162 B. C 1963, n. 447.

122

582 [R]

583 [R]

584

588

585

586 [R]

586¹

587

590 [R]

592

593 [R]

594

595

596

597

577. CRISTO NELL'ORTO DI GETSEMANI. Amsterdam, Rijksmuseum

ol/tl 34×42 f d 1851 R.* 181 bis

Varia uno dei due temi analoghi ascritti da Robaut al 1826 (n. 136). Risulta venduto (350 fr.) dal pittore nel 1851. Alla sede odierna dal 1900.

Esp. L 1930, n. 144 A. V 1956, n. 41. C 1963, n. 424.

Gallery di Washington, il cui catalogo [1968] la ascrive con dubbio al 1845, mentre le incertezze della critica specializzata riguardano anche l'autografia.

581. LEONE IN ALLARME (LEONE ATTACCATO). Copenaghen, Ordrupgaardsamlingen

ol/tl 27,5×35,5 f d 1851 R. 1185

Acquistato (10.000 fr.) da G. Péreire alla vendita Hartmann (1881).

bile replica del 1853, si veda al n. 647.

Esp. L 1930, n. 149. C 1963, n. 428.

585. MARFISA E L'AMANTE DI PINABELLO (MARFISA). Baltimora, Walters Art Gallery

ol/tl 82×101 f d 1852 R. 1198

Dall'*Orlando furioso* dell'Ariosto (canto 20°, stanze 108ª-116ª): la guerriera, dopo aver

presentava un tono rossastro alquanto greve, forse a causa del sudiciume.

587. c.s.

ol/tl(?) 1852(?)

Variante dell'opera suddetta, senza la figura della vecchia. Appartenuta a Henri Delacroix, poi a M.me Duchâteau, quindi (1962) in proprietà privata inglese.

Allegorie e mitologie per l'Hôtel de la Ville di Parigi

Compiuto da poco il soffitto di *Apollo* al Louvre (n. 574), Delacroix era già impegnato in un nuovo ciclo parietale, per la sala della Pace nella sede centrale del comune di Parigi, l'Hôtel de la Ville, ciclo distrutto durante la Comune nell'incendio del 24 maggio 1871, nel quale scomparvero i relativi documenti archiviali. Sappiamo che il compenso pattuito fu di 30.000 franchi e che già nel febbraio 1852 il maestro, assistito da P. Andrieu, attendeva alla stesura, terminata ai primi d'ottobre dello stesso anno (non è chiaro, quindi, perché Robaut riferisca tanto le opere preliminari quanto quelle definitive al 1849). Anche nel caso in esame la pittura era avvenuta su tele, poi applicate *in situ* e i cui ritocchi definitivi si protrassero fino al principio del '54; in marzo avvenne la presentazione alla stampa.

Il ciclo si sviluppava su un soffitto circolare, fra otto cassettoni, ed era completato da undici lunette distribuite fra le porte, le finestre e l'alto caminetto. L'accoglienza della critica risulta assai favorevole: per la vigorosissima carica vitale dell'opera, mai prima conseguita dall'autore [Cl. de Ris, "L'Artiste" 1º marzo 1854], per la freschezza d'inventiva combinata con raro equilibrio all'acume delle soluzioni [Planche, "Revue des Deux-Mondes" 15 aprile

598[1]

1854], per la limpida dovizia dei particolari espressi con nobile sobrietà [Pétroz, "Revue franco-italienne" 16 novembre 1854]. Il lungo articolo, di timbro descrittivo, pubblicato da Gautier ["Moniteur universel" 25 marzo 1854] consente, assieme ad alcune testimonianze grafiche, di ripristinare idealmente l'aspetto dei dipinti perduti: se ne tiene conto nelle seguenti analisi particolareggiate, dove ogni opera definitiva è seguita dall'esame dei relativi abbozzi a olio, la disamina dei quali risulta alquanto intricata per la possibile presenza di alcuni 'pezzi' nello stesso Hôtel de la Ville, cui non è chiaro se li avesse destinati Delacroix medesimo o se li avesse venduti Andrieu (dopo averli ereditati dal maestro, e che comunque andarono distrutti col resto).

Soffitto

598. LA PACE CONSOLA GLI UOMINI E RICONDUCE L'ABBONDANZA

diam. 500 R. 1143

La Terra (in basso al centro), dilaniata dalle lotte che l'hanno disseminata di cadaveri (a destra), si rivolge alla Pace (nel centro), radiosa in un cielo che

sta liberandosi dalle nubi, e che Cerere si accinge a incoronare di spighe; la serenità della dea mette in fuga (a sinistra) Marte e le Erinni, e la Discordia (a destra), la quale cerca riparo nelle tenebre, mentre in basso (a sinistra) un soldato spegne sotto il piede la torcia delle distruzioni; in alto, sul trono, Giove impugna i fulmini, minaccioso contro gli dèi che insidiano la pace terrestre. Il tema si collega con quello degli altri elementi del ciclo.

599. c.s. Parigi, Musée Carnavalet

ol/tl diam. 78 R. 1120

Abbozzo completo dell'opera suddetta. Acquistato (1.260 fr.) da sir Frederick Leighton alla vendita postuma di Delacroix (n. 31); poi, entro il 1933, quando venne acquisito dalla sede odierna, passato per altre aste. Di qualità tale da restituire con buona approssimazione quella che doveva essere la carica vitale del colore resa nel soffitto.

Esp. L 1930, n. 133. V 1956, n. 32. C 1963, n. 454.

600. c.s. Già Parigi, Hôtel de la Ville (?)

ol/tl diam. 78 R.* 1120 bis

Abbozzo del n. 598. Robaut lo ricorda, piuttosto confusamente, come acquistato dal comune di Parigi alla vendita postuma di Andrieu (1892); peraltro dal catalogo della vendita stessa parrebbe una copia eseguita dal medesimo Andrieu.

601. c.s.

ol/tl diam. 46 R. 1119 A

Altro abbozzo del n. 598. Appartenuto ad Andrieu, poi acquistato (550 fr.) da de Bellegarde alla vendita Dutilleux (1874).

602. c.s.

ol/tl diam. 46 R. 1119 B

Come il precedente, ma — secondo Robaut — di fattura "più originale". Acquistato (850 fr.) da Diot a una vendita parigina del 1883 [R.]; poi presente all'esposizione Delacroix del 1885 (n. 59) [Sérullaz].

Cassettoni

Su tela (105×235) applicata sulla parete. Concernono le divinità favorevoli alle opere di pace (tranne Marte, che però appare legato). I singoli 'pezzi' vengono esaminati qui sotto nell'ordine fornito da Robaut, che però si ignora quali principî segua.

603. VENERE

R. 1144

Con una mano regge lo specchio, con l'altra la freccia; dinanzi a lei, l'arco e la faretra.

604. c.s.

ol/tl 18×36 R. 1121

Abbozzo per l'opera precedente. Acquistato (105 fr.) da Deslandes alla vendita postuma di Delacroix (n. 32).

605. BACCO

R. 1145

Sdraiato, nell'ebbrezza; a destra, la pantera tradizionale. Sembra fosse l'opera più signi

123

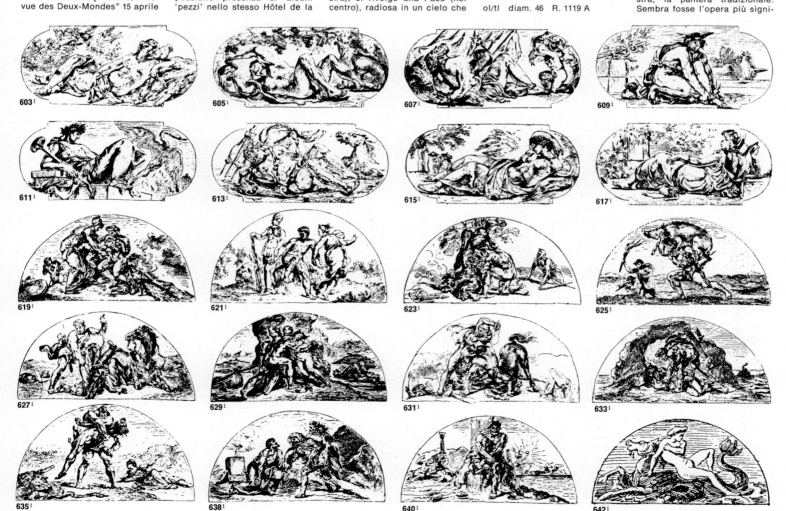

603[1] 605[1] 607[1] 609[1]

611[1] 613[1] 615[1] 617[1]

619[1] 621[1] 623[1] 625[1]

627[1] 629[1] 631[1] 633[1]

635[1] 638[1] 640[1] 642[1]

ficativa della serie, sia per lo scatto delle forme sia per la finezza del colore.

606. c.s. Parigi, Musée Carnavalet

ol/tl 18×36 R. 1122

Abbozzo del precedente. Acquistato (220 fr.) da Gervais alla vendita postuma di Delacroix (n. 33).

607. MARTE

R. 1146

Il dio appare incatenato; a destra, un amorino gioca con le sue armi; altri armi nel fondo.

608. c.s.

ol/tl 18×36 R. 1123

Abbozzo del precedente. Acquistato (70 fr.) da sir Frederick Leighton alla vendita postuma di Delacroix (n. 34).

609. MERCURIO

R. 1147

Il dio del commercio appare nell'atto di allacciarsi uno dei sandali alati.

610. c.s.

ol/tl 18×36 R. 1124

Abbozzo per l'opera precedente. Acquistato (150 fr.) da de Coubertin alla vendita postuma del maestro (n. 35).

611. CLIO

R. 1148

La musa della storia sta appoggiata a libri e rotuli, con la tromba, accanto al cigno nell'atto di prendere il volo.

612. c.s.

ol/tl 18×36 R. 1125

Abbozzo del dipinto precedente. Acquistato (185 fr.) da Gervais alla vendita postuma di Delacroix (n. 36).

613. NETTUNO

R. 1149

Il dio è nell'atto di placare le onde col tridente.

614. c.s.

ol/tl 18×36 R. 1126

Abbozzo del precedente. Porzio lo acquistò (140 fr.) all'asta postuma di Delacroix (n. 37).

615. CERERE

R. 1150

La dea è raffigurata fra le messi, nel pieno della luce meridiana.

616. c.s. Cambridge, Fitzwilliam Museum

ol/tl 19,7×37,5 R. 1127

Abbozzo per l'opera precedente. Aggiudicato (245 fr.) a Dagu nel corso della vendita postuma di Delacroix (n. 39).

617. MINERVA

R. 1151

La dea delle arti appare con gli attributi consueti: armatura e cetra.

618. c.s.

ol/tl 18×36 R. 1128

Abbozzo dell'opera precedente. Acquistato (200 fr.) da Porzio alla vendita postuma di Delacroix (n. 38).

599
[Tav. LIX]

600

606

616

620

624

626

630

636

639

Lunette

Nelle undici tele (120×235) erano esposte le vicende di Ercole. Quanto agli abbozzi, dovevano esisterne almeno due serie: una, la più primitiva, fu lasciata in eredità dal maestro all'aiuto Andrieu, e da questi venne ceduta (1868) allo stesso Hôtel de la Ville, dove fu bruciata; un'altra dovette rimanere nell'*atelier* di Delacroix, e passò per la vendita postuma del pittore.

L'ordine delle composizioni seguiva quello 'storico', qui sotto adottato; si ignora però da dove la serie avesse inizio.

619. LA NASCITA (ERCOLE NEONATO RACCOLTO DA GIUNONE E MINERVA)

R. 1152

La madre del semidio si allontana (a sinistra) con gesto di pio dolore, mentre Minerva sorregge il neonato e Giunone (nuda, ma con l'attributo del pavone) lo allatta.

620. c.s. Parigi, Musée Carnavalet

ol/tl 24×46 R. 1129

Abbozzo per l'opera precedente. Acquistato (460 fr.) da Gaultron alla vendita postuma di Delacroix (n. 40) e poi passato per altre aste parigine.

621. L'EROE AL BIVIO (ERCOLE TRA IL VIZIO E LA VIRTÙ)

R. 1153

A sinistra, la Virtù con la cla-va; all'altro lato, la personificazione femminile del Vizio in atteggiamento di lusinga.

622. c.s.

ol/tl R. 1130

Abbozzo del precedente. Acquistato (270 fr.) da Camma alla vendita postuma di Delacroix (n. 42).

623. LA PELLE DEL LEONE DI NEMEA (ERCOLE SCUOIA IL LEONE DI NEMEA)

R. 1154

A destra, un contadino osservava con stupore.

624. c.s. Friburgo, Musée d'Art et d'Histoire

ol/tl 24×47 R. 1131

Abbozzo del precedente. Acquistato (406 fr.) alla vendita postuma di Delacroix (n. 43) per la duchessa Colonna, che lo destinò (1879) alla sede odierna.

Esp. C 1963, n. 456.

625. IL CINGHIALE DELL'ERIMANTO (ERCOLE TRASPORTA SULLE SPALLE IL CINGHIALE DELL'ERIMANTO)

R. 1155

Nel fondo, a sinistra, due contadini agitano palme in segno di vittoria per la cattura dell'animale che devastava il monte Erimanto.

626. c.s. Parigi, Musée Carnavalet

ol/tl 27×51 R. 1133

Abbozzo del precedente. Acquistato (480 fr.) da Dauzats alla vendita postuma del maestro (n. 41); passato poi (1.220 fr.) per la vendita Riesener (1879).

627. LA SCONFITTA DI IPPOLITA (ERCOLE VINCITORE DI IPPOLITA)

R. 1156

L'eroe sta togliendo la preziosa cintura alla regina delle Amazzoni, gettata al suolo dal proprio cavallo; dietro, a destra, un cadavere.

628. c.s. (ERCOLE E IPPOLITA)

ol/tl R. 1134

Abbozzo dell'opera precedente. Acquistato (580 fr.) da Dejean alla vendita postuma di Delacroix (n. 46); poi appartenuto a Bazille di Montpellier.

629. LA LIBERAZIONE DI ESIONE (ERCOLE LIBERA ESIONE)

R. 1157

L'eroe sta sciogliendo le catene che trattengono la fanciulla, destinata dal padre Laomedonte, re di Troia, in pasto a un mostro marino.

630. c.s. (ERCOLE ED ESIONE). Copenaghen, Ordrupgaardsamlingen

ol/tl 24,5×47,5 R. 1135

Abbozzo dell'opera precedente. Acquistato (305 fr.) da Delille alla vendita postuma del maestro (n. 44).

631. L'UCCISIONE DI NESSO (ERCOLE UCCIDE IL CENTAURO NESSO)

R. 1158

632. c.s. (ERCOLE E IL CENTAURO NESSO)

ol/tl 22×46 R. 1136

Abbozzo del precedente. Acquistato (650 fr.) da Dejean alla vendita postuma di Delacroix (n. 48).

633. L'INCATENAMENTO DI NEREO (ERCOLE INCATENA NEREO)

R. 1159

Il corpo del veggente giace ai piedi d'uno scoglio; i mostri marini, compagni suoi, si agitano sulla spiaggia.

634. c.s. (ERCOLE E NEREO)

ol/tl 24×45 R. 1137

Abbozzo del precedente. All'asta postuma del maestro (n. 47) se lo aggiudicò (410 fr.) Arosa; alla cui vendita (1878) venne acquistato (500 fr.) da Pinart.

124

643

644

645

647 [R]

649 [Tav. LVIII]

650

635. IL SOFFOCAMENTO DI ANTEO (ERCOLE SOFFOCA ANTEO)

R. 1160

La Terra, madre del soccombente, è raffigurata a destra, in atto di disperazione.

636. c.s. (ERCOLE E ANTEO)

ol/tl 21×46 f d R. 1138

Abbozzo per il precedente. Acquistato (470 fr.) da Isambert alla vendita postuma di Delacroix (n. 45).

637. c.s.

ol/tl 30×44 f R. 1139

Indicato da Robaut come variante del precedente. Acquistato (5.100 fr.) da Beurnonville alla vendita Dagnan (1881).

638. ALCESTI RIPORTATA DAGLI INFERI (ERCOLE RIPORTA ALCESTI DAL FONDO DEGLI INFERI)

R. 1161

Admeto, a sinistra, accoglie l'eroe che gli riporta la moglie; dietro a lui, un altare fumante.

639. c.s. (ERCOLE E ALCESTI). Washington, Phillips Collection

ol/tl 22×46 R. 1140

Abbozzo del precedente. Acquistato (420 fr.) da du Poisat alla vendita postuma del maestro (n. 49).

640. L'EROE AI PIEDI DELLE SUE COLONNE

R. 1162

A sinistra e a destra, divinità marine.

641. c.s. (LE COLONNE DI ERCOLE)

ol/tl 23×44 R. 1141

Abbozzo del precedente. Acquistato (350 fr.) da Carvalho alla vendita postuma di Delacroix (n. 50); poi da Mathias jr. a un'asta parigina dell'Hôtel Drouot (1882).

642. LA VITTORIA SUL MOSTRO MARINO. Già Parigi, Choquet

ol/tl 15×28 1849(?) R. 1142

Secondo Robaut, 'prima idea' non utilizzata per una delle lunette dell'Hôtel de la Ville.

643. LA CENA IN EMMAUS (I PELLEGRINI DI EMMAUS). New York, Brooklyn Museum

ol/tl 56×46 f 1853 R. 1192

Esposta al Salon del 1853 con successo, specie per la cromia, che venne avvicinata a quella del Tiepolo. Venduta dal pittore (3.000 fr.) a M.me Herbelin (1853). Poi, entro il 1950 — quando pervenne alla sede odierna —, passata per varie proprietà private.

Esp. C 1963, n. 436.

644. TRASPORTO DEL CADAVERE DI SANTO STEFANO (DISCEPOLI E PIE DONNE TRASPORTANO IL CADAVERE DI SANTO STEFANO). Arras, Musée Municipal

ol/tl 148×115 f d 1853 R. 1211

Esposto al Salon del 1853, suscitando incomprensione nella critica, specie per la pretesa "inintelligibilità" della composizione. Acquistato (4.000 fr.) dalla città di Arras, al pittore, nel 1859.

Esp. L 1930, n. 151. C 1963, n. 434.

645. SANTO STEFANO (?)

ol/tl 41×34 1853 R. 1210

Abbozzo, forse per l'intera composizione, dell'opera precedente. Acquistato (1.300 fr.) da L. Sainte-Croix alla vendita postuma di Delacroix (n. 61).

646. c.s.

ol/tl 42×34 1853(?) R.* 1210 bis

Abbozzo o riduzione della tela di Arras (n. 644); però potrebbe riferirsi alla replica del 1862 (n. 797). Passato (360 fr.) per la vendita Andrieu (1892).

647. DESDEMONA MALEDETTA DAL PADRE. Già Parigi, Secrétan

ol/tv 40×31,5 f 1853(?) R. 698

Replica del tema già trattato nel 1852 (n. 584). Robaut la assegna al 1839; ma, desumendo da scritti di Delacroix, Johnson, seguito da Sérullaz, propende — attendibilmente — per il '53.

648. c.s. Già Parigi (?), Pelleport

1853(?) R. 698 bis

Segnalata da Robaut [note] come ulteriore versione del tema, variata soprattutto nel fondo.

649. ALFRED BRUYAS. Montpellier, Musée Fabre

ol/tl 116×89 f d 1853 R. 1209

Esp. V 1956, n. 37.

650. DANIELE NELLA FOSSA DEI LEONI. Zurigo, Bührle

ol/tl 74×60 f d 1853 R. 1213

Replica variata del dipinto eseguito nel 1849 (n. 546).

651. CRISTO E GLI APOSTOLI SUL LAGO DI GENNESARET. Portland, Art Museum

ol/tl 45×55 f 1853(?) R. 1219

L'episodio evangelico è noto in dieci tele di Delacroix, iconograficamente riunibili in due gruppi: quelle con barca a remi e quelle con barca a vela; resta molto arduo stabilire una sequenza cronologica sicura. Nel *Journal*, Delacroix accenna a una tela di questo tema commissionata dal conte Grzymala, amico di Chopin, intrapresa il 30 aprile 1853 e condotta a termine il 28 giugno dello stesso anno. Lo studio del mare, che attraeva molto il maestro, dovette venire suggerito dai soggiorni a Dieppe (quattro fra il 1851 e il '55). L'opera in esame non dovrebbe essere quella per Grzymala (si veda n. 653), ma la prima versione del tema [Johnson].

Esp. C 1963, n. 442.

652. c.s. Zurigo, Hafter-Reinhart

ol/tl 50×63 1853 R. 1217(?)

Potrebbe essere l'abbozzo dell'opera precedente [Sérullaz], forse identificabile col dipinto segnalato da Robaut nella coll. Soultzener.

653. c.s. Zurigo, Nathan

ol/ct 56×61 f 1853 R.* 1215 bis

Potrebbe essere l'opera commissionata da Grzymala [Sérullaz].

Esp. V 1956, n. 33. C 1963, n. 443.

654. c.s. Già Bruxelles, Crabbe

ol/tl 45×65 f 1853 R. 1218

Si ignora a quale delle due serie (vedi n. 651) sia riferibile dal lato iconografico.

655. c.s. New York, Metropolitan Museum (Havemeyer)

ol/tl 50×60 f 1853 R. 1215

Esp. V 1956, n. 34.

656. c.s. Filadelfia, Museum of Art (Ingersoll)

ol/ct 46×57 f 1853 R. 1216

657. c.s. Zurigo, Bührle

ol/tl 60×73 f d 1853 R. 1220

658. c.s. Oslo, Nasjonalgalleriet

ol/tl 38×46 1853(?)

659. c.s. Baltimora, Walters Art Gallery

ol/tl 59×73 f d 1854 R. 1214

A lungo considerata quale prima versione del tema, anche perché la data veniva intesa come 1853. Venduta da Delacroix al mercante Beugniet; i passaggi successivi entro il 1895 — quando pervenne alla sede odierna — sono noti confusamente.

Esp. V 1956, n. 34. C 1963, n. 444.

660. c.s. Boston, Museum of Fine Arts (Bradlee)

ol/tl 23,5×30,5 f 1854(?)

Secondo Sérullaz potrebbe essere la copia eseguita da Andrieu nel 1854.

661. WEISLINGEN CATTURATO DAGLI UOMINI DI GOETZ VON BERLICHINGEN. Saint Louis, City Art Museum

ol/tl 73×59,6 f 1853 R. 1169

125

651

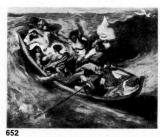
652

653

655

656

657

658

659

660

662 [R]

661

664

665

668

667

nienza delle opere stesse, lasciando adito alla supposizione che alcune possano assimilarsi ai dipinti suddetti.

680-681. PAESAGGIO (STUDIO DI PAESAGGIO)

ol/tl *1853*(?) R. 1804

Al numero suddetto, Robaut registra due opere passate per la vendita postuma di Delacroix (n. 220), l'una acquistata (150 fr.) da Grzymala, l'altra da Meurice (160 fr.). Una di esse potrebbe venire identificata col nostro n. 669.

Per una possibile assimilazione a opere di provenienza sconosciuta, si veda la nostra 'voce' n. 672-679.

682-691. PAESAGGIO. FIORI

ol/tl *1853*(?) R. 1805

Si tratta di dieci impressioni e abbozzi, forse di periodi differenti (e che vengono richiamati qui soltanto per affinità esteriori con i dipinti precedenti), raggruppati sotto il n. 220 della vendita postuma di Delacroix, complessivamente aggiudicati per 1.265 franchi a de Colonne, Petit, Arosa, de Calvi, Burty, Ph. Rousseau, ecc. Uno di questi abbozzi potrebbe essere assimilabile al *Paesaggio di Ante* (ma si veda il nostro n. 729).

Una tela (37×56; Parigi, Bernheim-Jeune [?]) recante sul verso il *cachet* della vendita postuma di Delacroix, n. 70 nel catalogo della mostra di Bordeaux (1963), potrebbe essere uno dei dipinti di *Fiori* qui raggruppati.

Altra analoga (talora assegnata al 1850 c.) nella Kunsthaus di Zurigo.

Per l'assimilazione a *Paesaggi* di provenienza incerta, si veda alla 'scheda' n. 672-679, dove si prospettano ipotesi che si possono valere anche per il dipinto di *Fiori* riprodotto con riferimento alla presente 'scheda', attingendo in Escholier [1929].

692. SCOGLIERE A FÉCAMP. Già Parigi, Lambert-Sainte-Croix

ol/tv *16×20* 1854 R. 1244

693. DONNE TURCHE AL BAGNO (LE BAGNANTI). Hartford, Wadsworth Atheneum

ol/tl 92×78 f d 1854 R. 1240

Forse commissionato da Berger, prefetto della Seine; eseguito durante un soggiorno a Champrosay (aprile 1854). Il tema fu suggerito dalle *Bagnanti* dipinte nel '53 da Courbet. L'artista risulta [Journal] interessato soprattutto dalla trasparenza dei colori, specialmente nel fogliame: il risultato è di una chiarezza così tenera per cui ben si spiegano le attenzioni rivolte al dipinto da Cézanne e Renoir. Pervenuto alla sede odierna nel 1952, dopo essere passato attraverso numerose proprietà private.

Esp. C 1963, n. 451.

694. LA MORTE DI ARCHIMEDE

ol/tl 42×54 1854 R. 1236

Ripete, fedelmente, ma in formato rettangolare, il tema d'uno dei pennacchi nella biblioteca di palazzo Borbone (n. 465).

695. SANSONE E DALILA. Winterthur, Reinhart

ol/tl 40,5×55,5 1854 R. 1238

126

Varia il tema (dal *Goetz* di Goethe [atto 1°, scena 3ª]) già trattato in una litografia del 1836. Venduto (dicembre 1853, 1.200 fr.) dal maestro al mercante Beugniet; poi, entro il 1954, quando pervenne alla sede odierna, passato attraverso numerose proprietà private.

Esp. C 1963, n. 439.

662. CRISTO ALLA COLONNA

ol/tl 43×27 f d 1853 R. 1221

Fra il 1859 e il '68 passò per alcune vendite parigine a prezzi dai 210 ai 2.300 franchi.

663. CRISTO IN CROCE

ol/tl 76×61 f(?) d 1853 R. 1223

Esposto alla rassegna parigina del 1860, quando apparteneva a Davin.

664. ARABO E MANISCALCO CON UN CAVALLO (IL MANISCALCO). Già (?) Amburgo, Schult

ol/tl 39×54 1853 R. 1224

Acquistato (1.760 fr.) da Laferrière alla vendita Surville (1856).

665. c.s. Parigi, Louvre

ol/tl 50×61 1853* R. 1225

Replica dell'opera precedente.

Esp. V 1956, n. 35.

666. CACCIA AI LEONI

ol/tl 1853 R. 1231

Sarebbe stata venduta (2.500 fr.) dal pittore a Goldschmitt [R.].

667. LEONE IN LOTTA CON UN CINGHIALE (LEONE E CINGHIALE). Parigi, Louvre

ol/tl 46,3×56,5 f d 1853 R. 1232

Al numero suddetto Robaut cataloga un dipinto di composizione identica ma indicando le dimensioni in 32×49, così da suscitare il dubbio che possa trattarsi d'un abbozzo per la tela del Louvre.

668. L'EDUCAZIONE DELLA VERGINE (SANT'ANNA). Tokio, Museo Nazionale

ol/tl 45×55 f 1853 R. 1193

Ripresa del tema già trattato a Nohant nel 1842 (n. 366), ma con precipui interessi per l'ambientazione paesistica. Robaut la assegna al '52; però elementi sicuri impongono il riferimento all'anno successivo. Alla sede odierna dal 1947, dopo vari passaggi sul mercato artistico.

Esp. C 1963, n. 432.

669. PAESAGGIO NEI DINTORNI DI CHAMPROSAY (PAESAGGIO AUTUNNALE [?]. TRAMONTO [?]). Parigi, David-Weill

ol/tl 26×39 1853 R. 1801 o 1802 o 1803 o 1804

Di sicuro passato per la vendita postuma di Delacroix, e

identificabile sia con il n. 217 o 218, sia con uno dei dipinti raggruppati ai n. 219 e 220 di tale asta; conseguenza di ciò, le varie assimilazioni a opere catalogate da Robaut. Tuttavia, con ogni cautela, si può forse escludere trattarsi del n. 217 della vendita suddetta (si veda nostro n. 670) e, quasi sicuramente, anche del n. 218 (si veda nostro n. 671); quanto al n. 219, si veda il nostro n. 672-679. È noto comunque che il dipinto in esame appartenne al pittore Bazille, poi al suo genero Leehardt, quindi (1930-33) a Aubry.

670. PAESAGGIO AUTUNNALE

ol/tl 1853(?) R. 1801

Forse da identificarsi con l'opera precedente; tuttavia, poiché il dipinto in esame fu acquistato (90 fr.) alla vendita postuma di Delacroix (n. 217) dalla duchessa Colonna (ed è noto che i beni artistici di quest'ultima rimasero per lo più in Svizzera), si può ammettere, con ogni cautela, una differenziazione.

671. TRAMONTO (STUDIO DI SOLE TRAMONTANTE)

ol/tl *1853*(?) R. 1802

Forse da assimilare al n. 669; tuttavia, a causa di considerazioni analoghe a quelle fatte per l'opera precedente, forse diverso da esso. Il dipinto in

esame fu acquistato (480 fr.) da Guillemer alla vendita postuma di Delacroix (n. 218).

672-679. PAESAGGIO (STUDIO DI PAESAGGIO)

ol/tl *1853*(?) R. 1803

Al numero suddetto, Robaut cataloga quindici *Studi di paesaggio*, raggruppati sotto il n. 219 dell'asta postuma di Delacroix, e aggiudicati per complessivi 3.807 franchi a Biedermann, Belly, Delille, Bornot, Lambert, Aubry, Moreau, de Hérédia, Lehmann, Dauzats, Grzymala, Bourges, Redan de Beaupréau, Busquet; da questi vanno però esclusi i nostri n. 214, 420, 518, 544, 562, 563, 564, sicuramente identificati: rimangono perciò otto opere, una delle quali potrebbe venire assimilata al nostro n. 669 e un'altra al *Paesaggio di Ante* (nostro n. 729), che però è del 1856.

Il catalogo (n. 44) della mostra Delacroix di Bordeaux (1963) assimila al n. 1803 di Robaut uno studio di *Alberi* (ol/ct, 42×34; Parigi, Gairac), recante sul verso il *cachet* della vendita postuma del maestro.

In via di mera ipotesi, si collegano alla presente 'scheda' (così come a quelle coi n. 680-681 e 682-691) talune riproduzioni di *Paesaggi* reperite in testi autorevoli (Escholier [1929], Vitali [*Diario*]), dove non si forniscono ragguagli circa la prove-

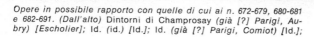

Opere in possibile rapporto con quelle di cui ai n. 672-679, 680-681 e 682-691. (Dall'alto) Dintorni di Champrosay (già [?] Parigi, Aubry) [Escholier]; Id. (id.) [Id.]; Id. (già [?] Parigi, Comiot) [Id.]; Paesaggio *(Parigi, Gobin [?], 1850 c.) [Vitali];* Paesaggio autunnale *(id., 1853) [Id.].* Fiori *(Zurigo, Kunsthaus, 1850 c.; e da una riproduzione in Escholier) ipoteticamente assimilabili ai n. 682-691.*

693   695   696 [R]   697 [R]

Acquistato (1.459 fr.) da Détri-mont alla vendita postuma di Delacroix (n. 119); nel 1872 ap-parteneva al pittore Daubigny, che l'aveva pagato da 5.000 a 6.000 franchi.

696. LEONE IN ALLARME (LEONE CHE GUATA LA PRE-DA)

ol/tl 24×32 f 1854 R. 1249

Passato per due vendite pari-gine (1874 e 1878) a 7.250 e 3.260 franchi.

697. LEONE PRONTO ALL'AS-SALTO

ol/tl 27×35 f 1854 R. 1248

Fra il 1853 e il '78 passò per vendite parigine a prezzi dagli 8.300 ai 2.905 franchi.

698. CACCIA AI LEONI. ... (Francia), propr. priv.

ol/tl 86×115 1854 R. 1230

Abbozzo per l'opera di Bor-deaux (n. 703), con leggere va-rianti. Il fare rapidissimo, il rit-mo violento, e lo stupendo ac-cordo dei colori prelude alle ricerche dei *fauves* verso il 1905. Aggiudicato per 1.300 fran-chi a Riesener nel corso della vendita postuma di Delacroix (n. 148); poi passato per alcune altre proprietà francesi.

Esp. L 1930, n. 156. C 1963, n. 466.

699. CACCIA AL LEONE (LA POSTA AL LEONE. ARABI CHE APPOSTANO UN LEONE). Già Parigi, Bessoneau

ol/tl 44×54 1854(?) R. 1019

Robaut [note], pur collegan-dola con una ricevuta rilasciata dal pittore (27 aprile 1860) al mercante Tedesco, quando que-st'ultimo acquistò il dipinto, la riferisce al 1847; più attendibil-mente Moreau-Nélaton pensa al '54.

700. CACCIA AL LEONE. Le-ningrado, Ermitage

ol/tl 74×92 f d 1854

Dalla riproduzione risulta im-possibile accertare l'autografia.

701. CACCIA ALLA TIGRE. Pa-rigi, Louvre

ol/tl 73,5×92,5 f d 1854 R. 1081

Da Robaut erroneamente a-scritta al 1849.

702. BEDUINO CHE INSEGNA EQUITAZIONE A UN BIMBO (LA FAMIGLIA ARABA. LA LE-ZIONE DI EQUITAZIONE). Pa-rigi, David-Weill

ol/tl 64×81 f d 1854 R. 1237

Apparso all'Exposition Uni-verselle del 1855, dove fu am-mirato da Gautier ["Moniteur universel" luglio 1855] specie per la qualità del paesaggio, e da Baudelaire ["Le Pays" mag-gio-giugno 1855] per "la prodi-giosa certezza" acquistata dal pittore.

Piron [1865] assegna un dipin-to identico al 1858: non è chiaro se si tratti d'un refuso o del-l'accenno a una replica rimasta altrimenti ignota.

Esp. L 1930, n. 162. C 1963, n. 464.

703. CACCIA AI LEONI. Bor-deaux, Musée des Beaux-Arts

ol/tl 173×361 f d 1855 R. 1242

Commissionata (1854) dallo Stato per 12.000 franchi, e data in deposito al Museo di Bor-

703   703¹

698   704

699   700   701

702   705   706   707

deaux, dove fu in parte distrut-ta durante l'incendio del 1870 (le dimensioni originarie erano di 260×359). Nel '54 stesso ap-pariva la *Caccia al leone* di J. Gérard; può darsi che Delacroix vi si sia riferito, in ogni caso egli ha presente soprattutto il vigore plastico di Rubens. L'o-pera venne inviata all'Exposi-tion Universelle del 1855, e in complesso venne accolta sfa-vorevoimente dalla critica, con le eccezioni di Gautier ["Moni-teur universel" luglio 1855], at-

tratto dall'energia della compo-sizione, e Baudelaire ["Le Pays" maggio-giugno 1855], che rileva l'"esplosione di colore", di co-lori "mai più belli, più intensi". Per ulteriori versioni del tema, eseguite nel 1855 stesso, nel 1856, '58 e '61, si veda ai n. 698, 704, 756 e 790.

L'opera fu copiata da Odilon Redon nel 1857 e da Andrieu verso il 1880; la riproduzione eseguita da Redon (in deposi-to nello stesso Museo di Bor-deaux) viene data come testi-

monianza dell'opera nella pri-mitiva integrità (foto n. 703¹).

Esp. L 1930, n. 157. C 1963, n. 465.

704. c.s. Lund (Svezia), propr. priv.

ol/tl 53×73 f d 1855 R. 1278

Replica variata dell'opera pre-cedente.

705. CAVALIERE ASSALITO DA UN GIAGUARO. Praga, Národ-ní Galerie

ol/tl 28,5×23,5 f *1855*

Fra gli studiosi recenti, lo accoglie Marchiori [1969], rife-rendolo al 1850.

706. MAROCCHINO (o ARABO) CHE SELLA UN CAVALLO. Le-ningrado, Ermitage

ol/tl 56×47 f d 1855

Non sembra identificabile con nessuno dei dipinti analoghi ca-talogati da Robaut. Dopo esse-re appartenuto alla collezione Kuscelev-Bezborodko, nel 1862

708   709   710   711

712   713   716   717

128

718   719   714

725   721   722   729

entrava nel Museo di Pietro-burgo.

Esp. C 1963, n. 470.

707. ARABI IN VIAGGIO. Providence (Rhode Island), School of Design

ol/tl 54×65 f d 1855 R. 1277

Dipinto per il principe Demidoff; poi, entro il 1935, quando pervenne alla sede odierna, passato attraverso varie collezioni private. Tematicamente si collega con un passo del *Journal* [1832] in cui Delacroix descrive l'incontro con una famiglia araba in viaggio.

Esp. L 1930, n. 166. C 1963, n. 471.

708. LEONE CHE AZZANNA UN CAIMANO (LEONE E CAIMANO). Parigi, Louvre

ol/tv 32×42 f d 1855 R. 1281

Per repliche variate del 1863, si veda ai n. 807 e 808.

709. AMLETO DINANZI AL CADAVERE DI POLONIO. Reims, Musée des Beaux-Arts

ol/tl 58×48 f 1855 R. 943 e 1387

Tema ricavato dall'*Amleto* di Shakespeare (atto 3°, scena 4ª), e già espresso da Delacroix in una litografia del 1834. Da Robaut catalogato una prima volta al 1854, una seconda al '59; in realtà, cominciato il 5 aprile

1854 e compiuto l'anno dopo [*Journal*].

Esp. V 1956, n. 27. C 1963, n. 469.

710. I DUE FOSCARI. Chantilly, Musée Condé

ol/tl 90×130 f d 1855 R. 1272

È il noto episodio del doge Foscari che ascolta la sentenza contro il figlio Giacomo, sospetto di tradimento contro la Serenissima.

711. ERCOLE GETTA AI CAVALLI IL CADAVERE DI DIOMEDE (ERCOLE E DIOMEDE). Copenaghen, Ny Carlsberg Glyptotek

ol/ct su tl 28×35 1855 R. 1274

712. CRISTO SORRETTO DA DUE ANGELI. Digione, Musée des Beaux-Arts (Magnin)

ol/tl 165×120 *1856(?)

713. IL CROCIFISSO CON LE PIE DONNE (CRISTO IN CROCE). Brema, Kunsthalle

ol/tl 45×36,5 *1856 R. 1289

Donato (1856) dal pittore all'architetto Roché. Nel 1878 venne ritirato (8.500 fr.) alla vendita Laurent-Richard.

714. OLINDO E SOFRONIA SUL ROGO. Monaco, Neue Pinakothek

ol/tl 101×82 f *1856 R. 1290

Tema desunto dalla *Gerusalemme liberata* (canto 3°) del Tasso. Probabilmente intrapreso nel 1853 [*Journal*]; venduto (2.000 fr.) dal pittore stesso nel '56. In seguito passò per varie vendite, finché nel 1962 pervenne alla sede odierna.

Esp. L 1930, n. 169. C 1963, n. 476.

715. c.s. Angers, Bonneau

1856(?)

Possibile 'prima idea' per l'opera precedente [Sérullaz]. Reca una dedica autografa del 1859 a Dutilleux.

716. LA MADDALENA NEL DESERTO. Zurigo, propr. priv.

ol/tl 38×45 1856(?) R. 1728

Da Robaut ascritta al 1844, ma assai prossima all'*Euridice* di Montpellier (n. 725) [Sérullaz]. Forse ritoccata da Andrieu [*Id.*], che l'acquistò (450 fr.) alla vendita postuma di Delacroix (n. 114) per la duchessa Colonna.

Esp. V 1956, n. 24. C 1963, n. 477.

717. INDIANA AZZANNATA DA UNA TIGRE. Stoccarda, Staatsgalerie

ol/tl 51×61,3 f d 1856 R. 1200

L'identificazione del dipinto di Stoccarda col n. 1200 di Robaut sembra attendibile; resta tuttavia da segnalare che il catalogatore francese, a parte il riferimento cronologico al 1852, fornisce le dimensioni 45×54.

718. LEONE CHE ARTIGLIA UN SERPENTE

ol/tl 51×61 f d 1856 R. 1298

Robaut segnala che nel 1876 l'opera si trovava in cattivo stato, specie per l'alterazione delle vernici. Fra il 1858 e il '77 passò attraverso varie vendite parigine, per prezzi dai 1.030 ai 20.000 franchi.

719. LEONE CHE DIVORA UN CONIGLIO. Parigi, Louvre

ol/tl 46,5×55,5 f 1856 R. 1299

Per Robaut, uno dei più bei dipinti da cavalletto di Delacroix.

720. LEONE STANTE

ol/tl 27×38 1856 R. 1303

Il felino ha la testa a destra, verso un corso d'acqua [R.]. Passò (6.700 fr.) per la vendita d'Aquila (1868).

721. INCONTRO TRA UN LEONE E UNA TIGRE. Praga, Národní Galerie

ol/tl 23×30,5 f 1856(?) R. 1304(?)

Secondo Robaut, tematicamente affine a un acquerello che lo studioso stesso cataloga al n. 1305. Acquistato (900 fr.) dalla duchessa Hamilton alla vendita Cachardy (1859). Se l'i-

dentificazione col dipinto di Praga, qui proposta, è accettabile (d'altronde Robaut intitola l'olio in esame '*Rencontre d'un lion et d'un tigre*'), tale affinità risulta assai vaga.

722. LEONESSA E LEONE IN UNA CAVERNA. Montreal, Museum of Fine Arts (Horne)

ol/tl 36,5×45 f 1856 R. 1308

723. LEONI ALL'INGRESSO DI UNA CAVERNA

ol/tl 24×41 1856(?) R. 1847

Acquistato (495 fr.) da Gabriel alla vendita postuma di Delacroix (n. 85). Lo si registra — dubitativamente — sotto il 1856 per mere analogie tematiche con l'opera precedente.

724. CACCIA AL LEONE

ol/tl 32×40 f d 1856 R. 1300

Appartenne a George Sand, alla cui vendita (1864) 'fece' 1.170 franchi.

Abbozzi per le "Stagioni" Hartmann

Per la serie 'definitiva' si veda ai n. 772-775. Si prende in esame qui di seguito un gruppo di abbozzi (con ogni verosimiglianza del 1856) — leggermen-

te variati rispetto alla serie suddetta — che Robaut, ascrivendoli al 1862, sembra considerare repliche delle tele 'definitive'. Passarono per la vendita postuma di Delacroix coi n. 105-108, non sicuramente riferibili alle singole opere.

725. LA PRIMAVERA (EURIDICE. LA MORTE DI EURIDICE. ORFEO ED EURIDICE). Montpellier, Musée Fabre

ol/tl   61×50   R. 1435

Molto verosimilmente è il n. 105 della vendita postuma di Delacroix, aggiudicato (640 fr.) a Dauzats.

Esp. C 1963, n. 478.

726. L'ESTATE (DIANA E ATTEONE)

ol/tl   56×46   R. 1429

Forse è il n. 106 della vendita suddetta, dove fu aggiudicato a 520 franchi.

727. L'AUTUNNO (BACCO E ARIANNA)

ol/tl   56×46   R. 1431

728. L'INVERNO (GIUNONE ED EOLO)

ol/tl   56×46   R. 1433

Da Robaut segnalato in proprietà di J. Saulmier.

729. PAESAGGIO NEI DINTORNI DI ANTE. Parigi, David-Weill

ol/tl   27×59   1856   R. 1803(?) o 1805(?)

La località si trova vicino a Sainte-Menehould (Meuse), e vi abitava un cugino del maestro, presso il quale quest'ultimo soggiornò ai primi di ottobre del '56. (Si veda anche n. 1-10).

Esp. C 1963, n. 480.

730. DON GIOVANNI E AIDEA

ol/tl   50×45   1856   R. 1291

Tema desunto dal *Don Giovanni* di Byron (canto 2°). Passato (1.100 fr.) per la vendita Van Isacker (1858).

731. COMBATTIMENTO FRA MAROCCHINI E ARABI

ol/tl   24×35   1856   R. 1292

Forse da accostare, tematicamente, alla *Riscossione delle tasse* del 1863 (n. 805). Passato per vendite parigine del 1862 e '65, a 900 e 1.300 franchi.

732. CAVALIERE ARABO

ol/tl   56×45,7   f   1856   R. 1294

Nonostante il divario, del resto lieve, rispetto alle dimensioni indicate da Robaut (60× 48), assimilabile a un dipinto immesso in una recente asta della Sotheby a Londra (1° dicembre 1971) e aggiudicato per 49.000 sterline. L'attenzione del cavaliere, dal manto giallo pallido, è attratta da un oggetto nel cactus in primo piano.

733. COMBATTIMENTO FRA IL GIAURRO E IL PASCIA. Parigi, Renou

ol/tl   81×65   f   d   1856   R. 1293

Quarta versione del tema espresso la prima volta nel 1826 (n. 130) e poi in altre composizioni (n. 168, 270 e 734), nessuna delle quali risulta affine alla presente.

734. EPISODIO DELLA GUERRA D'INDIPENDENZA GRECA (COMBATTIMENTO FRA IL GIAURRO E IL PASCIA)

ol/tl   65×81   f   d   1856   R. 1296

732

733

734

735 [R]

736

738

740

741

739

742

743

744

745

746

747

129

Acquistato (21.000 fr.) dal barone Gustave de Rothschild alla vendita Wertheimberg (1871). Replica variata del n. 168 (che a sua volta riprende un tema già trattato nel 1826 [si veda n. 130]); Sérullaz pensa che Robaut distingua erroneamente dal nostro n. 168 il presente dipinto, ma in realtà si tratta di due opere diverse, e quella in esame è improntata a caratteri stilistici che convengono al 1856.

735. BAGNANTE (DONNA AL BAGNO). Già Parigi (?), Le Gentil

ol/tl   32,5×24   1856   R. 1297

736. IL SULTANO DEL MAROCCO PASSA IN RIVISTA LA SUA GUARDIA. Parigi, Mir

ol/tl   65×55   1856   R. 1295

Replica molto variata del *Sultano del Marocco* del 1845 (n. 423), tuttavia più prossima a questo che non alla versione del '62 (n. 801).

Alla composizione in esame è assimilabile una teletta (37×29; Parigi, propr. priv.), che viene identificata nel n. 1743 di Robaut (a sua volta, n. 136 della vendita postuma di Delacroix, dove 'fece' 440 fr.) e pertanto, al seguito dello studioso stesso, considerata abbozzo dell'opera 'principe', del '45; mentre la qualità risulta tale da suscitare dubbi circa l'autografia.

737. c.s. Parigi, propr. priv.

ol/tl   1856*   R. 1743

Da Robaut considerato abbozzo per il n. 379 e riferito al 1845; più attendibilmente Sérullaz lo considera replica variata, affine al n. 736.

738. LA FURIA DI MEDEA (MEDEA FURIOSA). Già (?) Berlino, Staatliche Museen

ol/tl   131×98   f   d   1856   R. 1403

Replica variata del tema espresso nel 1838 (n. 328). Già appartenuta a Richard di Parigi; la direzione del museo berlinese ci comunica che con ogni probabilità è andata distrutta. A giudicare dalle riproduzioni, Maltese risulta assai attendibile supponendo che possa essere stata dipinta in collaborazione con Andrieu.

739. FRANÇOIS-JOSEPH TALMA COME NERONE. Parigi, Comédie-Française

ol/tl   92×73   f   1857   R. 1310

Iniziato nel 1853. Dette luogo a polemiche abbastanza risibili circa la resa del tipo di Nerone, che Delacroix non avrebbe azzeccato.

740. MAROCCHINO (o ARABO) CHE SELLA UN CAVALLO. Budapest, Magyar Nemzeti Galéria

ol/tl   57×61   f   d   1857   R. 1317

Dal *Journal* risulta in via d'esecuzione già nel 1856.

Esp. L 1930, n. 174. C 1963, n. 485.

741. DUE CAVALLI DOPO L'ABBEVERATA

ol/tl   46×56   1857   R. 1314

Fra il 1868 e l'81 passò per alcune vendite parigine a prezzi dai 12.500 ai 24.300 franchi.

742. DONNA ALGERINA IN UNA STANZA

ol/tl   37×28   f   d   1857   R. 1315

Robaut precisa che la figura è a torso nudo, mentre nei tessuti del divano predominano rosso, giallo e azzurro.

Un'opera affine (33×24,5, f; propr. priv. francese) è apparsa alla mostra di Tokio (1969, n. 30) col riferimento al 1849; dalla riproduzione non sembra possibile valutare la qualità, che comunque sembra abbastanza buona.

743. CONVULSIONARI A TANGERI (I FANATICI DI TANGERI). Toronto, Art Gallery

ol/tl   46,7×56,5   f   d   1857   R. 1316

Ripresa molto variata del tema già espresso nel 1837 (n. 293).

Esp. L 1930, n. 173. C 1963, n. 486.

744. CRISTO CADUTO SOTTO

LA CROCE (LA SALITA AL CALVARIO. CRISTO PORTACROCE)

ol/tl   40×47   1857   R. 1312

Robaut [n. 1313] ne riproduce un disegno preliminare che a nostra volta pubblichiamo come testimonianza della composizione. Passato (8.000 fr.) per la vendita Laperche (1868).

745. MARINAI ARABI (o NAUFRAGHI) CHE TRASCINANO A TERRA UNA BARCA (COSTE DEL MAROCCO. VEDUTA DI TANGERI DALLA SPIAGGIA). Minneapolis, Institute of Arts

ol/tl   81×100   f   d   1858   R. 1348

Robaut, escludendo l'ambiente arabo, collega il tema con un episodio accaduto a Delacroix e a suo cugino Bornot presso Fécamp, quando i due aiutarono alcuni marinai che non riuscivano ad alare una barca sulla spiaggia; peraltro lo stesso studioso suggerisce una affinità tematica con la composizione dei *Pirati* dipinta nel 1852 (n. 592); in ogni caso, i costumi appaiono arabi. Secondo Marchiori, il dipinto spetta al 1833, subito dopo il viaggio in Africa; ma, oltretutto, esso rivela affinità stilistiche col *Naufragio* di Zurigo, del '62 (n. 793).

746. GUADO DI ARMATI MAROCCHINI (PASSAGGIO DI UN GUADO IN MAROCCO). Parigi, Louvre

ol/tl   60×73   f   d   1858   R. 1347

748 [Tav. LX]   766   769

749   751   753   754 [R]

755 [R]   756   758

757   762   764

763   765 [R]   767

747. BAGNANTI MAROCCHINI NEL FIUME SEBU (SPONDE DEL SEBU)

ol/tl 50×60 f d 1858 R. 1346

Apparso al Salon del 1859. Passato per vendite parigine fra il 1866 e il '74 a prezzi dai 5.555 ai 6.750 franchi.

748. IL RAPIMENTO DI RE-BECCA. Parigi, Louvre

ol/tl 105×81,5 f d 1858 R. 1383

Ripresa variata del tema già trattato nel 1846 (si veda n. 452).

La foga, più che mai rapinosa, trova una sua unità nella scelta dello schema compositivo, impostato su una sinuosa ascendenza da destra a sinistra, proseguente poi, di nuovo verso destra, nelle mura merlate. La medesima struttura ricompare nella coeva Morte di Lara (n. 749).

Esp. L 1930, n. 175. C 1963, n. 498.

749. LA MORTE DI LARA. Zurigo, Bührle

ol/tl 62×50 f d 1858 R. 1355

Ripresa variata del tema espresso nel 1847 (si veda n. 496); qui è colto il momento in cui l'eroe cade da cavallo ferito a morte. L'impianto è analogo a quello della Rebecca coeva (n. 748), mentre il 'motivo' della valle tortuosa e accidentata ricomparirà nel Combattimento di arabi del 1863 (n. 805).

Esp. L 1930, n. 177. C 1963, n. 490.

750. LA GIUSTIZIA DI TRAIA-NO (?)

ol/tl 1858 R. 1791

Replica del tema dipinto nel 1840 (n. 352), non si sa se variata. Peraltro l'opera risulta promessa (1858) da Delacroix al mercante Tedesco, assieme a un'altra (n. 751), per complessivi 5.000 franchi, e si ignora se venisse realmente eseguita.

751. SOSTA DI CAVALIERI GRECI. Cleveland, Museum of Art

ol/tl 50×60 f d 1858 R. 1389 (e 1790 [?])

Robaut [n. 1389] leggeva la data 1859, ma in seguito [n. 1389*] corresse l'errore, identificando il dipinto con quello menzionato da Delacroix in una lettera del '58 al mercante Tedesco, dal quale l'opera poté essere stata acquistata quello stesso anno (si veda n. 750).

Esp. C 1963, n. 491.

752. FORESTA (?)

ol/tl 1858 R. 1790 (e 1389 [?])

L'opera ("... une forêt ...") è menzionata nella lettera del maestro di cui nella 'scheda' precedente; esiste il dubbio [Sérullaz] che possa trattarsi della Sosta suddetta (n. 751).

753. LA DECOLLAZIONE DEL BATTISTA. Berna, Kunstmuseum

ol/tl 56×46 f d 1858 R. 858

Ripresa variata — dipinta per Robert, di Sèvres [Journal] — del tema già espresso in uno dei pennacchi della biblioteca di palazzo Borbone (n. 476). Da Robaut erroneamente ascritta al 1844.

Esp. C 1963, n. 492.

754. ERCOLE AI PIEDI DELLE SUE COLONNE (IL RIPOSO DI ERCOLE)

ol/tl 32×40 1858 R. 1351

Replica leggermente variata del tema espresso in una lunetta dell'Hôtel de la Ville di Parigi (n. 640); dipinta su commissione della Société des Amis des Arts di Arras. Appartenuta a Monjean.

755. TIGRE SPAVENTATA DA UN SERPENTE

ol/tl 33×40 1858 R. 1354

Passata, fra il 1860 e l'81, attraverso alcune vendite parigine per prezzi dai 440 ai 24.100 franchi.

756. CACCIA AI LEONI. Boston, Museum of Fine Arts (Denio)

ol/tl 90×119 f d 1858 R. 1349

Ripresa variata del tema già espresso nel 1855 (n. 703) e in altre opere. Qui l'ispirazione a Rubens risulta anche più evidente che nelle opere precedenti.

Esp. L 1930, n. 176. C 1963, n. 488.

757. SAN SEBASTIANO SOC-CORSO DALLE PIE DONNE. Los Angeles, County Museum

ol/tl 36×45 f d 1858 R. 1353

Ripresa variata del tema già espresso nel 1836 (n. 285). Esposto al Salon del 1859. Passato per vendite parigine del 1868 e 1873 al prezzo di 10.000 e 31.500 franchi.

758. LA MORTE DI GIOVANNI SENZA PAURA. Parigi, propr. priv.

ol/tl 83×121 1856-60(?)

Si tratta dell'assassinio perpetrato da Tanguy du Châtel e dagli uomini del delfino al ponte di Montereau nel 1419. Potrebbe aver fatto parte della vendita postuma di Delacroix (n. 221 [?]). Robaut [n. 350] registra un disegno della composizione (Parigi, propr. priv.) situandolo nel 1830, quando il maestro può avere iniziato le 'prime idee' per il tema; tutta-

via l'opera in esame sembra assai più tarda, così come — essendo rimasta incompiuta — risulta proseguita da altra mano, verosimilmente quella di Andrieu [Johnson; Sérullaz].

Esp. C 1963, n. 483.

759. c.s. Già Monaco, Thannhauser

25×41

Abbozzo per l'opera precedente, passato per la vendita Rouart (1912).

760. OVIDIO IN ESILIO. Londra, National Gallery

ol/tl 88×130 f d 1859 R. 1376

Riprende, variandolo, il tema d'un pennacchio di palazzo Borbone (n. 479). Opera d'impegno, presentata al Salon del 1859, dopo che forse era in lavorazione dal '57.

761. c.s.

ol/tl 30×50 1859(?) R. 1375

Probabile abbozzo per l'opera precedente. Passato per la vendita postuma di Delacroix (n. 366).

762. ARABO FERITO

ol/tl 46×56 f d 1859 R. 1175

Verso il 1869 fu acquistato (5.000 fr.) da Vanderdonck; poi appartenne a Perreau. Nel 1883 fu esposto a Parigi. Robaut lo ascrive erroneamente al 1850.

763. AMLETO E ORAZIO AL CIMITERO. Parigi, Louvre

ol/tl 29,5×36 f d 1859 R. 1388

Ripresa molto variata del tema già trattato a partire dal 1835 (n. 283, 344 e 349). Esposto al Salon del 1859.

Esp. L 1930, n. 182. C 1963, n. 500.

764. LA MORTE DI OFELIA. Winterthur, Reinhart

ol/tl 52×64 f 1859 R. 1386

Variante del tema espresso nel 1838 (n. 332) e '44 (n. 415). Passato per due vendite parigine (1872 e '73) a 15.000 e 31.000 franchi.

765. DEMOSTENE SULLA SPIAGGIA. Dublino, National Gallery of Ireland

ol/tl 48×60 f 1859 R. 1373

Ripresa variata del tema già trattato in un pennacchio di palazzo Borbone (n. 473). Passato per due vendite parigine (1872 e 1877) a 27.400 e 20.000 franchi.

766. LA DEPOSIZIONE NEL SEPOLCRO (PIETÀ). Buenos Aires, Santamarina

ol/tl 56×46 f 1859 R. 1380

Esposta al Salon del 1859, con vasta risonanza da parte della critica: in particolare, la ammirò molto Baudelaire [*Le Salon de 1859*, "Revue française" 1859].

767. SAN SEBASTIANO SOCCORSO DALLE PIE DONNE

ol/tl 33×45 1859 R. 1381

Varia il tema già trattato nel 1858 (n. 757). Esposto al Salon del 1859.

768. c.s. Già Parigi, Haro

ol/tl 37×51 1859 R. 1382

Vale il commento dell'opera precedente.

769. LA SALITA AL CALVARIO

760 · 771

(CADUTA DI CRISTO SOTTO LA CROCE). Metz, Musée de la Ville

ol/tv 57×48 f d 1859 R. 1377

Composizione eseguita per venire sviluppata nella chiesa di Saint-Sulpice (n. 781-787), prima che si decidesse di cambiare la tematica. Esposta al Salon del 1859, ottenne pareri negativi, ma anche caldi elogi da Dumas e, soprattutto, da Baudelaire ["Revue française" giugno e luglio 1859]. Acquistata per la sede odierna (1861) in seguito a una sottoscrizione di artisti e amatori.

Esp. L 1930, n. 186. V 1956, n. 38. C 1963, n. 493.

770. c.s.

ol/tv 44×36 1860 R. 1404

771. ERMINIA FRA I PASTORI. Stoccolma, Nationalmuseum

ol/tl 81×100 f d 1859 R. 1384

Temi desunti dalla *Gerusalemme liberata* di T. Tasso erano già stati trattati da Delacroix (n. 434, 714 e 715); questo risulta attinto dal canto 8° del poema. Quanto alla struttura compositiva, può essere stata suggerita dallo stesso soggetto del Do-

menichino al Louvre (Grate): forse tramite qualche incisione, poiché l'impianto appare rovesciato rispetto a quello del pittore italiano.

Esp. L 1930, n. 184. C 1963, n. 497.

Le "Stagioni" Hartmann

Commissionate da Fr. Hartmann di Parigi, Delacroix [*Journal*] ne ricercava i temi nel gennaio 1856; nel marzo, portate le tele (196×166) a Champrosay, attendeva alla stesura, cui risulta intento anche due mesi dopo, in maggio, quando sembra averla interrotta, per riprenderla poi nel 1860. È certo che

alla morte del maestro le quattro opere erano incompiute, verosimilmente in seguito alla scomparsa (1861) del committente; le proseguì una mano estranea, i cui interventi furono però eliminati dopo che le tele entrarono a fare parte del Museu de Arte di San Paolo. Robaut assegna sia le composizioni 'definitive', quelle oggi in Brasile, sia una serie di abbozzi, al 1862; ma almeno questi ultimi sembrano riferibili al '56 (si vedano n. 725-728).

772. LA PRIMAVERA (EURIDICE CHE RACCOGLIE FIORI)

R. 1434

Passata (1.500 fr.) per la vendita postuma di Delacroix (n. 101).

773. L'ESTATE (DIANA SORPRESA DA ATTEONE)

R. 1428

N. 102 della vendita postuma del maestro (1.500 fr.).

774. L'AUTUNNO (BACCO INCONTRA ARIANNA)

R. 1430

Passato (830 fr.) per la vendita postuma di Delacroix (n. 103).

775. L'INVERNO (EOLO IMPLORATO DA GIUNONE. GIUNONE ED EOLO)

R. 1432

Passato (1.000 fr.) per la vendita postuma di Delacroix (n. 104).

776. IL CONTE UGOLINO E I FIGLI IN CARCERE. Copenaghen, Ordrupgaardsamlingen

ol/tl 50×61 f d 1860 R. 1063

Tema desunto dall'*Inferno* di Dante (canto 33°). Può darsi che Delacroix vi stesse attendendo già nel 1849 [*Journal*], anno al quale lo assegna Robaut.

777. AMADIGI DI GAULA LIBERA UNA FANCIULLA NEL CASTELLO DI GALPAN. Richmond, Virginia Museum of Fine Arts (Williams)

ol/tl 54×65 f d 1860 R.* 1381 bis

Tema desunto dall'*Amadigi*, romanzo cavalleresco di anonimo spagnolo, del quale era nota in Francia la versione del conte di Tressan (1779); peraltro sussistono dubbi su quale passo preciso dell'opera abbia attratto Delacroix.

Esp. C 1963, n. 505.

778. RUGGERO RAPISCE ANGELICA. Già (?) Parigi (?), Rothschild

ol/tl 24×29 f 1860 R. 1406

772

773

774

775

131

776

777

778 [R]

779 [Tav. LXII]

780

790

132

791

792

793

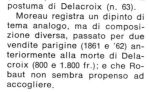

794

795 [Tav. LXIII]

796

797

Sovrapporta, *pendant* dell'opera successiva. Acquistato (500 fr.) da Hartmann alla vendita postuma di Delacroix (n. 109).

789. TRIONFO DI ANFITRITE. Zurigo, Bührle

R. 1420

Pendant dell'opera precedente (si veda per ogni dato). Acquistato (1.025 fr.) da Hartmann alla vendita postuma del maestro (n. 110).

790. CACCIA AI LEONI. Chicago, Art Institute (Potter Palmer)

ol/tl 76,5×98,5 f d 1861 R. 1350

Ripresa del tema di Bordeaux (n. 703) e di Boston (n. 756); ma — sembrerebbe [Cassou] — per esprimere, più che una caccia, la superiorità dell'uomo. La scioltezza del fare, la perfezione compositiva e la limpida chiarezza dei colori che illuminano la visione fanno dell'opera un capolavoro.

Esp. L 1930, n. 191. V 1956, n. 42. C 1963, n. 521.

791. LA MORTE DI BOTZARIS (BOTZARIS. BOTZARIS SORPRENDE IL CAMPO DEI TURCHI). Parigi, Dupont

ol/tl 55×92 *1862 R. 1407

Quelle suddette sono le dimensioni attuali dell'unico frammento sicuramente (seppure parzialmente) autografo dell'opera, che in origine misurava 165×204. Il tema concerne un episodio della guerra d'indipendenza greca: Marcos Botzaris assalta di sorpresa il campo dei turchi all'alba, e cade colpito a morte. Dal *Journal* risulta che Delacroix vi pensava almeno dal 1821; nel 1824 e '26 vi dovette lavorare, lasciando poi interrotta l'opera fin verso il '60; la riprese nel 1862, senza però condurla a termine. Alla vendita postuma (n. 99) fu acquistata per 2.200 franchi da Bouché Saint-Aignan; forse si trovava ancora integra, ma poco dopo era ridotta a forma quadrata, e a una vendita dell'Hôtel Drouot (1868) venne presentata in cinque frammenti, che come minimo dovevano essere stati integrati da mani spurie, poiché la loro superficie totale risultava [R.*] circa il quadruplo di quella primitiva: il frammento stesso in esame presenta zone periferiche non autografe.

Per un abbozzo completo, si veda l'opera successiva.

Esp. C 1963, n. 524.

792. c.s. Parigi, Dupont

ol/tl 60×73 *1862 R. 1408

Abbozzo completo dell'opera precedente. Acquistato (1.000 fr.) da Thomas alla vendita postuma di Delacroix (n. 100).

Poté esistere almeno un altro abbozzo analogo.

Esp. L 1930, n. 181. C 1963, n. 525.

793. NAUFRAGIO PRESSO LA COSTA. Zurigo, propr. priv.

ol/tl 46×54 f d 1862 R. 1444

Eseguito a memoria, forse utilizzando appunti presi a Etretat, Fécamp o Dieppe, ovvero — addirittura — durante l'ormai lontano viaggio in Marocco; comunque, ricchissimo di sottigliezze cromatiche nella resa dell'acqua e dei suoi riflessi sulla roccia.

Esp. L 1930, n. 198. V 1956, n. 43. C 1963, n. 523.

Dall'*Orlando furioso* (canto 10°) di L. Ariosto. Acquistato (1.205 fr.) da Petit alla vendita postuma di Delacroix (n. 63).

Moreau registra un dipinto di tema analogo, ma di composizione diversa, passato per due vendite parigine (1861 e '62) anteriormente alla morte di Delacroix (800 e 1.800 fr.); e che Robaut non sembra propenso ad accogliere.

779. ZUFFA DI CAVALLI IN UNA SCUDERIA. Parigi, Louvre

ol/tl 64×81 f d 1860 R. 1409

Ancora un ricordo del soggiorno in Marocco: nel *Journal* [gennaio 1832] è registrato uno scontro analogo, a Tangeri: "Ho visto, ne sono sicuro, tutto quello che Gros e Rubens hanno potuto immaginare di più fantastico". I primi schizzi per l'opera risalgono al 1856.

Esp. L 1930, n. 190. V 1956, n. 39. C 1963, n. 503.

780. CAVALIERE ORIENTALE CON DUE CAVALLI USCENTI DAL MARE (CAVALLI USCENTI DAL MARE). Washington, Phillips Collection

ol/tl 50×60 f d 1860 R. 1410

Commissionato dal mercante Estienne [*Journal*]. Nel fondo, una città marocchina. Colore e luce raggiungono una fusione perfetta.

Esp. L 1930, n. 189. C 1963, n. 502.

'Storie' sacre per Saint-Sulpice di Parigi

Fino dal 1847 si pensava di affidare a Delacroix l'ornamentazione della prima cappella a destra nella chiesa di Saint-Sulpice a Parigi; inizialmente, doveva contenere il fonte battesimale, poi (1849) venne dedicata agli Angeli: anche da ciò le incertezze sui temi da svolgere; infine (1850c) il maestro decise per *San Michele che sconfigge il demonio* nel soffitto, la *Lotta di Giacobbe e l'angelo* sulla parete sinistra dell'ingresso e la *Scacciata di Eliodoro dal tempio* su quella all'altro lato; quattro pennacchi con *Angeli* come raccordi delle due zone. Anche in questa impresa si fece aiutare da Andrieu, mentre per le parti decorative si valse di L. Boulangé. Assorto nei cicli del Louvre (n. 574-576) e dell'Hôtel de la Ville (n. 598-642) e già ammalato, il pittore completò la stesura della cappella in esame soltanto entro il luglio 1861.

La critica accolse variamente l'opera, anche se in sostanza i giudizi furono favorevoli. Gali-chon ["La Gazette des Beaux-Arts" dicembre 1861] notava che "se — pensiamo — Delacroix non ha soddisfatto né le leggi della pittura religiosa né le condizioni di quella monumentale, in compenso ha espresso l'enorme ricchezza della sua immaginazione e dimostrato il coraggio e l'ardore che qualificano le altre sue opere, le quali sono e restano insigni". Alcuni giunsero a dichiararlo l'unico pittore religioso del suo secolo; a tale proposito va chiarito, con Marchiori, che, "scettico, volterriano", il maestro riesce qui "a interpretare i testi sacri con quella personalità, con quella irruenza, caratteristica della sua anima 'ardente', esaltata dal clima mistico della Chiesa, dai cori e dalle musiche liturgiche. L'alto impegno morale corrisponde a un'alta spiritualità, manifesta nella concezione dell'opera che, soprattutto nella *Lotta di Giacobbe con l'angelo*, si avvicina ai grandi modelli veneziani del Veronese e di Tiziano".

Per gli abbozzi, si veda ai n. 567-572.

Soffitto

781. SAN MICHELE SCONFIGGE IL DEMONIO

ol/tl applicata su muro 384×575 R. 1341

Pareti

La elencazione seguente inizia dall'alto delle pareti, con i quattro pennacchi, a grisaglia (pitture a olio e cera su muro).

782. ANGELO CON LIRA

R. 1342

783. ANGELO CON LIBRO

R. 1343

784. ANGELO CON FACE E PALMA

R. 1344

785. ANGELO CON TURIBOLO

R. 1345

786. LOTTA DI GIACOBBE CON L'ANGELO

ol e cera/muro 751×485 R. 1339

Sulla destra, tre figure orientali con dromedari. Il tema si richiama alle prove imposte da Dio ai suoi eletti.

787. ELIODORO SCACCIATO DAL TEMPIO

ol e cera/muro 751×485 R. 1340

---

788. TRIONFO DI BACCO. Zurigo, Bührle

ol(?)/tv 91×140 1861 R. 1419

794. OMAGGIO DI CONTADINI MAROCCHINI A UN CAPO (LA SOSTA. IL 'CAID'). Parigi, de Noailles

ol/tl 73×91 f d 1862 R. 1440

Ripresa variata del tema dipinto nel 1837 (n. 296): qui le figure hanno un peso più determinante nell'ambito della composizione.

Esp. C 1963, n. 529.

795. LA FURIA DI MEDEA (MEDEA FURIOSA). Parigi, Louvre

ol/tl 122,5×84,5 f d 1862 R. 1436

Ripresa variata della composizione (1838) di Lilla (n. 328), a sua volta seguita da altra nel 1856 (n. 738).

Esp. L 1930, n. 196.

796. c.s. Parigi, de Noailles

ol/tl 54×44 f d 1862 R. 1437

Altra replica (si veda all'opera precedente), eseguita per la Société des Amis des Arts di Arras; ma già dal 1864 presso collezionisti privati.

Esp. C 1963, n. 522.

797. TRASPORTO DEL CADAVERE DI SANTO STEFANO (SANTO STEFANO SOCCORSO DAI DISCEPOLI). Birmingham, Barber Institute of Fine Arts

ol/tl 46×38 f d 1862 R. 1212

Ripresa molto variata del tema dipinto nel 1853 (n. 644), e che Robaut considera, erroneamente, coeva di quest'ultimo. Si veda anche il n. 646.

798. CAVALLI E CAVALIERI ALL'ABBEVERATOIO. Filadelfia, Museum of Art (Wilstach)

ol/tl 76×91 f d 1862 R. 1442

Passato per due vendite parigine (1866 e 1868) a 5.300 e 15.000 franchi.

799. TIGRE CHE STUZZICA UNA TARTARUGA. Già Dresda, Meyer

ol/tl 44×62,5 d 1862 R. 1352

800. TIGRE E SERPENTE. Washington, Corcoran Gallery of Art

ol/tl 32×41 f d 1862 R. 1445

Passata per varie vendite parigine (1865-1882) a prezzi tra i 1.820 e i 13.500 franchi.

801. IL SULTANO DEL MAROCCO (MULEY-ABD-ERR-RAHMANN). Zurigo, Bührle.

ol/tl 81×65 f d 1862 R. 1441

Ripresa variata del tema già trattato nel 1845 (n. 423) e '56 (n. 736).

802. L'EDUCAZIONE DI ACHILLE. Parigi, propr. priv.

ol/tl 38×46 d 1862 R. 1438

Ripete, variandolo, il tema d'uno dei pennacchi di palazzo Borbone (n. 480).

803. IL TRIBUTO DELLA MONETA. Già Le Havre, Roederer

ol/tl 37×45 f d 1862 R. pag. 538

Ripresa fedele del tema d'uno dei pennacchi di palazzo Borbone (n. 477). Visto da Robaut alla mostra parigina di Delacroix del 1885 e accolto come autografo.

804. OVIDIO IN ESILIO. Già Parigi, Leroy et Cie

ol/tv 31×50 f d 1862 R. 1439

781

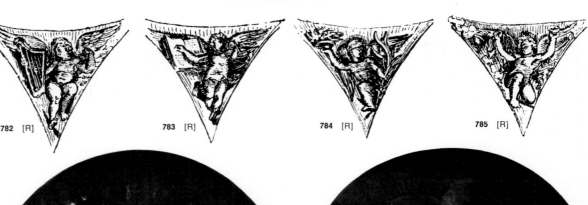

782 [R] 783 [R] 784 [R] 785 [R]

786 [Tav. LXI]

787

798

799 [R]

800

801

802

803

804

805 [Tav. LXIV]

134

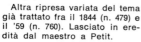

807 [R]

808

809

810

Altra ripresa variata del tema già trattato fra il 1844 (n. 479) e il '59 (n. 760). Lasciato in eredità dal maestro a Petit.

805. COMBATTIMENTO DI A-RABI FRA LE MONTAGNE (RI-SCOSSIONE DELLE IMPOSTE IN ARABIA). Washington, National Gallery (Dale)

ol/tl 92×74 f d 1863 R. 1448

Il primo dei titoli suddetti è quello assegnato da Delacroix; poiché il tema può risalire a una conversazione (1832) del pittore col ministro degli Esteri marocchino (nel corso del quale quest'ultimo spiegò la carenza di ponti nel suo paese per agevolare l'arresto dei ladri e la riscossione delle imposte), si propende ora per il secondo titolo, del resto ormai adottato da Piron [1865]. Uno fra gli ultimi lavori del maestro, da lui venduto, con un'altra opera (n. 806), al mercante Tedesco per 4.500 franchi, come risulta da una ricevuta firmata dall'artista del 12 aprile 1863, in cui il secondo dipinto è definito come "camp arabe, la nuit".

Esp. L 1930, n. 199 A. C 1963, n. 527.

806. CAMPO ARABO, DI NOT-TE

1863 (?)

Risulta venduto a Tedesco, insieme col dipinto precedente (si veda n. 805). Non sembra assimilabile a nessuna fra le opere conosciute (benché Robaut [note] paia identificarlo con il nostro n. 791) o comunque registrata dalla storiografia; dovrebbe però trattarsi d'un dipinto abbastanza importante, specie se vi sia da scorgere un *pendant* del n. 805.

807. LEONE CHE AZZANNA UN CAIMANO. Amburgo, Kunsthalle

ol/tl 27,5×32,5 1863 R. 1449

Ripresa del tema già trattato nel 1855 (n. 708).

808. LEONE CHE AGGUANTA UN COCCODRILLO

ol/tl 32×41 *1863*(?) R. 1841

Passato (750 fr., a Haro) per la vendita postuma di Delacroix (n. 86). Soltanto in via di ipotesi lo si collega col dipinto precedente, di tema analogo; potrebbe invece riferirsi a quello del 1855 (n. 708), o essere stato eseguito in altro periodo. Nell'asta Sotheby del 4 dicembre 1968, a Londra, è stata immessa un'opera (25×33) di tema uguale, recante la firma del maestro.

809. LEONESSA PRONTA AL BALZO (LEONESSA ALLA POSTA). Parigi, Louvre

ol/tl 29,5×39 f d 1863 R. 1456(?)

Al numero suddetto, Robaut registra una *Pantera pronta al balzo*, ma può trattarsi di un errore circa l'identificazione dell'animale.

Col secondo dei titoli suddetti, il catalogo (n. 67) della mostra Delacroix di Bordeaux (1963) registra una tela applicata su tavola (12×22; Parigi, Heim-Gairac), recante sul verso il *cachet* della vendita postuma del maestro.

810. TOBIOLO E L'ANGELO. Winterthur, Reinhart

ol/tl 40,5×32,5 f 1863 R. 1450

L'ultima opera d'impegno eseguita da Delacroix. Il colore è del tutto svincolato da qualsiasi funzione naturalistica: pronto a venire assunto in modo espressionistico da Van Gogh, per astrazioni decorative da Gauguin, per tumultuose "feste degli occhi" dai *fauves*, per rivestire valori puramente spirituali da Kandinski.

Ulteriori opere ricordate dalle fonti

Si elencano qui di seguito dipinti che, quantunque non situabili cronologicamente, per carenza di dati e di testimonianze grafiche, con ogni attendibilità sono da considerarsi autografi, essendo fra l'altro passati attraverso la vendita postuma di Delacroix (si veda nella premessa al Catalogo). La lista si attiene a un ordine iconografico: figure umane (intere e parziali), animali, architetture, oggetti.

811. CAPO MAROCCHINO

ol/tl 26×17 R. 1884

Acquistato (685 fr.) da Knowles alla vendita postuma di Delacroix (n. 71).

812. MAROCCHINO

ol/tl 61×50 R. 1881

Abbozzo acquistato (125 fr.) da F. Brest alla vendita postuma del maestro (n. 130).

813. c.s.

ol/tl R. 1882

Pure passato (135 fr., a Choquet) per la vendita postuma di Delacroix (n. 130 bis).

814-823. TESTA

ol/tl R. 1904

Assieme al nostro n. 155 (e forse al n. 25) costituivano il n. 201 della vendita postuma di Delacroix, dove il complesso passò per 1.162 franchi, aggiudicato a vari.

824. TESTA MASCHILE

ol/tl 55×46 R. 1903

Robaut precisa trattarsi d'uno studio per composizione storica. Passata (200 fr., a Bernier) per la vendita postuma di Delacroix (n. 194).

825. TESTA FEMMINILE (UN GENIO)

ol/tl 44×33 R. 1902

Acquistata (310 fr.) da Lambert alla vendita postuma del maestro (n. 195).

826-827. ANIMALI

ol/tl R. 1879

Due studi, passati per la vendita postuma di Delacroix (n. 214): uno acquistato da Prévost (180 fr.), l'altro da Moureau (400 fr.).

828. TESTA DI LEONE IN PRO-FILO

ol/tl 14×22 R. 1879

Acquistato (400 fr.) da Delille alla vendita postuma di Delacroix (n. 214), per la quale passò nello stesso lotto delle due opere precedenti.

829-841. CAVALLI

ol/tl R. 1860

Costituirono alla vendita postuma (n. 210), insieme con il nostro n. 84, un unico lotto di quattordici studi di cavalli, pagati complessivamente 4.180 franchi.

Una delle opere suddette viene assimilata, nel catalogo (n. 60) della mostra Delacroix di Bordeaux (1963), a una tela (27×21) di *Cavallo roano* in proprietà privata a Parigi.

Altra potrebbe essere l'olio (33×24,5) con *Cavallo visto da tergo*, recante sul verso il *cachet* della vendita postuma, immesso nella vendita Sotheby (Londra) del 2 luglio 1969.

842-851. CAVALLI

ol/tl R. 1871

Si tratta di dieci abbozzi passati (550 fr.) per la vendita postuma di Delacroix (n. 211).

852. CAVALLO LEGATO A UN PALO

ol/tl 18×20 R. 1866

Acquistato alla vendita postuma dell'artista (n. 84) da Haro per 300 franchi.

853. CAVALLO NORMANNO

ol/tl R. 1868

Acquistato (1.200 fr.) da Isambert alla vendita postuma di Delacroix (n. 208).

854. DUE CAVALLI DA TIRO

ol/tl R. 1867

Acquistato (250 fr.) da Hérédia alla vendita postuma di Delacroix (n. 203).

855. CAVALLO ARABO CON COPERTA AZZURRA

ol/tl R. 1863

Acquistato (720 fr.) da Scott alla vendita postuma di Delacroix (n. 206).

856. INTERNO DI CAPPELLA

ol/tl 35×26 R. 1799

Acquistato (1.105 fr.) da Dejean alla vendita postuma del maestro (n. 94).

857. INTERNO DI CHIESA

ol/tl 35×32 R. 1798

Acquistato (900 fr.) da Lavarez alla vendita postuma di Delacroix (n. 93).

858. ARMI ORIENTALI

ol/tl 51×33 R. 1917

Studio aggiudicato (900 fr.) a Lemonnier nel corso della vendita postuma di Delacroix (n. 191).

Copie

Per comodità di consultazione si esaminano qui le copie (naturalmente, le sole a olio) eseguite da Delacroix in vari periodi, attingendo soprattutto nella pittura antica, specie in quella di Rubens. Le opere (salvo la prima) si trovano raggruppate sotto il nome dell'artista ispiratore.

859. FIGURA FEMMINILE

ol/tl 65×54 R. 1933

Copia da originale antico, non ulteriormente precisabile. Alla vendita postuma (n. 175, 550 fr.) fu acquistata da Piron.

Gentile Bellini

(si veda **Scuola veneta**)

Alonso Cano

860. SANTA CATERINA. Béziers, Musée des Beaux-Arts

ol/tl 81×64

Copia del dipinto già nella collezione Soult.

Juan Carreño de Miranda

861. CARLO II DI SPAGNA. Parigi, Fabius

ol/tl 1824(?)

Copia del dipinto (allora, però, creduto di Velázquez) al Prado.

Correggio (Antonio Allegri)

862. NOZZE MISTICHE DI SANTA CATERINA. Lione, Musée des Beaux-Arts

ol/tl 27×29 *1825*

Dal dipinto del Louvre.

Giorgione

(si veda **Tiziano**)

Parmigianino (Francesco Mazzola)

(si veda **Raffaello**)

Raffaello Sanzio

863. TRITONE

ol/tl 17×22 *1817-19* R. 1927

Copia parziale del *Trionfo di Galatea* affrescato alla Farnesina di Roma. Acquistato alla vendita postuma (n. 154, 65 fr.) da F. Petit.

864. LE VIRTÙ CARDINALI E TEOLOGALI

ol/tl 31×23 *1817-19* R.* pag. 392

Copia (a giudicare dalle dimensioni, verosimilmente parziale) dalla lunetta nella Stanza vaticana della Segnatura, desunta da qualche riproduzione incisa.

865. FIGURA ALLEGORICA

ol/tl 30×22 *1817-19* R. 1926

Copia d'un dipinto non precisabile, ma forse della serie del precedente. Alla vendita postuma (n. 153, 355 fr.) venne acquistata da Détrimont.

866. GESÙ BAMBINO

ol/tl 60×50 *1817-19* R. 24

---

al Louvre. Aggiudicata alla vendita postuma (n. 170, 310 fr.) a Dejean.

871. DAMA DELLA FAMIGLIA BOONEN (?)

ol/tl 65×54 *1828* R. 259

Copia del dipinto al Louvre. Licitata per 380 franchi alla vendita postuma di Delacroix.

Nel catalogo (n. 13) della mostra Delacroix di Bordeaux (1963) viene identificata con una copia della *Fourment* del Louvre (ol/tl, 66×54) in proprietà Hahnloser di Berna.

872. LO SBARCO DI MARIA DE' MEDICI A MARSIGLIA

ol/tl 40×32 1828 R. 260

Copia del dipinto al Louvre. Apparsa alla vendita postuma (105 fr.).

Nel catalogo (n. 45) della mostra Delacroix di Bordeaux (1963), la copia viene identificata in una tela (39×31; Parigi, propr. priv.), forse raffigurante una o più naiadi, che, in assenza di riproduzioni, è impossibile valutare in quanto all'autografia.

873. c.s. (part.). Basilea, Kunstmuseum

ol/tl 46,5×38 R. 1943

Copia parziale del dipinto suddetto, raffigurante una naiade. Acquistata alla vendita postuma (n. 172, 130 fr.) da Burty.

874. ENRICO IV DI FRANCIA CONFERISCE LA REGGENZA A MARIA DE' MEDICI. Los Angeles, County Museum of Art (Los Angeles County Founds)

Copia del dipinto di Rubens

---

ol/tl 88,5×116 *1838-42* R. 1947

Copia parziale del dipinto al Louvre. Acquistata alla vendita postuma (n. 169, 1.950 fr.) da Hulot.

Esp. L 1930, n. 226. V 1956, n. 19.

875. BAMBINO. Parigi, Louvre

ol/tl *1840*(?) R. 1949

Copia parziale da un dipinto di Rubens, non precisabile ulteriormente. Fece parte (n. 176) della vendita postuma (si veda n. 884-888).

876. SUSANNA AL BAGNO. Lilla, Musée des Beaux-Arts

ol/tl 27×38 1841(?) R. 737

Libera derivazione da un disegno di Rubens, probabilmente noto a Delacroix attraverso una copia silografica di Chr. de Jegher.

Esp. C 1963, n. 312.

877. MIRACOLI DI SAN BENEDETTO. Bruxelles, Musées Royaux des Beaux-Arts

ol/tl 130×195 1841 R. 736

Liberamente desunto dal dipinto nei Musées Royaux di Bruxelles. Alla vendita postuma (n. 162, 6.500 fr.), aggiudicato a É. Péreire.

878. MIRACOLO DI SAN GIUSTO. Friburgo, Musée d'Art et d'Histoire

ol/ct 74×55 1847 R. 1942

Copia, eseguita "a memoria", dall'opera nel Musée des Beaux-Arts di Bordeaux. Acqui-

---

stata, alla vendita postuma (n. 163, 1.010 fr.), da Piron.

Esp. V 1956, n. 44.

879. LA FUGA DI LOT. Parigi, Louvre

ol/tl 32×40 1862 R. 1939

Copia del dipinto al Louvre. Acquistata, alla vendita postuma (n. 167, 620 fr.), da de Groiseilliez.

880. L'ADORAZIONE DEI MAGI

ol/tl 65×54 R. 1940

Copia dell'opera al Louvre. Aggiudicata, alla vendita postuma (n. 164, 655 fr.), a de Carcenac.

881. LA REGINA TOMIRI

ol/tl 40×32 R. 1938

Copia del dipinto al Louvre. Acquistata, alla vendita postuma (n. 168, 305 fr.), da Thoré.

882. TESTA DI SATIRO CHE BACIA UNA NINFA

ol/tl 16×21 R. 1945

Genericamente indicata come copia da Rubens: non è possibile fornire ulteriori precisazioni. Alla vendita postuma (n. 174, 330 fr.) venne acquistata da de Bellio.

883. LA DEPOSIZIONE

ol/tl 71×52 R. 1946

Copia di un dipinto non ulteriormente precisabile. Passata per la vendita postuma (n. 166, 530 fr.), a Lecoq).

884-888. FIGURE (?)

ol/tl R. 1950-1954

Copia parziale della *Bella giardiniera* al Louvre. Acquistata alla vendita postuma (n. 152, 5.000 fr.) da Sourignes.

867. RITRATTO DI GIOVANE APPOGGIATO SU UN GOMITO

ol/tl 63×48 *1817-19* R. 1925

Copia d'un dipinto del Louvre che ai tempi di Delacroix veniva creduto di Raffaello, mentre ora lo si attribuisce per lo più al Parmigianino. Acquistata alla vendita postuma (n. 151, 3.250 fr.) da Thoré per É. Péreire.

Rembrandt van Rijn

868. L'ANGELO LASCIA TOBIA. Lilla, Musée des Beaux-Arts

ol/tl 36×27

Dal dipinto del Louvre.

Pierre Paul Rubens

869. TESTE FEMMINILI

ol/tl 80×65 *1828*(?) R. 1944

Copia da un dipinto non precisabile del ciclo dedicato a Maria de' Medici, al Louvre. Acquistata, alla vendita postuma (n. 173, 110 fr.), da Filhston.

870. MARIA DE' MEDICI CHIUDE IL TEMPIO DELLA DISCORDIA

ol/tl 32×24 *1828*(?) R. 1948

861

862

873

875

876

874

877

878

879

896

897

Ignoti i temi dei cinque dipinti, di cui si sa soltanto che ripetevano particolari di opere di Rubens. Apparvero alla vendita postuma con il n. 176, che comprendeva anche l'opera di cui alla nostra scheda n. 875, suddiviso in sei lotti: tre di essi furono acquistati da Gaultron (100, 18 e 11 fr.), uno da Carvalho (60 fr.) e due da altri (67 e 30 fr.).

Con una di queste opere risulta identificato nel catalogo (n. 46) della mostra Delacroix di Bordeaux (1963) il *Martirio di san Livino* (ol/tv, 39×28, 1850c [?]; Parigi, propr. priv.) dall'omonimo dipinto di Rubens nei Musées Royaux di Bruxelles. Altra, con la *Nascita di Luigi XIII* del Louvre (ct, 46×33; Parigi, Paolo di Jugoslavia), n. 61 della mostra suddetta.

889. L'ENTRATA AD ANVERSA DELL'INFANTE FERDINANDO D'AUSTRIA. Parigi, propr. priv.

ol/ct su tl 23×25

Copia dall'incisione di Rubens.

890. LA SALITA AL CALVARIO

ol/tl 58×40 R. 1941

Copia, eseguita "a memoria", del dipinto della scuola di Rubens nel Musée des Beaux-Arts di Bordeaux. Alla vendita postuma (n. 165, 480 fr.), acquistata da Isambert.

Scuola italiana

891. MADONNA CON PASTORI

ol/tl 61×100 R. 1928

Copia di un dipinto non altrimenti precisabile. Passata alla vendita postuma (n. 159, 170 fr., a Carlier).

892. c.s.

ol/tl R. 1929

Ripetizione parziale dell'opera precedente. Nel corso della vendita postuma (n. 160, 460 fr.), aggiudicata a F. Brest.

Scuola veneta (sec. XV-XVI)

893. FIGURA MASCHILE. Parigi, Roger-Marx

ol/tl 43×37 *1825* R. 1932

Secondo Robaut, si tratterebbe della copia parziale d'uno dei due ritratti nella tavola del Louvre allora attribuita a Gentile Bellini (e poi al Cariani e ad altri: il catalogo [n. 7] della mostra Delacroix di Bordeaux [1963] — da cui si ricavano gli elementi suddetti, compresa l'assimilazione al n. 1932 di Robaut, e dove l'opera non è riprodotta — sottace la fonte). Pervenuta, durante la vendita postuma (n. 157, 600 fr.), a Filhston.

Tiziano Vecellio

894. CONCERTO CAMPESTRE

ol/tl 39×45 R. 1936

Copia del dipinto del Louvre attribuito a Giorgione o, meglio, a Tiziano su un'idea di Giorgione. Acquistata, alla vendita postuma (n. 158, 1.200 fr.), da van Cuyck.

895. TESTA DEL CARDINALE IPPOLITO DE' MEDICI

1843(?) R. 786

Copia del dipinto di Tiziano alla Galleria Pitti di Firenze.

896. LA DEPOSIZIONE NEL SEPOLCRO. Lione, Musée des Beaux-Arts

ol/tl 40×55 *1850*

Copia del dipinto di Tiziano al Louvre.

Diego Velázquez

(si veda **J. Carreño**)

Veronese (Paolo Caliari)

897. SUONATORI. Parigi, propr. priv.

ol/tl 63×80 R. 1930

Copia parziale dalle *Nozze di Cana* al Louvre. Acquistata alla vendita postuma (n. 155, 400 fr.) da Haro.

898. FIGURA (?)

ol/tl 81×100 R. 1931

Altra copia parziale, di tema ignoto, del dipinto suddetto. Acquistata alla vendita postuma (n. 156, 250 fr.) da Lehman.

Nel catalogo della mostra (1963) Delacroix di Bordeaux (n. 63), l'opera viene identificata con una tela (32×40) in proprietà Rabant di Parigi.

899. LA FAMIGLIA DI ADAMO

ol/tl 28×46 R. 1967

Copia di un dipinto non ulteriormente precisabile, che secondo Moreau deriverebbe da una riproduzione disegnata da Teniers o a lui attribuita.

Addenda

Quando la presente monografia si trovava già in corso di stampa, hanno avuto risposta alcune richieste di ragguagli da noi rivolte a collezioni pubbliche e private di particolare importanza. Di tali risposte si dà conto nelle schede qui sotto, seguenti l'ordine alfabetico dei titoli.

900. AMLETO E ORAZIO. Le Havre, Musée des Beaux-Arts

ol/tv 26×37

Verosimilmente accostabile, dal lato tematico, ai nostri n. 283, 344, 349 e 763. In mancanza di una conoscenza anche solo mediata attraverso la riproduzione fotografica, non siamo in grado di aggiungere alcun ragguaglio a quelli suddetti, gentilmente forniti dal Museo.

901. CAVALLO BIANCO. Bayonne, Musée Bonnat

ol/tl su cartone 19,5×25

La mancanza d'un esame del dipinto, sia pure attraverso la foto, non consente di aggiungere ulteriori ragguagli a quelli suddetti, gentilmente forniti dal Musée Bonnat.

902. DALIE. Copenaghen, Ny Carlsberg Glyptotek

ol/tl 40×54 1842*(?)

Dalla riproduzione fotografica, la qualità parrebbe tale da permettere un accostamento diretto al n. 370.

903. LA MORTE DI SARDANAPALO. Tokio, Museo Nazionale

ol/tl 81,5×65 1826-27

Abbozzo parziale, per la figura della schiava pugnalata, in primo piano verso destra: di qualità tale da giustificare il riferimento diretto al maestro, come ci segnala il prof. Dell'Acqua. Pervenuta (1960) dalla collezione Matsukata. Forse da identificare con uno dei nostri n. 160-163.

904. IL CONTE PALATIANO (UOMO IN COSTUME ORIENTALE). Praga, Národní Galerie

ol/tl 34×26 f 1826(?)

Dalla riproduzione fotografica, gentilmente fornita dal Museo, parrebbe di qualità tale da pensarlo abbozzo autografo per il n. 134, opera che — è noto — venne lungamente studiata da Delacroix.

905. TIGRE SDRAIATA. Chicago, Art Institute

ol/tl 20,5×38 f *1830*(?)

La riproduzione fotografica indica una qualità apparentemente buona, in rapporto col n. 193.

Non valutabile, invece, dalla foto, l'autografia di una *Leonessa che beve* (ol/tl, 33,5×56,5, f, *1840-50*[?]; foto 905[1]) nello stesso Museo.

902

903

904

905

905[1]

Appendice *Delacroix disegnatore*

Coi disegni riprodotti in queste pagine si è mirato a una documentazione — sia pure parziale — sulla genesi di alcuni dipinti di Delacroix e, soprattutto, a una testimonianza — attraverso i molteplici aspetti dei mezzi grafici da lui impiegati — sulla personale e sensualissima foga con cui egli affrontava il reale, attuando "vortici organizzati", dove per lo più solo qualche elemento acquisisce particolare definizione, non a fini documentari, bensì in funzione dei valori cromatico-luminosi.

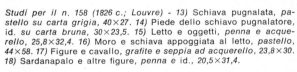

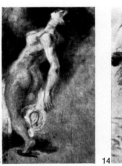

1) Nudi *(forse da copia incisa del Giudizio di Michelangelo)*, inchiostro bruno, 29×43,5 - 1821-24; Parigi, Doria. 2) Dannati *(prima idea per il n. 38)*, grafite su carta grigia, 27×20,1 - 1821 c.; Louvre. 3) Aline *(abbozzo per il n. 106)*, id., 21×13,3 - 1824 c.; ibid. 4) L'imperatore Giustiniano *(abbozzo per il n. 140)*, carboncino, 31,5×20,5 - 1825 c.; Parigi, Musée des Arts Décoratifs. 5) Id., penna, 27×38; Parigi, Roger-Marx. 6) Massacro di Scio *(abbozzo per il n. 92)*, acquerello, 33,8×30 - 1823 c.; Louvre. 7) Figure sedute *(studio per il n. 92)*, grafite, 25×20; ibid. 8) Id. *(id.)*, id. su carta grigio-rosa, 27,2× 19,3; ibid. 9) Il conte Palatiano *(studio per il n. 134)*, id., 19,5×10,7 - 1826 c.; ibid. 10) Id., id., 15,7×10,8; ibid. 11) Id., id., 19,7×9; ibid. 12) Id., id., 29×19; Parigi, Roger-Marx.

Studi per il n. 158 (1826 c.; Louvre) - 13) Schiava pugnalata, *pastello su carta grigia*, 40×27. 14) Piede dello schiavo pugnalatore, id. *su carta bruna*, 30×23,5. 15) Letto e oggetti, *penna e acquerello*, 25,8×32,4. 16) Moro e schiava appoggiata al letto, *pastello*, 44×58. 17) Figure e cavallo, *grafite e seppia ad acquerello*, 23,8×30. 18) Sardanapalo e altre figure, *penna e id.*, 20,5×31,4.

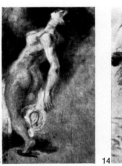

19) M.me Pierret, *grafite, 25×21,8 - d. 1827; Rotterdam, Museum Boymans - van Beuningen. Studi per il n. 195 (1829 c.; Louvre)* - 20) La Libertà, *grafite e biacca, 32,4× 22,8.* 21) Id., id. *su carta bruna, 28,4×20,5.* 22) Case, *grafite, 16,8×14.* - *Schizzi marocchini (1832)* - 23) Interno moresco, *acquerello, 18×10,5; Parigi, Roger-Marx.* 24) Studi di ebrea, *id., 33×27,5; ibid.* 25) Il ministro Amin-Bias, *id., 23,4×16,6 - f.; Louvre.* 26) Andalusa in preghiera, *seppia ad acquerello, 15,4×7,2 - 1832; Parigi, Roger-Marx.* 27) Arabo seduto, *acquerello, 19×29,8 - id.; Louvre.* 28) Marocchino con un ragazzo *(abbozzo per il n. 255), acquerello, 22,5×29 - f., 1833; Parigi, Bivort.* 29) L'assassinio del vescovo di Liegi *(abbozzo per il n. 132), seppia ad acquerello, 14,5×18,8 - 1827 c.; Vesoul, propr. priv.* 30) Picador, *acquerello, 24,8×18,8 - 1832; Parigi, Roger-Marx. Studi per il n. 183 (1830 c.)* - 31) *grafite, 21,2×32,8; Parigi, Huyghe.* 32) id. e biacca, *30×45; Louvre. - Studi per il n. 257 (1833 c.; Louvre)* - 33) Donne sedute *(al centro), acquerello, 10,7×13,8.* 34) Donna semisdraiata *(a sinistra), pastello, 28,5×42,4.* - 35) Combattimento fra il giaurro e il pascià *(studio per il n. 270), grafite, 33,8×22,6 - 1835 c.; Louvre.* 36) San Sebastiano soccorso da una pia donna *(studio per il n. 285), penna, 31,3×25,6 - id.; ibid.*

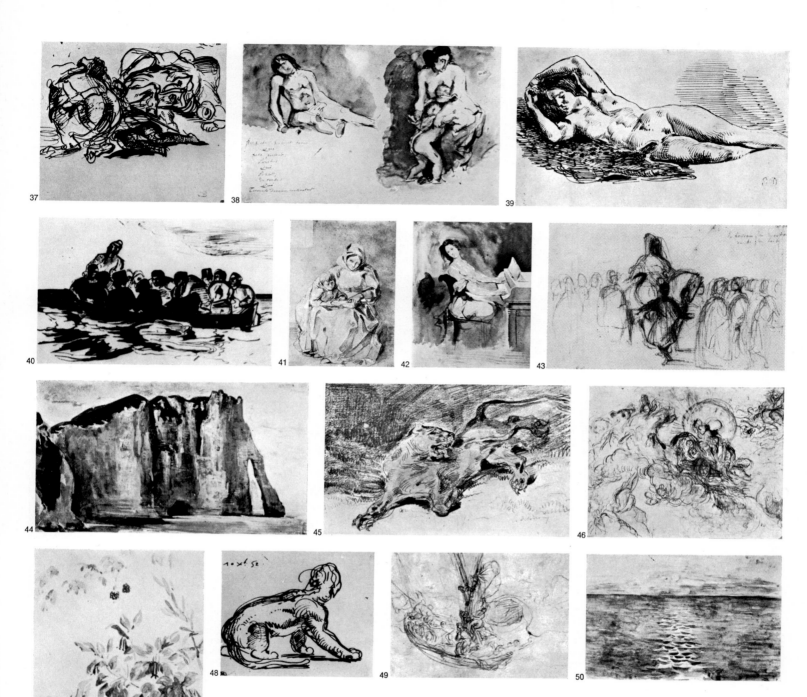

37) Cavalli e caduti *(studio per il n. 287), penna, 21,1×26,6 - 1837 c.; Louvre.* 38) San Sebastiano e Medea furiosa *(studi per i n. 285 e 328), penna e seppia ad acquerello, 19×30,5 - 1835 c.; Lilla, Musée des Beaux-Arts.* 39) Nuda sdraiata, *penna, 11×19 - 1840 c.; Parigi, Roger-Marx.* 40) Il naufragio di don Giovanni *(studio per il n. 351 [?]), seppia ad acquerello, 23,2×30 - id.; Louvre.* 41) L'educazione della Vergine *(prima idea per il n. 336), grafite e acquerello, 22×16,1 - 1842; Parigi, David-Weill.* 42) Marie Kalergis al piano, *seppia ad acquerello, 22×17 - 1843 c.; id., Vaudoyer.* 43) Il sultano del Marocco *(prima idea per il n. 423), grafite, 19,8×30,7 - 1844 c.; Louvre.* 44) La scogliera di Étretat, *acquerello e tempera, 14,5×23,8 - 1849; Rotterdam, Museum Boymans - van Beuningen.* 45) Tigre sdraiata, *grafite, 12,5×20 - f., 1849 c.; Parigi, David-Weill.* 46) Apollo vincitore di Pitone *(studio per il n. 574), grafite, 39,5×51,8 - id.; Louvre.* 47) Fucsie in un vaso, *acquerello, 30×19 - 1855(?); Parigi, propr. priv.* 48) Puma *(studio per il n. 594), penna, 11,4× 13,3 - 1852(?); Louvre.* 49) Barca in tempesta *(prima idea per i n. 651-660), grafite, 22,3×34,9 - 1852 c.; ibid.* 50) Tramonto sul mare, *acquerello, 25,5×34,5 - 1854; Parigi, David-Weill.* 51) Il castello dei Berryer a Augerville-la-Rivière (Loiret), *grafite, 11,9×18,1 - 1856; Louvre.* 52) Elementi architettonici e decorativi *(studi per la zona superiore del n. 787), id., 19,7×30,1 - 1850 c.; ibid.* 53) San Michele sconfigge il Demonio *(studio per il n. 781), id., 28,5×34,9 - id.; Cambridge (Massachusetts), Fogg Art Museum.*

Repertori

Indice dei titoli e dei temi

142

144

Indice del volume

*La chiave delle abbreviazioni
poste nell'intestazione di ciascuna 'scheda' è data alla pag. 82.*

Fonti fotografiche

Illustrazioni a colori: Archivio Rizzoli, Milano; Editions du Temps, Parigi; Giraudon, Parigi; Held, Ecublens; Lauros-Giraudon, Parigi; National Gallery, Londra; National Gallery of Art, Washington; Nimatallah, Milano; Ordrupgaardsamlingen, Copenaghen; Willy, Parigi. Illustrazioni in bianco e nero: Archivio Rizzoli, Milano; Musée des Beaux-Arts, Bordeaux; Museum of Fine Arts, Boston; City Art Gallery, Bristol; Art Institute, Chicago; Ny Carlsberg Glyptotek, Copenaghen; Ordrupgaardsamlingen, Copenaghen; John G. Johnson Collection, Filadelfia; L. Hilber, Friburgo; Musée d'Art et d'Histoire, Friburgo; Art Gallery and Museum, Glasgow; Musée des Beaux-Arts, Le Havre; J. Camponogara, Lione; National Gallery, Londra; County Museum of Art, Los Angeles; Museum of Fine Arts, Montreal; Metropolitan Museum, New York; Vaering, Oslo; Kröller-Müller Stichting, Otterlo; Giraudon, Parigi; Louvre, Parigi; Národní Galerie, Praga; Museum Boymans - van Beuningen, Rotterdam; Musées de la Ville, Strasbourg; Krannert Art Museum, Urbana; Kunsthistorisches Museum, Vienna; Sammlung Oskar Reinhart, Winterthur.

Grafici di Sergio Tragni.

Direttore responsabile: PAOLO LECALDANO.

Registrazione presso il Tribunale di Milano, n. 84 del 28.2.1966.
Spedizione in abbonamento postale a tariffa ridotta editoriale:
autorizzazione n. 51804 del 30.7.1946 della Direzione PP.TT. di Milano.

Editore stampatore: RIZZOLI EDITORE S.P.A.
MILANO, VIA CIVITAVECCHIA 102 - PRINTED IN ITALY